Doña Berta

Cuervo - Superchería

Letras Hispánicas

Leopoldo Alas «Clarín»

Doña Berta

Cuervo - Superchería

Edición de Adolfo Sotelo Vázquez

CÁTEDRA

LETRAS HISPÁNICAS

1ª. edición, 2003

Ilustración de cubierta: James Ensor, *La dama melancólica* (1881)

© Ediciones Cátedra (Grupo Anaya, S. A.), 2003
Juan Ignacio Luca de Tena, 15. 28027 Madrid
Depósito legal: M. 117-2003
I.S.B.N.: 84-376-2029-5
Printed in Spain
Impreso en Anzos, S. L.
Fuenlabrada (Madrid)

Índice

Introducción

A Gonzalo Sobejano, con amistad

Estrecho es el corazón que ama... un solo objeto, una sola forma y en ella construye un sepulcro para la eternidad.

LEOPOLDO ALAS «CLARÍN»

La vida afectiva es la única que vale la pena. La otra sólo sirve para organizar en la conciencia el proceso de la inutilidad de todo.

MIGUEL TORGA

La memoria nos abre luminosos corredores de sombras.

JOSÉ ÁNGEL VALENTE

El perfil intelectual de Leopoldo Alas «Clarín» en la órbita del krausismo español

I

Paul Bénichou en un libro memorable, *La coronación del escritor, 1750-1830 (Ensayo sobre el advenimiento de un poder espiritual laico en la Francia moderna)* (1973)[1], aceptando —aspecto que es evidente, pero que ha sido cuestionado en algunas ocasiones— que la literatura es portadora de ideas y que comparte esta característica con la filosofía, la ciencia política, el derecho o la moral (aunque su elaboración tenga signos y códigos específicos y sus ideas nazcan de los impulsos profundos de la humanidad), estudió históricamente cómo desde la segunda mitad del siglo XVIII se había ido constituyendo en Francia un mundo intelectual secularizado, privando progresivamente a la Iglesia del liderazgo en la formación y en la orientación de una naciente opinión pública que se ampara en una autoridad laica, la de los ciudadanos.

Ahí, en ese tiempo, hay que situar el nacimiento del intelectual genérico que se desarrolla al compás de la revolución liberal. Los santos del espiritualismo laico que Bénichou estudia en Francia (conviene recordar que para lamentación que el propio Clarín haría suya, el espacio que dedica a Maine de Biran es muy escaso), serán en España, casi con medio siglo de diferencia y sin «tiempo de los profetas» que los avale y en-

---

[1] Paul Bénichou, *La coronación del escritor, 1750-1830 (Ensayo sobre el advenimiento de un poder espiritual laico en la Francia moderna)*, México, Fondo de Cultura Económica, 1981.

riqueza[2], los profesores krausistas con don Julián Sanz del Río a la cabeza. Debo advertir de inmediato que no quiero sostener que los profesores krausistas de la primera y segunda generación (según la ordenación postulada por López Morillas, Cacho Viu y Elías Díaz)[3], es decir, Sanz del Río, Fernando de Castro o Francisco de Paula Canalejas, de un lado, y Giner, Salmerón y Azcárate, de otro, sean los únicos y venerables intelectuales laicos que representan ese estadio de la configuración de un poder espiritual en la España de la segunda mitad del XIX, pues figuras como Francisco Pi i Margall o Emilio Castelar tienen una importancia decisiva, así como las diversas direcciones del socialismo utópico o las del movimiento humanitario podrían dilatar el campo intelectual al que me refiero. Lo que sí quiero proponer es que el movimiento intelectual krausista proporcionó los suficientes hombres «de intelecto», con una autoridad que si bien no estaba sacada de la excelencia de su obra literaria, sí lo estaba de sus teorías filosóficas, pedagógicas y morales —Sanz del Río y Giner son el paradigma—, capaces de abrir el camino a una «esfera pública de debate», que tal y como ha mostrado Jürgen Habermas[4] constituye el punto de emergencia del intelectual, más allá del *latu senso* con el que esta palabra se puede aplicar a los ilustrados de entre siglos, a algunos románticos e incluso a los primeros krausistas.

---

[2] El tiempo de los profetas (alrededor de 1815-alrededor de 1860) corresponde a los años de las grandes doctrinas del romanticismo francés (las tentativas neocristianas de Chateaubriand, las utopías científicas de Comte o las formulaciones humanitarias de Quinet y Michelet) estudiadas por Bénichou en *El tiempo de los profetas (Doctrinas de la época romántica)*, México, Fondo de Cultura Económica, 1984. Recientemente Christophe Charle, *Les intellectuels en Europe au XIX* siècle. *Essai d'histoire comparée* (París, Éditions du Seuil, 1996) ha aceptado el marbete de Bénichou para ese período, discrepando, no obstante, del excesivo crédito que Bénichou conceda a la finalidad espiritual y religiosa del discurso de los profetas.
[3] Cfr. Juan López Morillas, *El krausismo español* (Madrid, Fondo de Cultura Económica, 1980); Vicente Cacho Viu, *La Institución Libre de Enseñanza. Orígenes y etapa universitaria, 1860-1881* (Madrid, Rialp, 1962); y Elías Díaz, *La filosofía social del krausismo español* (Madrid, Edicusa, 1973).
[4] Jürgen Habermas, *Historia y crítica de la opinión pública*, Barcelona, Grijalbo, 1999.

Esta proposición tiene un anexo importante. Si como sostiene el profesor Charle en su estudio de historia comparada acerca de los intelectuales en la Europa decimonónica: «España es sin duda el país de Europa donde el proceso de emergencia de los intelectuales como fuerza política es el más cercano al modelo francés»[5], el krausismo español no es tan sólo la mejor representación del advenimiento del poder espiritual laico, cuyo profeta máximo será Krause, sino que, además, es parte del catalizador que acelera la lectura innovadora de la tradición nacional, según Adolfo Posada —un intelectual cuyo perfil krausista es tan inequívoco como el de Leopoldo Alas— expuso en su *Breve historia del krausismo español* (alrededor de 1925):

> El krausismo, pues, no obstante su raíz alemana, como doctrina se españolizó constituyendo a la larga un movimiento original y típico, no superficial, movimiento profundo, removedor, merced al cual el espíritu filosófico nacional, apagado pero, por dicha, latente, recibe la inyección reanimadora y reconstituyente de la filosofía alemana de los mejores días[6].

No estoy sosteniendo —porque sería equivocado— que el krausismo sea una planta típicamente española, sino que quiero constatar que al compás de lo que Posada llama «la excitación política del constitucionalismo»[7], cuya traducción europea es la revolución liberal, el krausismo abordó, desde sus prejuicios, la tarea de configurar una tradición nacional en lo filosófico, lo artístico y lo literario: una tradición heterodoxa según el fogoso ademán de Marcelino Menéndez Pelayo en un estudio imprescindible.

El krausismo es, por otra parte, el campo intelectual del que nacen las diversas direcciones filosóficas y científicas que permiten entender la vida intelectual española del último cuarto del siglo XIX como «esfera pública de debate». Urbano

---

[5] Christophe Charle, *Les intellectuels en Europe au XIXᵉ siècle*, pág. 278.
[6] Adolfo Posada, *Breve historia del krausismo español*, Oviedo, Universidad de Oviedo, 1981, págs. 25-26.
[7] *Ibídem*, pág. 27.

González Serrano, intelectual de formación krausista y maestro coyuntural de Alas, escribía en 1892 al confeccionar la voz «Krausismo» del *Diccionario Enciclopédico Hispano-Americano de Literatura, Ciencias y Artes* de Muntaner y Simón editores:

> Los numerosos discípulos de Sanz del Río (muchos de los cuales aún viven afortunadamente), aceptaron el punto de partida de toda investigación filosófica que dejara indicado Krause en sus obras. Con sentido libre y vario han modificado, más o menos todos, sus primitivas ideas, y de su educación científica anterior sólo conservan cierto espíritu de libre indagación, extraño ya a la ortodoxia krausista, pero fiel siempre a aquella propedéutica reflexiva y metódica que ha encauzado la predisposición imaginativa de nuestro espíritu de raza[8].

Ese espíritu abierto permitió que las doctrinas del tiempo de los profetas, sobre todo aquellas que envolvían el progreso científico, fueran conocidas y debatidas desde el rigor del libre examen, cuando ya don Julián había fallecido (1869).

Dicho de otro modo, la autoridad laica de los krausistas posibilitó el adentrase con aires nuevos (los que venían de la rápida, pero eficaz, asimilación de las doctrinas del tiempo de los profetas y de las estrictamente contemporáneas) en la tradición nacional, sin que esta tradición estuviese ligada exclusivamente a la ortodoxia católica, sino a una pasión por la libertad, que les convierte en el eslabón esencial en España del itinerario trepidante y contradictorio, que en el caso del siglo XIX francés ha estudiado tan sugestivamente Michel Winock en *Les voix de la liberté*. La particularidad de esta pasión por la libertad es que no desdeña jamás la religión, el factor religioso, que es, en Giner y en Clarín, ineludible como factor ético-estético de los quehaceres intelectuales. Ello se advierte en un abanico de textos programáticos anteriores al 68, de entre los que elijo el comentario de don Francisco Giner en torno al

---

[8] Urbano González Serrano, «Krausismo», *Diccionario Enciclopédico Hispano-Americano de Literatura, Ciencias y Artes,* Barcelona, Muntaner y Simón, 1892, t. XI, pág. 432.

discurso leído por don Fernando de Castro al ingresar en la Academia de la Historia. El título del discurso «Acerca de los caracteres históricos de la Iglesia española» (1866) rotula también el comentario de Giner, fechado ese mismo año.

El discurso de Fernando de Castro, el «clérigo apóstata» según denominación de don Marcelino en su *Historia de los heterodoxos españoles*, rector de la Universidad Central a propuesta de la Junta revolucionaria de Madrid tras la septembrina, e incluido entre los *Clásicos y Modernos* (1913) por el Azorín[9] empeñado en la forja de una tradición nacional en los primeros años de la segunda década del siglo xx, permitía al joven Francisco Giner glosar la falsa pugna entre el catolicismo y la libertad como equiparable en su ideario a la aparente discrepancia entre la religión y el derecho:

> No vamos a tratar aquí de las relaciones esenciales que entre uno y otro principio existen. Para nosotros, ambos están indivisiblemente enlazados en la unidad del hombre y su destino. Para nosotros, el neo-catolicismo es el último ¡ay! del absolutismo expirante, que en vano busca una salvación imposible en una alianza más imposible, si cabe, todavía. Grandes bienes deberá el siglo a esa escuela, que tiene, como todas, un fin histórico que llenar; porque ni las escuelas ni los partidos viven del puro error, del acaso y a nada. Pero, a pesar de esto, y a pesar del favor que sus doctrinas logran en poderosos círculos del mundo católico, no es menos cierto que esa secta desaparecerá conforme se vaya cristianizando la sociedad humana, porque el Cristianismo es quien ha dicho: *nihil dulcius aut utilius libertate*[10].

No quiero dejar de añadir que si el discurso de Fernando de Castro comentado por Giner abonaba la posibilidad de un

---

[9] Cfr. «Entre todos los "intelectuales" que forman dicho grupo merece mención especial don Fernando de Castro. Hoy en los manuales de historia y de literatura apenas si se consigna su nombre; y, sin embargo, cuando se haga una historia detenida y escrupulosa, la figura de don Fernando de Castro habrá de ocupar en ella un lugar distinguido» [Azorín, *Obras escogidas. Ensayos II* (ed. Miguel A. Lozano Marco), Madrid, Espasa Calpe, 1998, pág. 895].

[10] Francisco Giner de los Ríos, «La Iglesia Española», *Obras Completas*, t. VI, *Estudios filosóficos y religiosos*, Madrid, Espasa Calpe, 1922, pág. 326.

«catolicismo liberal», el joven Galdós unos meses después (16-II-1868) proponía desde las páginas de *La Nación* en la serie «Galerías de figuras de cera» la figura de Castro como paradigma del santo laico dedicado teórica y prácticamente a las labores intelectuales:

> Una vida que se comparte entre la meditación y la práctica de todas las virtudes, que realiza como ninguno los fines del hombre en la tierra, una vida ejemplar, laboriosa, consagrada al estudio, al noble cultivo de la ciencia y a la mayor perfección posible del espíritu; esta vida de sabio ilustre y de cristiano fervoroso, ¿no es conocida de todo el mundo? Pero otro fin ocupa también su actividad benéfica y generosa. No basta estudiar y orar, perfeccionarse intelectual y espiritualmente: es preciso mirar un poco hacia el pobre prójimo que vegeta a un lado ignorante y pecador: es preciso practicar la más noble misión del apóstol y del sabio; es preciso descender del razonamiento y de la contemplación para ocuparse de la enseñanza; y ninguno practica con más entusiasmo y fervor este caritativo sacerdocio[11].

En España el momento histórico central del establecimiento de este campo intelectual que culmina, importando sus doctrinas, el tiempo de los profetas y que abre los primeros compases del tiempo de los intelectuales, es el sexenio revolucionario, cuyo horizonte histórico está ahora mucho más próximo cronológicamente del modelo francés. Conviene recordar al vuelo que desde la óptica de la historia intelectual no son desdeñables hechos anteriores a septiembre del 68 que, unidos a las labores de Sanz del Río, Fernando de Castro y a las pautas del que don Fernando de los Ríos llamó «libro de horas de varias generaciones de españoles», el *Ideal de la Humanidad para la vida,* conforman la agitación intelectual y política que preludió a la «Gloriosa». Me refiero a esos «años de fermentación», según el atinado marbete del profesor Cacho Viu, en los que se abre expe-

---

[11] William H. Shoemaker, *Los artículos de Galdós en «La Nación»,* Madrid, Ínsula, 1972, pág. 428.

diente universitario a Castelar como consecuencia de las ideas vertidas en el artículo «El rasgo» *(La Democracia,* 25-III-1864), se produce la revuelta estudiantil de la noche de San Daniel, se destituye a los catedráticos krausistas, se incluye el *Ideal* en el *Índice* de libros prohibidos, etc. El joven Galdós, atento observador de los acontecimientos, nos ofrece el pulso de esa agitación, así como la feroz pugna de los sectores neocatólicos por acallar las voces de la libertad. Los artículos de *La Nación* o de la *Revista del Movimiento Intelectual de Europa* se pueden leer como crónica de ese tramo histórico, a la par que ofrecen la mirada de un joven intelectual liberal —atraído por los maestros krausistas— sobre una realidad social ambigua. La ironía galdosiana de este breve fragmento de la «Revista de la Semana» *(La Nación,* 17-V-1868) es un buen botón de muestra:

> Sabemos oír a Mozart y mirar a Velázquez; pero aun vamos a los toros. De aquí resulta un dilema de difícil resolución. Madrid: o eres artista, o eras torero: una de dos. Elige pronto, no sea que llegue un día en que, aunque quieras, no puedas salir de entre las astas[12].

Decía que el 68 abre el pórtico del tiempo de los intelectuales de finales del siglo XIX, abre el tiempo de Clarín, cuya personalidad intelectual se dibujará con nítidos perfiles a partir de la publicación de *La Regenta,* cuando precisamente el denominador común en los dominios de la ética y de la estética era escrutar horizontes e inquirir luces, tras las fisuras que la razón positiva y el realismo naturalista empiezan a ofrecer por doquier; luces y horizontes que apuntan al espiritualismo, a la búsqueda espiritual —con método racional y pasión sentimental— en el misterio y en lo absoluto, que tal y como estudió el profesor Lissorgues viene preparada por el perfil krausista de su modo de entender el oficio de intelectual, y uno de cuyos cauces de mayor suficiencia estética es el tomo de 1892, *Doña Berta. Cuervo. Superchería.*

---

[12] *Ibídem,* pág. 524.

II

Hijo del 68 y del magisterio krausista de la Universidad de Madrid, Leopoldo Alas empezará a participar en la esfera pública de debate con las primeras cadencias de la Restauración. Su oficio de intelectual se irá fraguando en sus «preludios», tan sabiamente estudiados por Jean-François Botrel, en la etapa que media entre su primer artículo en *El Solfeo* el 7 de marzo de 1875 y la publicación de su primer libro de crítica, *Solos* (1881). Su prehistoria intelectual son los primeros años madrileños, años de formación (1871-1875), «enfrascado en la lectura de filósofos y poetas alemanes»[13], según recuerda en 1889 para indicar cuándo empezó a leer a Galdós (1873), y de progresivo conocimiento de las cátedras de los profesores krausistas: durante el primer curso la de Canalejas, a lo largo del segundo año académico (72-73) las de Salmerón y Giner. Años de intensa formación universitaria compatible con las horas del Ateneo madrileño, en los que Clarín pasó de ser un joven liberal católico, eso dice ser en las autobiográficas «Cartas de un estudiante», publicadas en *La Unión* a finales del verano del 78:

> *Como filósofo* era yo más católico que el Papa; pero en práctica, en punto a curas y a sacristanes, no era posible cerrar los ojos a la evidencia, y mi volterianismo acerca de este particular, crecía de día en día. Por eso era yo liberal, y sin embargo, católico[14].

A ser, gracias al aprendizaje krausista, un intelectual liberal que agrandó la reflexión intelectual, emancipando el pensamiento desde la dignidad de la conciencia como eje de todas

---

[13] Leopoldo Alas «Clarín», *Benito Pérez Galdós (Estudio crítico-biográfico)* (1889), en *Galdós, novelista* (ed. Adolfo Sotelo Vázquez), Barcelona, PPU, 1991, pág. 21.
[14] Leopoldo Alas «Clarín», «Cartas de un estudiante, III», *Preludios de «Clarín»* (ed. Jean-François Botrel), Oviedo, Instituto de Estudios Asturianos, 1972, pág. 170.

18

esas reflexiones. Alas, que llega a Madrid equipado de un «liberalismo más sentimental que reflexivo»[15], no empañará con las enseñanzas krausistas su fondo sentimental, que Adolfo Posada, compañero de aquellos años de formación y de tantos otros en Oviedo, identificaba en 1913 con el romanticismo y el misticismo[16].

Me parece prudente insistir en este aspecto. El joven Alas se asoma a los aires del pensamiento krausista con unas creencias sinceramente profesadas, en las que lo verdaderamente inalienable, lo que no admite adaptación, es la autenticidad sentimental, que, paradógicamente, encontrará en el imperio de la razón armónica krausista estímulos y acicates para vertebrarse, asentarse y consolidarse. No entender estos años de formación en este sentido ha producido distorsiones intencionadas en la lectura de alguna pequeña obra maestra de Clarín como *Zurita* o no alcanzar a entender el significado profundo de *La Regenta* o a fragmentar excesivamente el itinerario del intelectual asturiano. Y, en cambio, la lectura atenta de la escritura de Clarín —la abiertamente biográfica y la veladamente autobiográfica— es de una transparencia vertiginosa.

No se trata de que Clarín fuese o no fuese krausista de escuela, porque, en efecto, la escuela krausista se abría —y abrirse es fragmentarse— por esos años a la esfera pública de debate que ellos —los krausistas— tanto habían estimulado. Se trata de observar con minuciosidad lo que Alas escribe y cuando lo escribe, para perfilar la influencia krausista que anida en su formación intelectual. En los años de periodista militante en *El Solfeo* y *La Unión* se refiere a su primer maestro, Francisco de Paula Canalejas, con estas palabras (está analizando *La poesía moderna* en *El Solfeo* del 14 de junio de 1878):

> El Sr. Canalejas representa entre nosotros un sentido filosófico que no es de moda, el idealismo puro, y por añadidura cristiano, pero sin filiación determinada en tal o cual secta

---

[15] *Ibídem*, pág. 170.
[16] Cfr. «Él que era, sobre todo, y por encima de todo, un sentimental; más, un romántico; mejor que eso, un *místico*» (Adolfo Posada, «Las obras de Alas», *España en crisis. La política*, Madrid, Caro Raggio, 1923, pág. 193).

filosófica o religiosa. Es el del Sr. Canalejas un espíritu independiente de toda sujeción exterior; pero que al romper con las fórmulas no se ha desligado de los lazos morales que le unían a los antiguos dogmas del idealismo y a la doctrina cristiana. Por eso el Sr. Canalejas, como pensador, no es simpático a los ortodoxos y es algo sospechoso a los filósofos modernísimos que dan por arruinado para siempre todo el portentoso edificio del idealismo, obra de tantos siglos y de tantos genios[17].

Pues bien, este filósofo aplicado, idealista puro y por añadidura cristiano, fue quien, según el testimonio de las «Cartas de un estudiante», destruyó en la inteligencia del joven Alas tantas aparentes preocupaciones relativas a la retórica y a la estética:

> A él le debo el primer paso en la revolución de mi pensamiento: destruido el dogma de la retórica, la piqueta amenazaba ya el edificio levantado sobre el aire por aquellos autores que el señor obispo me había presentado como oráculos de la filosofía. Cayó la indigestión casuística de las figuras retóricas, símbolo de otras figuras y de otras imágenes idolátricas que también habían de caer con más estruendo y más pesar mío[18].

Las enseñanzas de Canalejas son el prólogo de la revolución intelectual que tendrá en el magisterio de Salmerón y de Giner su desarrollo, que es íntimo, de la conciencia, y que supone, muy a su pesar, la caída de la retórica cortical de varias de sus creencias en el seno del catolicismo español. El abismo de la conciencia personal se abrió en las enseñanzas de metafísica de Salmerón:

> Llegó al fin la hora. Había que pasar el cabo; en el cuadro de asignatura brillaba para mí la «Metafísica» con letras de fuego y olor a azufre. La noche que precedió al primer día de cátedra tomé con mano trémula un cuaderno, y escribí en la primera página un epígrafe que me pareció como el *per me se*

---

[17] Leopoldo Alas «Clarín», «Libros», *Preludios de «Clarín»*, pág. 160.
[18] Leopoldo Alas «Clarín», «Cartas de un estudiante, III», *Preludios de «Clarín»*, pág. 171.

va tra la perdutta gente; decía así: «Metafísica»: apuntes tomados de las explicaciones de D. Nicolás Salmerón.

Así se llamaba el monstruo. Casi tuve miedo. Noche solemne fue aquella para mí. Soñé con el obispo, con Balmes, con Ortí y Lara, con mi madre, con la iglesia de mi pueblo. Recordé la infancia; aquellos plácidos días en que yo merendaba con los jesuitas de San Marcos de León; con aquellos padres que me daban recetas para ganar el cielo, guindas con aguardiente y muchos pellizcos en las rosadas y mofletudas mejillas. ¡Todo había concluido! ¡El abismo me tragaba...![19].

A partir de aquí la ingenuidad sentimental y religiosa se adentra en el abismo de la conciencia, del que saldrá la autenticidad que de modo perenne vertebra el pensamiento filosófico y religioso de Alas. El perfil krausista verdadero, radicalmente inconfundible de su filosofía, nace ahí. Dicho de un modo que quiere que se le perdone el esquematismo en aras de la claridad: el perfil krausista del intelectual Leopoldo Alas se dibuja como el de un pensador sentimental. Lo certificaría años después nada menos que don Francisco Giner, «mi constante maestro»[20] —son palabras de Clarín en 1886— o «es padre de algo de lo que más vale dentro de mi alma»[21] —las palabras de Alas pertenecen a un texto de 1889—, en una carta al autor de *La Regenta* en la que, reflexionando sobre cómo las cuestiones religiosas han quedado reducidas, entre los intelectuales, a la esfera del sentimiento, escribe (6-I-1888):

> La gente al uso es atea, aunque viva y se figure otra cosa; los científicos lo declaran por *a b c;* y sólo los espíritus algo sentimentales se afanan por las cosas divinas, ya de mero instinto, como las mujeres, las Santas Teresas de hoy, ya por reflexión y discurso, como Reville o Azcárate, Channing o Jouffroy, don Fernando Castro o Leopoldo Alas[22].

---

[19] *Ibídem,* pág. 172.
[20] Leopoldo Alas «Clarín», «*Los pazos de Ulloa* por Emilia Pardo Bazán», *La Opinión* (18-XI-1886), *Nueva Campaña (1885-1886)* (ed. Antonio Vilanova), Barcelona, Lumen, 1990, pág. 228.
[21] Leopoldo Alas «Clarín», «Camus», *La Ilustración Ibérica* (23-III-1889), *Ensayos y Revistas, 1888-1892* (ed. Antonio Vilanova), Barcelona, Lumen, 1991, pág. 72.
[22] Francisco Giner de los Ríos, *Ensayos y cartas,* México, Fondo de Cultura Económica, 1965, pág. 110.

Sumirse en el abismo de la conciencia es la primera condición de la religiosidad auténtica y sentimental de Alas. Lo racional le librará de los fetichismos y de las retóricas aparenciales, realzando la autenticidad sentimental de su ideario. Alas se perfila como un practicante de la nueva idealidad, que será propia en lo que tiene de método racional y de calor sentimental, en las clases de Salmerón. En la última de las «Cartas de un estudiante» (19-IX-1878) escribe:

> De mí te puedo decir que mientras creía en Dios, porque sí, porque *algo inefable* me giraba en el corazón, fui religioso, sincero... pero intermitente. Llegaban esas horas de sequedad de que habla un santo místico en que la oración ni la fe bastan para hacer brotar agua de la peña; cualquier alteración nerviosa precipitaba mi cerebro en esos círculos de la fiebre que tan bien describe Pérez Galdós, y si escogía por materia de este vértigo la idea de Dios, el tormento era horrible ¿hay Dios?, ¿no hay Dios?, esto me preguntaba, y como el corazón en tales tormentos nada decía, y como *las pruebas de la existencia de Dios,* son lugares comunes, *tópicos* de la lógica que se combaten y se encierran en un intelectualismo infecundo, no había medio de salir de aquella pena, árida y estéril, porque era un movimiento mórbido del cerebro, no una reflexión sistemática y concienzuda. Pues bien, ahora nunca se me ocurre, por muy nervioso que esté dudar de Dios, y dar vueltas a estos argumentos pobres e ineficaces de la escolástica. Dios se lo pague a quien me arrancó para siempre de aquel triste estado. ¿Fue por un milagro? No por cierto. Ya te diré otro día cómo fue[23].

Tardará algunos años en explicar cómo fue. Pero lo hará y precisamente en un contexto —el de sus colaboraciones en el periódico salmeroniano *La Justicia* (1888-1889)— en el que afirma la radical necesidad que tiene el periodista, el nuevo intelectual, de garantizar su individualidad personal en el abanico de la opinión pública y en la complejidad de la vida social. La reflexión de Clarín, de conocerla, hubiese hecho las

---

[23] Leopoldo Alas «Clarín», «Cartas de un estudiante, IV», *Preludios de «Clarín»*, pág. 182.

delicias del Jürgen Habermas de *Historia y crítica de la opinión pública* (1962):

> Si el periodista quiere ser algo en el Estado, no se convierta en máquina, por complicada y útil que sea; en el drama de la vida social los personajes no pueden ser menos que hombres; dentro del periodista verdadero debe haber siempre una persona, y la persona en las letras es la firma[24].

Contexto que es también el comienzo del asentamiento de Alas como intelectual finisecular, en la medida en que por sus escritos atraviesan una parte considerable de los temblores que inquietaron al fin de siglo europeo y de los que habrían de participar tanto Unamuno como Ganivet. Temblores que se podrían resumir en palabras de John W. Burrow en un libro ineludible, *La crisis de la razón. El pensamiento europeo 1848-1914*, en «una impaciencia común con las limitaciones de la existencia humana prosaica, desmitificada, y un mundo desencantado»[25].

Pero volvamos a cómo cuenta Clarín en 1889 el advenimiento de las doctrinas de Salmerón. Se trata de la polémica que mantuvo con Alfredo Calderón, director de *La Justicia* y disfrazado colaborador bajo el marbete de «cajista anónimo». Con su posibilismo castelarino de por medio y con la excusa de su enrevesada caligrafía, Alas recuerda las lecciones de estética de Canalejas, la «elocuente y profunda y fecunda doctrina de don Francisco Giner de los Ríos», la «erudición de Azcárate», las «reflexiones de Urbano González Serrano» y, sobre todo, la cátedra de metafísica de Salmerón, en la que la voz persuasiva del maestro llegaba «en lo que llamaba él la *lógica subjetiva*, a la idea de Dios como ser supremo». La memoria de Clarín es precisa, diáfana:

> la emoción inolvidable, solemne, severa, augusta, que produciría en mi alma de creyente sobrecogido, temeroso de ser

---

[24] Clarín, «Un escritor, una firma», *La Justicia* (30-XII-1888), en Yvan Lissorgues, *Clarín político (II)*, Barcelona, Lumen, 1989, págs. 31-32,
[25] John W. Burrow, *La crisis de la razón. El pensamiento europeo 1848-1914*, Barcelona, Crítica, 2001, pág. 307.

idólatra amando a Dios, aquel rayo de luz de color de fe, que bajaba en palabra sublime de los labios del filósofo; Dios era allí una esperanza... analítica, pero al fin esperanza; era probable que hubiera Dios; para la *idea* lo había; pero no había que anticiparse; todas las precauciones eran pocas para no caer en idealismos subjetivos, en idolatrías (pícara idolatría). Salmerón era para mí el piloto que en noche de tempestad nos ofrecía el puerto si eramos prudentes; aquella luz que en lontananza oscura creíamos vislumbrar, podía ser tierra firme... pero había que seguir luchando con las olas...[26].

Alas se ejercitó en aquella gimnasia del espíritu, se echó al mar por su cuenta y gracias a una lectura enriquecedora y personalista del ideario krausista, forjó una filosofía sentimental, en la que como le dice a Calderón en su segunda réplica, titulada «Mi castelarismo», «el cálculo *sentimental* sigue *bajando* cuando ya se ha acabado la sonda que oscila en la incertidumbre oscura»[27].

Los años de los aprendizajes krausistas le descubrieron el anhelo de una nueva vida espiritual que, proveída de un sentimiento profundo de concordia, iba a cristalizar, desde los ensayos recogidos en *Mezclilla* (1889), en esa idealidad de corte sentimental que embarga al Clarín *fin-de-siècle*, manifestándose tanto en su labor de ensayista como en muchas de sus incomparables narraciones breves.

El joven Alas reconoció en los krausistas su lucha por la dignidad de la conciencia y por la emancipación del pensamiento. Él no se sintió nunca un krausista con preocupaciones de escuela, sino como escribió con cierta ironía en *La Publicidad* (3-III-1882)[28], «un krausista aseado, limpio e independiente». En el rigor ético de los krausistas encontró según escribe Adolfo Posada en 1913, «la tranquilidad apetecida,

---

[26] Leopoldo Alas «Clarín», «A mi corresponsal. Cajista anónimo de *La Justicia*» (*La Justicia*, 9-II-1889). He recogido esta polémica en mi tesis doctoral inédita, *Investigaciones sobre el regeneracionismo liberal en las letras españolas (1860-1905)*, Barcelona, Universidad de Barcelona, 1987, t. II. Nótese el léxico que emplea Clarín.

[27] Leopoldo Alas «Clarín», «Mi castelarismo. Carta a don Alfredo Calderón» (*La Justicia*, 16-III-1889).

[28] Leopoldo Alas «Clarín», «Palique» (*La Publicidad*, 3-III-1882).

con el goce inefable del filosofar libre y del vivir en constante relación con las preocupaciones más netamente humanas, o sea con un gran ventanal abierto siempre a lo absoluto»[29]. En los auténticos krausistas aprendió Clarín una educación del espíritu, una disciplina moral y una adecuación entre el pensamiento y el sentimiento y la acción. Alas aprendió de los intelectuales del *Ideal* lo que este libro pide: «obras, hechos, en suma, conducta pura y buena»[30], según oportuna glosa de Posada en 1904 al comentar la edición que Zozaya había publicado del *Ideal de la Humanidad* en la «Biblioteca Filosófico Económica».

Por último, creo, al contrario de Pedro Sainz Rodríguez y de Marino Gómez Santos[31], que los años de los primeros aprendizajes de la disciplina krausista no sólo fueron una semilla moral sino un ingrediente de orientación existencial y espiritual en su aventura literaria y filosófica madrileña. Creo que esta es la atalaya desde la que se deben leer algunos recuerdos de esos primeros tiempos madrileños, que alimentan tanto los relatos factuales como los ficcionales. Así la desorientación y la indiferencia de los primeros días madrileños encontraran consuelo en «entrar en la iglesia, oír misa, ni más ni menos que en mi tierra, y ver una multitud que rezaba lo mismo que mis paisanos, igual que mi madre», según recuerda en el «Folleto literario» de 1890, *Rafael Calvo y el teatro español*[32]. Idéntica lectura debe tener el recuerdo que Narciso Arroyo, protagonista del relato inacabado *Cuesta abajo*, transcribe en su autobiografía:

> Recuerdo que mucho tiempo más adelante, cuando yo era un filósofo krausista, que procuraba hacer compatibles los

---

[29] Adolfo Posada, «Las obras de Alas», *España en crisis*, pág. 194.

[30] Adolfo Posada, «Un libro» (1904), *Autores y libros*, Valencia, Sempere, 1908, pág. 114.

[31] Cfr. Pedro Sainz Rodríguez, *La obra de Clarín* (1921) en *Dos discursos académicos sobre Leopoldo Alas*, Oviedo, Servicio de Publicaciones, 1986. Y Marino Gómez Santos, *Leopoldo Alas «Clarín»*, Oviedo, Instituto de Estudios Asturianos, 1952.

[32] Leopoldo Alas «Clarín», *Rafael Calvo y el teatro español. Folletos literarios*, VI, Madrid, Fernando Fe, 1890, pág. 41.

mandamientos de M. Tiberghien con mis aficiones a las mo-
distas de Madrid, persiguiendo una tarde a una chalequera,
más lleno de lascivia que impregnado de ideal, me paró de repente una vibración sonora, triste, solemne: era la campanilla
del Viático. Como si fuera electricidad que había desaparecido por el suelo, sentí que la lujuria se me caía cuerpo abajo,
huía al infierno evaporada. Fui otro hombre de repente, me
acordé del que agonizaba acaso, y tuve remordimiento de mi
juventud sana y fuerte[33].

Aunque el texto no se presta a tergiversaciones, debo eluci-
dar el que estimo su sentido. El Ideal es la disciplina krausista
ejemplificada en los mandamientos de Tiberghien, mandamientos que por las fechas en las que Clarín escribe el relato,
le parecían, a juzgar por una carta a Giner, exclusivos y un
tanto escolásticos[34]. En el momento recordado eran los *verba
magistri* que, sin embargo, necesitan de la vida y de su pieza
esencial de composición, la muerte, y de su corolario imprescindible, el misterio. El krausismo le proveyó de una actitud
y de un rigor ético y religioso para bucear por su cuenta y
riesgo, para discernir sobre lo que se está amando y lo que se
está meditando, como aconseja Arroyo a los jóvenes finiseculares, torturados por las incertidumbres del pensamiento y del
sentimiento.

Narciso Arroyo, *alter ego* de Alas, quien por cierto en sus
memorias nos ofrece la mejor imagen de lo que supuso el
krausismo para Clarín: un acicate para bajar a beber al fondo
de las ideas y, al mismo tiempo, un ánfora llena de lo más
hondo del agua (luego vinieron otras ánforas y otras aguas: las
de sus héroes, los pensadores artistas: San Pablo[35], Fray Luis,

[33] Leopoldo Alas «Clarín», *Cuesta abajo (La Ilustración Ibérica*, 1891), *Cuesta
abajo y otros relatos inconclusos* (ed. Laura Rivkin), Madrid, Júcar, 1985, páginas 136-137.
[34] Cfr. José M. Gómez Tabanera y Esteban Rodríguez Arrieta, «La conversión de Leopoldo Alas "Clarín": ante una carta inédita de Clarín a don
Francisco Giner (20-X-1887)», *Boletín del Instituto de Estudios Asturianos* (1985),
págs. 475-478.
[35] Cfr. «San Pablo, que fue un krausista de la antigüedad», escribe en la severa reseña de *El buey suelto* de Pereda (*La Unión*, 30-III-1879), *Solos* (1881), Madrid, Fernando Fe, 1891, 4.ª ed., pág. 242.

Leopardi, Hugo, Renan, Zola, Tolstoi...). El krausismo nunca fue un acto de fe, un martillazo descargado sobre el cráneo de la razón y del sentimiento, sino un camino para meditar y amar la idealidad, la verdadera actitud moral ante la vida. Nos lo enseña por vía negativa la reflexión de Arroyo (¡tan clariniana!) ante las quejas y el malestar del hombre de fin de siglo:

> Todas estas dudas, estas negaciones desconsoladoras, de que se queja el hombre moderno, el *fin del siglo*, ¿son racionales propiamente? ¿Ha dudado o ha negado cada cual por cuenta propia? ¡Ay, no! Ni mucho menos. Así como la Iglesia se encargaba y se encarga de pensar por cuenta de sus fieles y afirmar por ellos, así el escepticismo y el *materialismo*, etc., etc., de unos pocos, lleva la *cura de almas* de una infinidad de pobres diablos que si se condenan no será por culpa de su *intelecto*. ¡Bajar a beber al fondo de las ideas, que es un abismo, cuando es tan fácil pedir en el camino un poco de agua a los que suben con el ánfora llena! Lo malo es que como los *del ánfora* saben que los otros no bajan... pueden ellos no bajar tampoco y fingir que sacan de lo hondo el agua que puede ser de los arroyos de la superficie[36].

La intención y el sentido de estas palabras seguramente tendrían que ver con la finalidad de *Cuesta abajo*. No lo sabemos, pero sí, en cambio, explicitan de modo harto evidente el andamiaje intelectual de Leopoldo Alas al comenzar la última década del siglo XIX —el tiempo de *Su único hijo*, de las novelas cortas del 92 y de un numeroso haz de cuentos— y cuyas señas de identidad hay que buscar en los años de los aprendizajes krausistas.

III

Deliberadamente he soslayado de entre los maestros krausistas que ayudan a fraguar el perfil intelectual de Alas, la magna personalidad intelectual de don Francisco Giner. Dejando

---

[36] Leopoldo Alas «Clarín», *Cuesta abajo*, pág. 102.

a un lado que fuese el director de la tesis doctoral de Alas, *El Derecho y la Moralidad* (cuya dedicatoria es para don Francisco) y eludiendo la deuda que Clarín contrajo con su maestro en el ámbito académico, Giner no es tan sólo un maestro, es, a lo largo de los años, un interlocutor con el que discrepa a menudo en los dominios de la estética y de la literatura más oportunas según los tiempos, y con el que coincide en las labores académicas alrededor de la Filosofía del Derecho[37], en los presupuestos regeneracionistas para España, en gran parte de sus actitudes filosóficas y en su condición indisputable de moralista, sobre todo en la última década del siglo, lo que seguramente alejó a Alas de las tareas políticas, tal y como sostenía Urbano González Serrano, discípulo de Giner, maestro de Clarín e intelectual muy afín en su evolución intelectual a don Francisco y a don Leopoldo, en 1901: «A este maestro ilustre [Giner de los Ríos] debe su creciente antipatía a la vida política militante, a la cual hacía excursiones momentáneas arrastrado por su espíritu batallador»[38].

Por cierto, que González Serrano plantea en la necrológica que rescaté del olvido en mi tesis doctoral y que acabo de citar un tema muy sugerente para ahondar en la personalidad de Alas, como personalidad intelectual que fraguada en el krausismo y en el idealismo fue tornándose sincrética en función de las oportunidades históricas. González Serrano quería haberle propuesto epistolarmente «que nos explicase cómo compaginaba en su interior la admiración incondicional, completa, que profesaba a Castelar y a Giner, personalidades ambas de gran relieve, pero distanciadas las dos como los polos del eje terrestre, por carácter, por educación, por aficiones y por estudio»[39]. El profesor Lissorgues ha analizado con rigor y simpatía las convergencias y divergencias de Castelar y Alas

---

[37] «La cátedra que por mayor número de años explicó Leopoldo Alas fue la de Filosofía del Derecho, o como todavía dice nuestra legislación universitaria, de *Derecho Natural*» [Rafael Altamira, «Leopoldo Alas (Fragmentos de un estudio)», *Cosas del día*, Valencia, Sempere, 1906, pág. 95].

[38] Urbano González Serrano, «Un día de luto» (*La Correspondencia de España,* 14-VI-1901). Cito por Adolfo Sotelo Vázquez, *Leopoldo Alas y el fin de siglo*, Barcelona, PPU, 1988, pág. 230.

[39] *Ibídem,* pág. 231.

en política, pero quizás haya que ahondar más en el tema que hace un siglo proponía González Serrano, advirtiendo ciertas y lógicas reticencias hacía la relación entre mecanismos y conductas democráticas, tanto en el pensamiento de Castelar, como en el de Giner, como en el de Clarín, amparándose éste último, en más de una ocasión, en las ideas de Renan y de Carlyle. Para cerrar esta digresión quiero recordar que el paratexto que abre el artículo de Alas de réplica a Calderón, «Mi castelarismo» *(La Justicia*, 16-III-1889) es un fragmento que cita en francés de *El discípulo* de Paul Bourget, correspondiente a la parte central de la novela, «Confesión de un joven del día», que reza así:

> ¡La fe política! Yo miraba con idéntico desprecio las hipótesis groseras que con el nombre de legitimismo, republicanismo, cesarismo, etc., pretenden gobernar un país *a priori*. Soñaba yo, con el autor de los *Diálogos filosóficos*, una oligarquía de sabios, un despotismo de psicólogos, de economistas, de fisiólogos y de historiadores»[40].

Leopoldo Alas se sintió siempre discípulo de Giner. En la etapa de los «Preludios» la devoción por el maestro le lleva a escribir en la reseña de *La familia de León Roch (La Unión*, 24-XII-1878) a propósito del personaje de León y de sus insuficiencias como arquetipo del intelectual krausista (insuficiencias señaladas días antes por una reseña de Giner) que «No es León el varón perfecto, el Mesías de estos nuevos judíos que esperamos al *hombre nuevo*»[41]. Obviamente el hombre nuevo que Clarín escribe con sus habituales cursivas no es otro que el propugnado por Giner con el *Ideal de la Humanidad* como guía.

Don Francisco Giner había expresado en 1870, haciendo apresurado inventario de los efectos de la *Gloriosa*, su desazón y desencanto por lo sucedido: el 68 se había fraguado desde la libertad, la igualdad, la lealtad y la solidaridad, y lo que Gi-

---

[40] Paul Bourget, *El discípulo*. Madrid. El Cosmos Editorial, 1989, pág. 194.
[41] Leopoldo Alas «Clarín». *La familia de León Roch*, *Galdós, novelista*, pág. 72.

ner veía meses después era desencanto, «sorda desesperación de todos los oprimidos», «hostilidad creciente de todos los instintos groseros»[42], era tiranía, perjurio, iniquidad. El balance, sin duda exagerado y tal vez erróneo, procede de un texto capital —«La juventud y el movimiento social»— para entender la proyección de su ideario y de su magisterio en sus discípulos más queridos como Leopoldo Alas. En este magnífico ensayo que se abre con una cita del «Discurso inaugural de los estudios universitarios en 1851» a cargo de Julián Sanz del Río, Giner no sólo daba rienda suelta a su enojo, sino que, con el habitual proceder del regeneracionismo krausista, trazaba la dirección de un camino que la verdadera juventud activa, inteligente y enérgica debía recorrer. Ese camino es el del sacrificio, el del ejercicio de la conciencia moral, el de la rectitud del deber y de la conducta (Giner habla de «espíritus rectos y bien sentidos»), en lucha incesante contra «el marasmo de la posesión», de la soberbia, la altanería, la vulgaridad y el nudo gordiano de las dolencias sociales: la pasión egoísta.

El ideario de Giner, como nos enseñó López Morillas[43], se radicalizó camino del desastre del 98, manteniendo incólume la exigencia —por la vía de la predicación y de la redención pedagógica— de ideales, de estímulos a la acción eficaz contra los males que resumía en el egoísmo.

Clarín hace suyo este ideario y lo convierte en invariante de su itinerario intelectual, como lo prueba el texto que quizás tenga mayor relevancia doctrinal dentro del período de madurez de Alas, el discurso inaugural del curso universitario ovetense de 1891-1892, que vio la luz como su octavo «Folleto literario», y cuyo tema es la crítica del utilitarismo como ideario pedagógico y del egoísmo como falsa actitud moral, Clarín medita desde la idea de la muerte y desde sus enseñanzas, convencido de que, quien vive y se sacrifica, quien practica la filantropía, sabe que ha de morir «y que para él la

---

[42] Francisco Giner de los Ríos, «La juventud y el movimiento social» (1870), *Obras Completas,* t. VII, *Estudios sobre educación,* Madrid, Espasa Calpe, 1935, pág. 109.

[43] Cfr. Juan López Morillas, *Racionalismo pragmático. El pensamiento de Francisco Giner de los Ríos,* Madrid, Alianza, 1988.

vida con la idea de la muerte toma perspectivas ideales»[44], engendrando el desinterés, los sentimientos humanitarios, la idealidad. Sólo desde la idea de la muerte tiene racionalidad la vida, vivida según el deber moral, tanto en la dimensión de vivir para el alma como en su proyección en los demás quehaceres. La vida racionalmente vivida no puede ser otra que la que se vive desde la figuración de la muerte, que alimenta tanto el deber moral como la bondad, según lo expone en otro texto capital «La leyenda de oro»:

> En el mundo no ha vivido racionalmente nadie más que los buenos. Todos los demás, genios, conquistadores, sabios, poderosos, si no han ajustado su conducta a la ley del deber como pensamiento capital, constante, han vivido como locos[45].

Al margen del proyecto de enseñanza idealista que contiene el «Folleto literario» de 1891, que se asienta sobre el cultivo de las humanidades —que ofrecen grandeza desinteresada y ayudan a pensar— hay en *Un discurso* un hilo conductor de estirpe kantiana, pragmatizada en el ideal krausista, según el cual el obrar desinteresado, el amor del bien o del deber, repudia el egoísmo, tanto el individual como el social (que Clarín denomina «nacional»), y cuyo sumatorio constituye una idea capital del utilitarismo pedagógico. Sin propugnar la renuncia al patriotismo, que puede ser tan sólo un egoísmo disfrazado de altruismo nacional, Alas propone, en cambio, una escala de valores regida por la racionalidad, el deber y el bien: «Sólo diciendo: primero la idea, Dios; después la humanidad, después la patria, yo lo último, hay autoridad racional para sujetar al egoísmo natural, verdadero, al más terrible, al más cierto, al de la bestia ángel de Pascal»[46].

Desde otro ángulo, Clarín cree que el utilitarismo y sus raíces egoístas son la línea medular de la ética del positivismo

[44] Leopoldo Alas «Clarín», *Un discurso. Folletos literarios, VIII,* Madrid, Fernando Fe, 1891, pág. 55.

[45] Leopoldo Alas «Clarín», «La leyenda de oro» *(La Ilustración Española y Americana,* 30-I-1897), *Siglo pasado,* Madrid, Antonio López, 1901, pág. 93.

[46] Leopoldo Alas «Clarín», *Un discurso. Folletos literarios, VIII,* pág. 52.

filosófico. En el dominio de la conducta social y sus aplicaciones el utilitarismo como correlato del positivismo es una concepción anti-metafísica, que niega la realidad que no sea la experimentable y que queda clausurado en un empirismo ético que solamente se propone la hegemonía de lo material. Convencido de que la vida no «es para la utilidad empíricamente considerada, fuera de toda finalidad metafísica», Clarín se decanta en la etapa finisecular por el debate puro, desinteresado. Clarín se inclina a la metafísica, no porque en ella esté la curación de los males que le atormentan, sino porque sin su apoyo la idealidad se menoscaba, se empequeñece y carecen de sentido todas las necesidades racionales. Partícipe del «espíritu nuevo», de la sed de metafísica, de la dialéctica religiosa entre la razón y el misterio, Alas afirma continuamente la necesidad vital que tiene el hombre de idealidad. Si en *Un discurso* (1891) sostiene que «no lo dudemos: el individuo no vive de utilitarismo; el individuo cree, o padece dudando, o se desespera y niega, o niega sin dolor, por enfermedad del espíritu, o por esfuerzo moral que puede tener su misteriosa grandeza, su idealidad, *negativa,* pero no menos idealidad»[47], en la segunda de las *Cartas a Hamlet* (1896) ilumina la cara metodológica del «espíritu nuevo»:

> El espíritu nuevo (en las puras regiones de la reflexión filosófica) no consiste en pretender haber descubierto que se puede saber lo que *tampoco el positivismo sabía si se puede saber o no.* Lo que el espíritu nuevo cree haber descubierto es que no se *puede vivir bien* sin pensar en eso.
> Lo metafísico es, por lo menos, un postulado práctico de la necesidad racional[48].

Sumergido en las contingencias de la realidad, apelando a una educación que sea alimento para el porvenir que no ha de ver, Alas con el equipaje intelectual aprendido en Renan, Carlyle y Tolstoi, acomodado en la columna vertebral del

---

[47] *Ibídem*, pág. 58.
[48] Leopoldo Alas «Clarín», «Cartas a Hamlet» *(La Ilustración Española y Americana*, 8-IV-1896), *Siglo Pasado*, pág. 172.

pensamiento krausista español, aspira, en el fin de siglo, a una renovación religiosa de la vida del alma que desemboque en lo otro, en la fraternidad racionalmente entendida; es decir, en la existencia de un padre, de un Dios. Quiere agotar el campo de lo posible, «penetrar en el misterio para saber su destino, porque teme y quiere esperar ser feliz»[49], según dice el personaje (¡tan autobiográfico!) de su diálogo *Jorge,* publicado en *Siglo pasado.*

A esta luz se entiende el *Ideal* no como la palabra cerrada de Krause y Sanz del Río, sino como el yunque incesante de Giner: un esfuerzo cotidiano por erigir los quehaceres intelectuales y artísticos en actividades que, sabedoras de sus límites (todos los grandes textos krausistas saben de la servidumbre decisiva y última de la muerte), postulan un destino utópico, las esperanzas de un ensueño, el porvenir espiritual del racionalismo armónico, tanto en la austera reforma de la propia personalidad como en el «sacerdocio de servir eficazmente a sus semejantes», según términos de Alas en una «Revista» barcelonesa de 1890[50].

Sin embargo, el aprendizaje de moralista y de pensador religioso que Clarín recibe de Giner, y al que se refiere tanto en público («el tacto exquisito y espíritu evangélico de don Francisco Giner»[51], afirma en 1886) como en privado («en realidad espiritualmente, frecuento mucho su trato en los recuerdos que con variados motivos me le ponen a usted presente»[52], le escribe en 1887) no es obstáculo para explicitar sus discrepancias en el orden estético y literario; así, por ejemplo, la reseña de Clarín a *La familia de León Roch,* que es una contestación, con el común acuerdo de la nimiedad del personaje de León, a las tesis contrarias a la tendencia expresadas por Giner, o sus

[49] Leopoldo Alas «Clarín», «Jorge» *(La Ilustración Española y Americana,* 22-VIII-1899), *Siglo pasado,* pág. 86.

[50] Leopoldo Alas «Clarín», «Revista mínima» *(La Publicidad,* 14-V-1890). Cito por Yvan Lissorgues, *Clarín político (II),* pág. 207.

[51] Leopoldo Alas «Clarín», *«Los pazos de Ulloa* por Emilia Pardo Bazán», *Nueva Campaña (1885-1886),* pág. 228.

[52] José M. Gómez Tabanera y Esteban Rodríguez Arrieta, «La conversión de Leopoldo Alas "Clarín": ante una carta inédita de Clarín a don Francisco Giner (20-X-1887)», *Boletín del Instituto de Estudios Asturianos* (1985), pág. 475.

opiniones divergentes sobre la novela realista y naturalista francesa, que Giner minusvaloraba ante la narrativa realista inglesa. Seguramente se podrían multiplicar los ejemplos, pero conviene constatar como contrapartida lo atinado de los juicios epistolares que el maestro le envía a Alas: en carta del 6 de enero del 88 le pregunta (pregunta que acosaba al propio Clarín como sabemos por las cartas a sus editores, publicadas por Josette Blanquat y Jean-François Botrel)[53]: «¿No escribe usted demasiado? [...] seríale mejor que reservase el material que vaya recogiendo de la vida para no soltarlo sino bien cribado y en su tiempo. Pero usted me perdonará tanto sermón»[54]; en carta del 18 de agosto de 1891 le confiesa que «entre todos nuestros novelistas, como usted es el que tiene más cosas dentro, suele la intención tener más hondura»[55]; y en esa misma carta Giner establece un agudísimo juicio de la narrativa de Clarín, como colofón de la lectura que acaba de terminar de *Su único hijo*:

> Acabo de leer *Su único hijo*. Cada día desconfío más de mi juicio en estas cosas, y huyo de dar «sentencia firme»: la crisis que, a mi entender, va atravesando la novela, ¡es tan enmarañada para mí! Nunca he visto como hoy tanta y tan elevada idealidad, y al par tanto rebuscamiento, mezclado con ella, de fotografiar el lado desagradable, animal y grosero de la vida [...] La novela de usted me hace una impresión muy profunda —*casi* tan profunda como *La Regenta*— desde la segunda mitad; desde el concierto de los cantantes en el casino. La nota amarga, pesimista, humana, se acentúa en términos que casi he tenido tanta emoción yo como el pobrecillo Bonis. ¡Qué final, Dios mío, qué final! Estas cosas de usted, como la *Realidad* de Galdós, van por el camino un tanto a lo Tolstoi. Todavía, para mí, *La Regenta* aprieta más, acaso por la trascendencia de muchos de los problemas de aquel cuadro más vasto[56].

[53] Cfr. *Clarín y sus editores. 65 cartas inéditas de Leopoldo Alas a Fernando Fe y Manuel Fernández Lasanta (1884-1893)* (ed. Josette Blanquat y Jean-François Botrel), Rennes, Université de Haute-Bretagne, 1981.

[54] Francisco Giner de los Ríos, *Ensayos y cartas*, pág. 112.

[55] *Ibídem*, pág. 113.

[56] *Ibídem*, pág. 113.

Más arriba sostenía que Giner es el mejor interlocutor de Alas a lo largo de su andadura intelectual. Creo que el ácido prúsico del gran maestro brilla singularmente en el Clarín posterior a 1887, cuando el naturalismo se agrieta, el positivismo se agota, la novela rusa impacta en el quehacer de Alas, y Renan, Bourget y Tolstoi se codean con Zola entre sus «héroes». En las líneas anteriores me ocupé de ese impacto, pero el magisterio recibido en los años 70 es también la clave de la oportunidad histórico-literaria que Alas descubre en el naturalismo de Zola y de la sesgada e inteligente lectura que hace de sus doctrinas.

El tema merecería un tratamiento extenso, aunque únicamente lo abocetaré, con invitado incluido, Urbano González Serrano. Hace ya casi veinte años advertí la importancia que tenía el prólogo de Alas al libro de Adolfo Posada, *Ideas pedagógicas modernas* (1892), con respecto a la inflexión intelectual de Alas que le acerca entusiasmado al naturalismo de escuela, haciéndole su valedor más apasionado y más inteligente en las letras peninsulares.

Es sabido que dicho libro contiene un estudio de Posada, «Los fundamentos psicológicos de la educación según el Sr. González Serrano», en el que el compañero de universidad de Alas defiende la funcionalidad del término «krausopositivismo» para ubicar las modulaciones del pensamiento krausista en la segunda mitad de la década de los setenta:

> La doctrina, o más bien la dirección total del pensamiento, que hubo de influir sobre el krausismo de González Serrano, fue la positivista. Pero esta corriente, a pesar de sus grandes atractivos, de su imponente cortejo de importantísimas investigaciones, no arrastró al filósofo español. Le ilustró, haciéndole recoger los resultados de la investigación realista, directa, sobre las cosas mismas; le hizo más prudente aún y estimuló su nativo espíritu crítico. La posición que en su krauso-positivismo ocupa González Serrano es la indicada; es acaso la que va implícita en el propio Krause, por más que éste no podía definirla plenamente, ni aprovecharse de ella, para sacar todas las fecundas consecuencias que González Serrano saca al fin de sus investigaciones psicológicas. Esa posición se muestra en lo que un filósofo llamó *espíritu de libre síntesis;* según ya he

indicado: prudencia en el afirmar, en el definir; dejar siempre las cuestiones todas abiertas a más intensas, a más amplias investigaciones; huir de todo dogmatismo, manteniéndose siempre alerta y considerando que, si todo conocimiento encierra en términos dados la realidad, ésta continúa siendo inagotable y prestándose a ser constantemente vista con más intensidad y de modo eternamente original[57].

Aunque resultaría atractivo fijar el lugar de Clarín junto a González Serrano, creo que su andamiaje intelectual en los albores de la recepción de Zola en España está más cercano al de Giner que al de González Serrano, a quien debe, por otra parte, los parámetros básicos de su concepción de la novela, y a quien elogiará por sus lecturas del naturalismo. Al margen de que Posada no los menciona en esa dirección y de que Clarín, prologuista del libro, parece no sentirse vinculado a ella, quiero exponer dos datos que me parecen incontrovertibles.

El primer dato advierte sobre las orientaciones fundamentales del krausopositivismo, que las ofrece Salmerón en los prólogos que antepone a la traducción de la *Historia de los conflictos entre la religión y la ciencia* de J. W. Draper (1876) y *Filosofía y Arte* de Hermenegildo Giner de los Ríos (1878). Adecuada definición de la vía krausopositivista es la que aparece en el segundo de los prólogos, anticipado en la *Revista de España* el 28 de diciembre de 1877. Dice allí Salmerón:

> Con este sentido se prepara un concierto fundamental entre la especulación y la experiencia, cómo se corrige la abstracción a que hasta ahora se ha inclinado el filósofo y cómo se levanta de la aprensión de lo fenomenal el empírico, cosas que en vano pretendieran negar los partidarios del viejo trascendentalismo metafísico de un lado, y de otro los estrechos espíritus del positivismo contemporáneo. La corriente central de la historia y los más preciados progresos de la ciencia novísima señalan de consuno el principio de esta conciliación definitiva[58].

---

[57] Adolfo Posada, *Ideas pedagógicas modernas,* Madrid, Librería de Victoriano Suárez, 1892, págs. 115-116.
[58] Nicolás Salmerón, «Prólogo» a Hermenegildo Giner de los Ríos, *Filosofía y Arte,* Madrid, Imprenta de M. Minuesa de los Ríos, 1878, págs. XXXI-XXXII.

Apreciación que González Serrano hace suya en numerosos trabajos de finales de la década de los setenta, pero que explícitamente declara en uno de ellos, *El Naturalismo Contemporáneo (Revista de España,* marzo-abril, 1879): es el mayor acicate para el estudio del moderno naturalismo filosófico «la pretensión justificada de aunar y concertar la especulación con la experiencia, fundando así la unidad del saber y de la realidad»[59]. Años más tarde el propio González Serrano al prologar su volumen *Crítica y Filosofía* (1888) considera el denominador común de los trabajos allí reunidos, en su mayor parte publicados entre 1884 y 1886, esa concertación entre especulación y experiencia:

> El pensamiento contemporáneo *felizmente secularizado y abierto* [...] a toda nueva investigación, va gradualmente percibiendo los punto de avance que la especulación y la experiencia (las personificaciones perdurables del dualismo lógico) conquistan a cada momento, acercándose recíprocamente para determinar conexiones cada vez más íntimas de las cuales surge la unidad presentida en lo que hoy se denomina el *Método intuitivo* como explicación razonada y acorde de lo especulativo y de lo empírico[60].

Pues bien, el prólogo de Salmerón fue comentado divergentemente por los dos críticos más sagaces del momento. Para Revilla en su habitual «Revista Crítica» de la *Revista Contemporánea* (15-II-1878) el prólogo suponía una «conversión» del krausista Salmerón a las filas del positivismo:

> Lícito es ya afirmarlo: el Sr. Salmerón ha entrado en las corrientes novísimas del pensamiento europeo. Si por plausibles respetos todavía se muestra deferente hacia su antigua escuela; si por una ley lógica del pensamiento aún conserva, en la idea como en la forma de exponerla, resabios de su pasado, no es posible desconocer que de hoy más se le puede contar

---

[59] Urbano González Serrano, *Ensayos de crítica y de filosofía,* Madrid, Aurelio J. Alaria, 1881, pág. 121.
[60] Urbano González Serrano, *Crítica y filosofía,* Madrid, Biblioteca Económica Filosófica, 1888, págs. 9-10.

entre los mantenedores de las nuevas doctrinas filosóficas, que bajo diferentes nombres concurren a un mismo resultado: la ruina del ontologismo idealista tradicional, la afirmación del sentido positivo de la ciencia, y en último término, la concepción monística del mundo.

Por el contrario, Leopoldo Alas con no poca disimulada dureza desautorizaba el juicio de Revilla sobre la conversión de Salmerón desde su tribuna de *La Unión* (19-II-1878) en una de sus «Cartas de un estudiante»:

> El Sr. Revilla, refiriéndose directamente al señor Salmerón, con motivo de su prólogo a una obra de D. Hermenegildo Giner, bate palmas porque cree notar una evolución completa en las ideas de nuestro filósofo y poco le falta para llamarle positivista; pues bien, el Sr. Salmerón en ese prólogo aunque dice muchas verdades, no dice nada contrario a lo que explicaba en su cátedra de metafísica en los últimos años que estuvo poseyéndola: la doctrina es la misma, igual la tendencia; únicamente se notan las diferencias formales que ha de haber entre la explicación didáctica de una serie de cursos universitarios, y un corto opúsculo destinado a la más amplia publicidad. Ya ves, amigo mío, si así juzgan personas tan ilustres ¡qué ha de hacer el vulgo![61].

La posición de Salmerón era, para Clarín, una cuestión de oportunidad y de adecuación, y nunca una conversión al positivismo. Era, a su vez, un anticipo de su propia evolución intelectual.

Un segundo dato es todavía más llamativo. Al prologar en 1892 el libro de Posada en el que se contiene el análisis del krausopositivismo, Clarín, que admite que Salmerón ha abandonado la escuela de Sanz del Río, no se sitúa en las filas del krauspositivismo, sino en un territorio muy próximo a Giner y que tendría como línea medular la pragmatización del *Ideal*:

> El krausismo español, abandonado por muchos de sus mantenedores, los más de ellos de los que le abandonaron, es-

---

[61] Leopoldo Alas «Clarín», *Preludios de «Clarín»*, págs. 181-182.

píritus falsos y vulgares, pero algunos, como, v.gr., Salmerón, eminentes, había dejado en buena parte de la juventud estudiosa e inteligente, como un rastro perfumado, el sello de una especie de unción filosófica que engendraba el ánimo constante y fuerte del bien, el instinto de propaganda de la vida ideal, de abnegación, pura y desinteresada: a la cabeza de estos jóvenes, como un padre y un maestro, estaba uno de los espíritus más grandes y más nobles que ha producido España, el señor D. Francisco Giner de los Ríos[62].

A la luz de lo que esquemáticamente he abocetado se debería inferir que el acercamiento más penetrante (no digo que el de González Serrano no lo sea) a Zola y al naturalismo debía venir de los adalides del krausopositivismo, pero, en cambio, proviene de la pluma de Clarín, quien, poco transigente con el positivismo e intransigente con el determinismo (aquí el acuerdo con González Serrano es absoluto) mantuvo una posición de inteligente permeabilidad acerca del discurso crítico y narrativo de Zola, construyendo una excepcional teoría de la novela notablemente engarzada a la creatividad galdosiana.

Las razones por las que Alas, al margen de su personalidad de artista, de novelista, que ningún krausopositivista tenía, aceptase e inteligentemente depurase y rectificase el naturalismo de escuela, engrandeciéndolo estéticamente (baste apelar a *La Regenta)* son varias. Dos no se pueden obviar: su fascinación por el espectáculo de la vida y de las almas que las creaciones naturalistas intensificaron y el carácter moral de las novelas naturalistas. Esta segunda razón, de recio abolengo krausista, es fundamental para entender la relación de Alas con el naturalismo, que es estética pero también ética, al comprender y sostener el carácter moral y socialmente fecundo de la novela naturalista, cuyas enseñanzas morales emanan de los entresijos de la vida y por eso no caben en el rigorismo moral, pacato hipócrita desde el que se atacaban los quehaceres naturalistas. Reseñando *Pot-Bouille (El Día,* 2-X-1882) la reflexión de Clarín es transparente:

[62] Cito el prólogo de Clarín por el útil libro de David Torres, *Los prólogos de Leopoldo Alas*, Madrid, Playor, 1984, pág. 178.

Si en la época presente, y tratándose de ciertos países y ciertas clases, las novelas que tienen por asunto la realidad tal como es, resultan inmorales, en el sentido absurdo en que suele usarse esta palabra, no es culpa de los autores, sino de la sociedad misma[63].

Las consideraciones de Alas —en las que no podemos detenernos— están amparadas en el postulado que Zola había establecido en *Le roman expérimental* (1880) y refrendado en el ensayo «De la moralité dans la littérature» recogido en *Documents littéraires* (1881). En el primer texto afirmaba: «Nous sommes, en un mot, des moralistes expérimentateurs, montrant par l'expérience de quelle façon se comporte une passion dans un milieu social»[64]. En el segundo combatía a los escritores y a los críticos hipócritas, señalando que las obras naturalistas ponen delante del lector verdades humanas, indestructibles. Las lecciones morales surgen de la propia realidad: «Aucune morale practique ne saurait être basée sur des ouevres d'imagination, tandis que les oeuvres de verité apportent forcément avec elles une leçon certaine et profitable. [...] Une veritable écrivain, un grand romancier comme Balzac, bâtit son oeuvre à l'image de l'humanité, aussi haute et aussi vraie qu'elle doit être, même dans l'atroce. La leçon est dans l'exactitude des documents»[65].

Si aceptamos como correcta la descripción de Adolfo Posada procedente del artículo de 1922, «Don Francisco» incluida en la sección «Mis muertos» de *España en crisis* (1923), según la cual «el krausismo, sobre todo en Giner, que formara su espíritu abriéndolo a los cuatro vientos, era, más que nada, una actitud mental y ética: aquélla, la mental, de austeridad, de reserva y de calurosa simpatía hacia todo esfuerzo sincero en los campos de la ciencia, y ésta, la ética, de austeridad también, de serena estimación de la vida, que debe ser en todo

[63] Yvan Lissorgues, *Clarín político (II)*, pág. 197.
[64] Émile Zola, «Le roman expérimental», *Le roman expérimental* (ed. Aimé Guedj), París, Garnier-Flammarion, 1971, pág. 76.
[65] Émile Zola, «De la moralité dans la littérature», *Documents littéraires, Oeuvres Complètes*, París, Fasquelle, 1969, pág. 598.

momento expresión práctica de un ideal»[66], y hacemos partícipe de estas características al Clarín de la segunda mitad de la década de los setenta, entenderemos cómo por estimación de la vida y por pragmatizar el *Ideal,* por querencias krausistas, adivinaron en el «moralismo experimental» naturalista una oportunidad para la mejora moral de sus conciudadanos que la novela, objeto estético rigurosamente teorizado por Clarín, podía consolidar. Lo que digo adquiere toda su verosimilitud si recordamos que, junto al carácter de manifiesto teórico-crítico del naturalismo en España de los dos artículos en los que Clarín analizó *La desheredada* galdosiana, su maestro, don Francisco Giner, se encargaba de comunicarle epistolarmente al novelista canario que su novela era «la *única* novela moderna española que puede saltar el Pirineo sin inferioridad alguna a lo mejor extranjero»[67], y de indicar a sus discípulos —las palabras son de Alas— «que Pérez Galdós, después de *La desheredada* es un moralista que podemos colocar al lado de los más eminentes que brillan con gloria universal en otras naciones»[68]. Es evidente que la responsabilidad de tales juicios radicaba en el arte naturalista galdosiano de hacer novelas.

El magisterio krausista, sin exclusivismos, de Giner despertó en el joven Alas «la idea en la conciencia, y lo que vale tanto, el amor acendrado a la idea misma»[69], según declaración del propio Zoilito en su reseña del otoño de 1875 de los *Estudios políticos y jurídicos* de Giner. Alas se convirtió en el mejor maestro de ese aprendizaje y por ello Rafael Altamira definió en 1907 el humanismo de Clarín como «el interés vivo y amoroso por las ideas mismas»[70]. Desde su pensar sentimental de fondo ético, de tendencias resueltamente espiritualistas afirmadas en la irrenunciable conquista de la realidad, y de

---

[66] Adolfo Posada, «Don Francisco», *España en crisis,* pág. 174.

[67] William H. Shoemaker, «Sol y sombra de Giner en Galdós», *Homenaje a Rodríguez Moñino,* Madrid, Castalia, 1967, t. II, págs. 224-225.

[68] Leopoldo Alas «Clarín», «Palique» *(La Publicidad,* 20-VIII-1882), *Galdós, novelista,* pág. 344.

[69] Leopoldo Alas «Clarín», «Libros y libracos» *(El Solfeo,* 17-X-1875), *Preludios de «Clarín»,* pág. 22.

[70] Rafael Altamira, «Leopoldo Alas (Fragmentos de un estudio)», *Cosas del día,* pág. 98.

fuertes ademanes pedagógicos, Alas transitó «con más intensidad que nadie el proceso espiritual de esos tiempos»[71] (las palabras son de Pedro Salinas y los tiempos son los de la madurez de Alas), en los que atacaba la pobreza espiritual de sus contemporáneos, censuraba su aislamiento, apelaba (antes que Unamuno) a la apertura de las ventanas a los cuatro vientos del espíritu, echaba de menos (antes que Unamuno) el «arrebato lírico»[72] y la indagación en los interiores de las almas como antídoto (preludiando a Unamuno) «de nuestra castiza sequedad sentimental»[73], mientras iba inventando (con anterioridad a Unamuno y Ganivet) el ensayismo español contemporáneo, forma literaria que consolida su excepcional dimensión de intelectual de la modernidad y cuyo mejor correlato se encuentra en la narrativa breve de la última década del XIX. En este sentido comparto la opinión de Rolf Eberenz, según la que la originalidad más importante de Alas en el fin de siglo «consiste en la supresión de la línea divisoria entre cuento y ensayo»[74].

Desde su inquebrantable filiación krausista en las actitudes, en la ética, en la conducta intelectual, Alas abrió el pensamiento y la literatura española a la modernidad de todos los vientos del espíritu, con independencia e inteligencia, con melancolía e irritación, convencido —como su admirado Tolstoi— de la existencia (parafraseo a Isaiah Berlin en su magistral ensayo, *El erizo y la zorra)* «de las *corrientes profundas,* las *raisons de coeur* que ellos no conocían por experiencia directa, pero ante las cuales —estaban convencidos— los artificios de la ciencia no eran más que una trampa, un engaño»[75]. Y, a la vez, sabedor de que debía contribuir al *jornalero posible* (el de sus trabajos y sus días en la «Extension Universitaria» ove-

[71] Pedro Salinas, «La literatura española moderna», *Ensayos de literatura hispánica moderna, Ensayos Completos,* Madrid, Taurus, 1983, t. III, pág. 169.

[72] Leopoldo Alas «Clarín», *Apolo en Pafos. Folletos literarios, III* (1887) (ed. Adolfo Sotelo Vázquez), Barcelona, PPU, 1989, pág. 79.

[73] Leopoldo Alas «Clarín», «La novela novelesca» *(Heraldo de Madrid,* 4-IV-1891), *Ensayos y Revistas, 1882-1892,* pág. 162.

[74] Rolf Eberenz, *Semiótica y morfología textual del cuento naturalista,* Madrid, Gredos, 1989, pág. 27.

[75] Isaiah Berlin, *El erizo y la zorra,* Barcelona, Muchnik, 1998, pág. 134.

tense) de un porvenir lejano, en el que —cito a Leopoldo Alas— «al llamarnos *todos hermanos* podamos hacerlo racionalmente, es decir, sabiendo que existe un padre, un *Dios,* o una madre, una *Idea.* Así sea»[76].

LA NARRATIVA BREVE EN LA POLIGRAFÍA DE «CLARÍN»

I

Aunque la etapa de la historia de la literatura española comprendida bajo el oportuno marbete de Edad de Plata no fue ni justa ni generosa en la valoración de la obra de Clarín, dos reflexiones de dicho período pueden servir para dibujar el lugar de privilegio de Leopoldo Alas en la narrativa breve del último cuarto del siglo XIX.

Azorín, que se empeñó en los primeros años de la segunda década del siglo XX en romper la apatía y la profunda negligencia con la que se leía la historia de la literatura española, se acercó a la obra de Alas con sensibilidad moderna y con apasionada vitalidad para leerlo como un clásico moderno, en un momento en que se andaban edificando las arquitecturas intelectuales que sostienen la Edad de Plata.

Azorín publicó en 1917 una excelente antología de textos clarinianos[77], que tenía dos aspectos relevantes y certeros. En el primero establecía varias capas o zonas en la obra de Alas. En cinco segmentos significativos reunía el autor de *La voluntad* la obra de su admirado maestro: el escritor satírico y polemista, el crítico literario, el moralista de los ensayos —Azorín recogía las impresionantes «Cartas a Hamlet», procedentes de *Siglo pasado* (1901), entre otros textos fundamentales—, el novelista, y, finalmente, el cuentista, segmento representado en la antología de casi cuatrocientas páginas por cerca de la mitad de la extensión del volumen. Por cierto, que la *nouvelle*

---

[76] Leopoldo Alas, «Revista mínima» *(La Publicidad,* 14-V-1890) en Yvan Lissorgues, *Clarín político (II),* pág. 208.

[77] Leopoldo Alas «Clarín», *Páginas escogidas* (selección, prólogo y comentario de Azorín), Madrid, Calleja, 1917.

Cuervo abría la antología, en la que todos los relatos pertenecen —con la excepción de *Cuervo*— a la última década del siglo XIX, la que Azorín consideraba el escenario más maduro y suficiente del espiritualismo laico y sentimental de Alas.

Precisamente de esa convicción azoriniana nace el segundo aspecto que las *Páginas escogidas* de la editorial Calleja ponían sobre el tapete. Aspecto que el maestro alicantino había venido elaborando a lo largo de una década, y que podría resumirse en una temprana afirmación de 1906, en la que glosando la figura de Nicolás Serrano, protagonista de *Superchería*, había afirmado: «cada vez amamos más las novelas de este queridísimo maestro, y cada vez creemos más firmemente que esta novela citada (con las dos que la acompañan) y la que lleva por título *Su único hijo*, es lo más intenso, lo más refinado, lo más intelectual y sensual a la vez que se ha producido en nuestro siglo XIX»[78]. Azorín quien detectaba —equivocadamente— en *La Regenta* «algo que es apariencia» y que distinguía, no con entera precisión, entre la fuerza de la extensión —la de la obra maestra de la novela española decimonónica— y la fuerza de la «visión clara, limpia y sobria de las cosas»[79], establecía con tino dos momentos cronológicos en la obra de Alas marcados por la frontera de *Mezclilla*, el libro de crítica de 1889, donde, como ya observara Emilia Pardo Bazán en la aguda reseña que ofreció del tomo en *La España Moderna*[80], advertía la crisis del pensador y del crítico, camino de la «manera abreviada», que encontrará en las novelas cortas y los cuentos de los años noventa su mejor expresión.

Al margen de lo erróneo de alguna de las apreciaciones de Azorín acerca del primer momento —especialmente en torno

---

[78] Azorín, «Nicolás Serrano» (1892), *España. Hechos y paisajes* (1909). Cito por *Obras escogidas, II. Ensayos* (ed. Miguel Ángel Lozano Marco), pág. 563. He tratado más extensamente estos aspectos en mi artículo «Azorín, lector y crítico de Leopoldo Alas», *Prosa y Poesía. Homenaje a Gonzalo Sobejano* (ed. J. F. Botrel, Y. Lissorgues, C. Maurer y L. Romero Tobar), Madrid, Gredos, 2001, págs. 395-405.

[79] Leopoldo Alas «Clarín», *Páginas escogidas*, pág. 195.

[80] Emilia Pardo Bazán, «Notas bibliográficas. *Mezclilla*», *La España Moderna* (II, 1889). Reproduzco y comento el texto en mi libro, *Leopoldo Alas y el fin de siglo*, Barcelona, PPU, 1988, págs. 21-33.

a *La Regenta*— lo cierto es que tanto en la crítica seria, como en el ensayismo y, sobre todo, en la narrativa breve del segundo momento, afloran, de modo desnudo y pleno, elementos (muchos de ellos perennes en su evolución intelectual) que la configuran como la más sugestiva y ejemplar realización de su pensamiento filosófico y de su estética literaria, que aprendió mucho de las conquistas de la realidad promovidas por el naturalismo de escuela, pero que supo reencontrarse (aunque quizás nunca se había extraviado) con una vena espiritualista que en el *fin-de-siècle* se abastecía tanto o más de Tolstoi, Schopenhauer o Bergson que de Zola, Taine o Hegel[81], sin renegar, por supuesto, de aquellos varios aprendizajes que siempre asimiló con un talante crítico y creativo.

Injusto con la primera etapa creativa —que reconoce dominada por el naturalismo— Azorín se sintió fascinado por el pensamiento y la creatividad del Alas maduro, el que cristaliza en *Un Discurso, Ensayos y Revistas, Su único hijo,* las novelas cortas y los cuentos de la última década del siglo, y cuyo colofón es *Siglo pasado.* Azorín observa la madurez de Alas en toda su polifonía —moralista, pensador, crítico—, pero, sobre todo, en el dominio de la narrativa breve que acompaña y sucede a *Su único hijo* (1891), dominio en el que —escribe Azorín en un artículo de 1910— «tras de la *primera* realidad, hay otra más lejana, más honda; sus cuadros, sus pinturas, tienen algo más de lo que se ve y lo que se toca; existe en ellos, algo a manera de un *más allá,* de una idealidad, que no es puramente contingente y actual, si no es cosa eterna, de todos los tiempos, fuera del espacio y del tiempo, puesta sobre las cosas perecederas y sobre la realidad inmediata y tangible»[82].

---

[81] Comparto la opinión de la profesora Maria Rosaria Alfani, expresada en la «Introduzione» que precede a su traducción al italiano de *Doña Berta:* «Il Clarín del 1890, spiritualista, lettore di Tolstoi e Dostoevskij, di Bourget piuttosto che di Zola e dei Goncourt, di Schopenhauer e Bergson piuttosto che di Hegel ha certo ridimensionato la fiducia che aveva nella razionalità, ma in cambio ha ancor più rafforzato la sua fiducia nel romanzo e nella letteratura, luogo dell'anima» (Leopoldo Alas «Clarín», *Donna Berta,* Palermo, Sellerio editore, 1997, págs. 16-17).

[82] Azorín, «Leopoldo Alas», *La Vanguardia* (19-VIII-1910). Reproduzco el olvidado artículo de Azorín en mi estudio, «Azorín, lector y crítico de Leopoldo Alas», págs. 403-405.

Como máximo ejemplo de esta ética y estética literarias Azorín propuso en diversas ocasiones el tomito de 1892, *Doña Berta. Cuervo. Superchería.*

La ejemplaridad de las novelas cortas de 1892 viene refrendada por la publicación de tres libros de narrativa breve entre 1892 y 1901 (sólo había publicado uno con anterioridad, en 1886, *Pipá): El Señor y lo demás, son cuentos* (1893), *Cuentos morales* (1895) y *El gallo de Sócrates* (1901). Ejemplaridad que no nace tan sólo de los temas y de las formas narrativas, como creía atinadamente Azorín, sino del particular lugar que ocupa Alas en el «campo literario» de las letras españolas de finales del siglo XIX, como acertó a vislumbrar el olvidado escritor José Francés en un libro significativamente titulado *De la condición del escritor. Algunos ejemplos* (1930), en el que, en plena Edad de Plata, reflexiona sobre tan importante tema, que atañe a la actividad y a la producción literarias así como al acto de escribir y a los canales —las páginas de los diarios y revistas— por los que se divulgaban las creaciones literarias. Francés, entre los catorce ejemplos que propone, elige el de Clarín, subtitulado «La poligrafía apasionada», donde subraya la clarividencia de Alas para no deslumbrarse por las modas y por la atracción del presente, al menos en el ensayismo, la novela y el cuento, consiguiendo fraguar una «obra tan varia de modalidades y sugerencias idealistas, tan henchida de espiritualismo al otro lado de la eternidad satírica o dentro de los estrechos cauces naturalistas»[83].

Precisamente las narraciones breves —la *nouvelle* y el cuento— fueron en el «campo literario» en el que se movía el artista asturiano el escenario posible, por ofrecerse en su seno un interesante equilibrio entre la producción literaria, donde aspira a vaciar su enorme capacidad ética y estética, la de un artista —cito a José Francés— «cuya educación y cuya cultura estaban tan por encima y por delante de los demás escritores de su época»[84], y la rentabilidad derivada de estas producciones. Escenario posible que tuvo su matriz, como gran par-

---

[83] José Francés, *De la condición del escritor. Algunos ejemplos,* Madrid, Editorial Páez, 1930, págs. 153-154.
[84] *Ibídem,* pág. 157.

te de la poligrafía apasionada de Alas (excepción hecha de dos grandes novelas, de su obra dramática *Teresa* y de sus impagables *Folletos literarios)* en las publicaciones periódicas, porque «la ley de concentración propia del género se avenía satisfactoriamente con el espacio abreviado que ofrecían las páginas de los periódicos y las revistas, por no hablar de las expectativas de los lectores habituados a la mecánica lectora de los impresos. El interés que las empresas periodísticas depositaron en los relatos breves es un testimonio externo que corrobora esta relación entre cuento y periodismo»[85].

Clarín, ante la necesidad de articular su pensamiento sobre la realidad, para poder componer ideas, meditaciones y obras artísticas que —observándola y analizándola— levantasen sus vuelos hacia los aspectos perennes del hombre y de la vida, fue y se sintió siempre periodista. La magna obra de Yvan Lissorgues, *Clarín político,* da cuenta pormenorizada de esos quehaceres que vertebran toda su obra. Jean-François Botrel, quien ha estudiado detenidamente el tema, sostiene que «en la escritura clariniana, el artículo es la forma de referencia: es la unidad de producción y de pago, enviado con puntualidad —por contrato tácito— a éste u otro periódico»[86]. Clarín tenía conciencia diáfana «del papel que desempeña el periódico en la propagación de la cultura»[87], «su lucha es una llamada para que se moralicen el periódico y el periodista»[88], pero también sabe que el periódico le produce una rentabilidad inmediata, que las novelas, las creaciones densas y trascendentes, que únicamente puede escribir «cuando (está) para ello», no le ofrecen. «El creador y el productor tienen —ha escrito Botrel— intereses globalmente opuestos e incluso contradictorios: el creador quisiera concentrarse —por iniciativa propia y "estando para ello"— en la composición de novelas o libros que "le den más gusto al componerlos", mientras que

[85] Leonardo Romero Tobar, «Introducción» a Leopoldo Alas «Clarín», *Doña Berta y otras narraciones,* Madrid, Alianza, 2002, pág. 10.

[86] Jean-François Botrel, «Clarín periodista», *Clarín: 100 años después. Un clásico contemporáneo,* Madrid, Instituto Cervantes, 2001, pág. 127.

[87] Sergio Beser, *Leopoldo Alas, crítico literario,* Madrid, Gredos, 1968, pág. 79.

[88] Yvan Lissorgues, *Clarín político,* t. II, pág. 25.

el productor tiene que dedicar todo su tiempo a dispersarse en la producción casi mercenaria de los *cien artículos que por (su) mal y (sus garbanzos) escribe a los treinta y dos vientos*[89]. Dado este horizonte de contradicciones, en la última década de su vida parece encontrar lo que Botrel llama «un compromiso razonable». Este compromiso explica la dedicación de Alas a la narrativa corta, «única forma acaso en la que se concilian satisfactoriamente las exigencias del creador con la rentabilidad del productor»[90].

Jornalero de las letras, conocedor crítico de la prensa de la época, teórico y práctico del periodismo, Clarín, al alcanzar su madurez como intelectual y artista, proyectó su ética y su estética, su voluntad creadora, su mismidad de artista por el camino de las novelas cortas y de los cuentos largos (al estilo de los que recoge en los volúmenes de 1893 y 1896). Así, *Doña Berta. Cuervo. Superchería* no son tan solo relatos ejemplares de sus hondas querencias intelectuales y artísticas, son también «conquistas razonables» de su estatuto de escritor en el fin de siglo.

Esta ubicación de Alas responde, por lo demás, a las coordenadas del «campo literario» de la *nouvelle* europea de finales del XIX. Florence Goyet ha subrayado el papel central de la prensa en esa época como transformadora del «paysage littéraire» e indicado como «le genre va donc se développer dans le cadre priviligié du périodique»[91]. Las novelas cortas de Alas serían explicables —desde estas «reglas del arte»[92] o la lógica a la que obedecen los escritores y las instituciones literarias— en parecido contexto a las de Maupassant o Chéjov. La conciencia de Leopoldo Alas no deja lugar a dudas cuando en 1895 escribía:

---

[89] Jean-François Botrel, «Producción literaria y rentabilidad: El caso de Clarín», *Hommage des hispanistes français à Noël Salomon*, Barcelona, Laia, 1979, págs. 131-132.

[90] *Ibídem*, pág. 132.

[91] Florence Goyet, *La nouvelle, 1870-1925*, París, PUF, 1993, pág. 92.

[92] He usado los términos y las consideraciones de Pierre Bourdieu, *Las reglas del arte. Génesis y estructura del campo literario*, Barcelona, Anagrama, 1995.

Benditos sean el periódico y la escena, si por esos caminos podemos ir haciendo de España algo parecido a pueblos como el inglés, el alemán, el francés, etc., que ya leen libros y en vez de ir al teatro, muchas noches, velan aprendiendo en otros géneros de literatura[93].

II

Cuando la trilogía *Doña Berta. Cuervo. Superchería* ve la luz a principios de 1892, la edición respeta escrupulosamente las instrucciones de su autor, que en carta a su editor Fernández Lasanta del 4 de diciembre del año anterior le decía: «Deseo que en la portada se lea *Doña Berta* con letras mayores y después con otras bastante más pequeñas *Cuervo-Superchería*, y nada de decir allí que son novelas cortas; el público dirá lo que son»[94]. Clarín, no obstante, sabe que las narraciones que componen el tomo, a las que seguramente tenía previsto sumar una cuarta composición, que hubiese sido el relato inacabado *Cuesta abajo*, publicado por entregas en *La Ilustración Ibérica* entre marzo de 1890 y julio de 1891, son novelas cortas. Una carta a Galdós, fechada poco antes de comenzar el verano del 91, es concluyente:

> Por otoño publicaré *Doña Berta*, una *nouvelle* que me está publicando *La Ilustración Española* y que creo que es de lo que me ha salido menos malo. Irá con otras dos o tres[95].

El tomo acogió tan sólo tres relatos. *Cuesta abajo* permaneció sin concluir en las páginas de la revista barcelonesa[96]. Los

---

[93] Leopoldo Alas «Clarín», «Revista mínima» *(La Publicidad, 24-III-1895)*. Cito por Yvan Lissorgues, *Clarín político*, t. II, pág. 24.

[94] *Clarín y sus editores. 65 cartas inéditas de Leopoldo Alas a Fernando Fe y Manuel Fernández Lasanta (1884-1893)* (ed. Josette Blanquat y Jean-François Botrel), pág. 66.

[95] Soledad Ortega (ed.), *Cartas a Galdós*, Madrid, Revista de Occidente, 1964, pág. 260. La carta es del 17 de junio de 1891.

[96] Para la vinculación de *Cuesta abajo* con el tomo de 1892 deben consultarse las oportunas observaciones de Carolyn Richmond, «Época de crisis: *Su único hijo* y el trío de *Doña Berta*», «Introducción» a Clarín, *Cuentos completos*, Madrid, Alfaguara, 2000, t. I, págs. 36-42.

tres relatos habían visto la luz en la prensa de la época con anterioridad, en torno a la elaboración de su segunda novela, *Su único hijo* (1891): son, pues, el mejor complemento narrativo, ético y estético de la novela que *La Regenta* ha oscurecido quizás inmerecidamente. *Cuervo* es la novela corta más antigua: había visto la luz en las páginas del salmeroniano periódico madrileño *La Justicia* —tan decisivo para explorar la crisis intelectual de Leopoldo Alas de finales de los años ochenta— en enero de 1888 y posteriormente volvió a publicarse en el suplemento de ciencias, literatura y artes de *La Correspondencia de España* entre el 9 de noviembre y el 21 de diciembre de 1890. *Superchería* se publicó por entregas en *La Ilustración Ibérica* —otra publicación clave para conocer la marcha del pensamiento de Alas en torno a 1890— entre el 6 de julio de 1889 y el 22 de febrero de 1890. *Doña Berta* es la *nouvelle* más cercana a la fecha en que ve la luz el tomo: se había publicado en *La Ilustración Española y Americana* entre el 8 de mayo y el 15 de junio de 1891.

La crítica contemporánea fue oscilante con respecto al marbete que se debía aplicar a los relatos. José de Arpe en la *Revista de España* (I-II, 1892) las llama «novelitas». El «Boletín bibliográfico» de la *Revista contemporánea* (29-II-1892) aplaudía el abandono del «campo del naturalismo» por parte del escritor asturiano y las denomina «narraciones sencillas». Ortega y Munilla, antiguo colega de las batallas naturalistas, considera *Superchería* la joya del libro y la llama «novela abreviada» en la reseña de *Los lunes de El Imparcial* (29-II-1892). Rafael Altamira, que no esconde su vinculación con el magisterio crítico de Alas, destaca *Doña Berta* y llama a la colección «novelas cortas» en su «Correo literario» de *La Justicia* (13-III-1892). Por último, Luis Paris, en sus «Notas de un lector» de *La Correspondencia de España* (12-IV-1892) oscila entre cuentos y novelas cortas, aunque se inclina por la segunda denominación, tras indicar que prefiere *Doña Berta* y observar que Clarín ya había practicado la novela corta en *Pipá* (1886)[97].

---

[97] En el «Apéndice» a la presente edición de *Doña Berta. Cuervo. Superchería* se dan las reseñas contemporáneas más importantes del libro de 1892.

Novelas abreviadas, novelitas, bocetos de novelas o novelas cortas tienen el común denominador de separar los relatos del 92 de otros relatos —cuentos— que Clarín había publicado tanto en volúmenes de crítica —*Solos* (1881) o *Sermón perdido* (1885)— como en el tomo de narraciones breves —cuentos y novelas cortas— *Pipá*. Pero, quizás la imprecisión en dicho deslinde de la recepción crítica del tomo de 1892, obligase a Leopoldo Alas a establecer las diferencias entre cuento y *nouvelle*, con «clara conciencia de que el 'cuento' y la 'novela corta' *(nouvelle)* son géneros bien distintos»[98].

Se trata de una «Revista literaria» del verano del 92 *(La Publicidad,* 3-VIII-1892) en la que —entre otros temas— Clarín reflexiona sobre las relaciones entre el periodismo y la cultura. En esas reflexiones se detiene en «la moda del cuento», que entiende como parte del esfuerzo de algunas empresas periodísticas por aumentar el tono literario de los periódicos. Considerando las ventajas y los inconvenientes de esa moda escribe:

> El cuento no es más ni menos arte que la novela: no es más difícil como se ha dicho, pero tampoco menos; es otra cosa: es más difícil para el que no es *cuentista*. En general, sabe hacer cuentos el que es novelista, de cierto género, no el que no es artista. Muchos particulares que hasta ahora jamás se habían creído con aptitudes para inventar fábulas en prosa con el nombre de novelas, *han roto* a escribir cuentos, como si en la vida hubieran hecho otra cosa. Creen que es más modesto el papel de cuentista y se atreven con él sin miedo. Es una aberración. El que no sea artista, el que no sea poeta, en el lato sentido, no hará un cuento, como no hará una novela[99].

---

[98] Ángeles Ezama, «Algunos datos para la historia del término 'novela corta' en la literatura española de fin de siglo», *Revista de Literatura,* 109 (1993), pág. 147.

[99] Leopoldo Alas «Clarín», *Palique* (ed. José M. Martínez Cachero), Barcelona, Labor, 1973, pág. 94. Son ideas que forman parte de la teoría de la narrativa de Alas, quien reseñando las narraciones de Palacio Valdés, *Aguas fuertes* (1894), en *El Globo* (1-II-1885) escribía: «No es más difícil un cuento que una novela, ni tampoco menos; de modo que hay notoria injusticia en considerar inferior el género de narraciones cortas, en el cual por cierto se han hecho célebres muchos escritores antiguos y modernos» [Leopoldo Alas «Clarín», *Nueva Campaña* (ed. Antonio Vilanova), Barcelona, Lumen, 1990, pág. 197].

La reflexión de Clarín es terminante: solamente un artista es capaz de crear un cuento, arte de tanta dificultad como el de la novela. A ella añade una consideración que revela el interés que mantenía acerca de las diferencias entre los géneros literarios:

> En España no usamos para todo esto más que dos palabras: cuento, novela, y en otros países, como en Francia, v. gr., tienen *roman, conte, nouvelle* u otras equivalentes. Y sin embargo, el cuento y la *nouvelle*, no son lo mismo[100].

Al margen de las dimensiones, pero sin establecer calas en sus diferentes poéticas, el autor de *La Regenta* sabe que sería conveniente definir una frontera entre la *nouvelle* y el cuento, que posiblemente Clarín medía por el inicial rasero que le llevaba a publicar los cuentos en una sola entrega periodística (en el 92, el cuento «¡Adiós Cordera!», por ejemplo, en *El Liberal)* y las novelas cortas en varias entregas (en el 92, la *nouvelle El Señor* en *El Imparcial).*

La mejor crítica clariniana de la segunda mitad del siglo XX ha coincidido en considerar como «novelas cortas» los relatos de la trilogía del 92, con una particularidad. Ramón Pérez de Ayala, el editor bonaerense de la trilogía, señalaba en el prólogo su carácter de novelas cortas, especialmente de *Doña Berta* y *Superchería*, mientras Ricardo Gullón, el primer crítico en dedicarle un estudio a una *nouvelle* de Clarín, aceptaba también el marbete para el trío de 1892. Ambos, sin embargo, mantenían reservas sobre la condición de novela corta de *Cuervo*, Pérez de Ayala la definía como «una obrilla, de cortas dimensiones, que pertenece a la línea sucesoria de los *Caracteres* de Teofrasto»[101], mientras Gullón, que consideraba *Cuervo* una novela fracasada, la entendía como un estudio —al modo de «El hombre de los estrenos», relato incluido en *Pipá*— de una manía, reducido «a la presentación y análisis

---

[100] Leopoldo Alas «Clarín», *Palique*, pág. 95.
[101] Ramón Pérez de Ayala, «Clarín y don Leopoldo Alas», en Clarín, *Doña Berta. Cuervo. Superchería*, Buenos Aires, Emecé, 1943. Cito por la edición de Taurus (Madrid, 1970, pág. 27) que altera el orden de los relatos.

del carácter visto desde su deformación»[102]. Carolyn Richmond en su magnífica reunión de los cuentos de Alas llega a sostener que «parece bastante posible que sea otra obra inacabada de esta época»[103], a la par que niega su propiedad de novela corta. Y Ángeles Ezama estima que *Cuervo* es «una de esas mixturas entre el cuento y el artículo de costumbres a las que tan aficionado fue Clarín»[104]. Por su parte, Baquero Goyanes, Lissorgues y, sobre todo, Sobejano han apurado la concepción azoriniana de *Cuervo* como una verdadera novela corta, aunque tenga una apariencia «heterodoxa»[105] dentro de la poética de la *nouvelle* europea deciomonónica representada por Flaubert, Maupassant o Chéjov.

Junto a estas tres novelas cortas en la narrativa breve de Alas el lector puede encontrar algunos ejemplos más. En el volumen *Pipá*, junto al extraordinario relato que da título al tomo, tienen condición de novelas cortas por acuerdo unánime de la crítica: *Avecilla*, *Las dos cajas* y *Zurita*. También la crítica se ha mostrado uniforme al calificar como *nouvelle* las dos narraciones que abren las colecciones de relatos de 1893 y 1896, que son, respectivamente *El Señor*, «la novela corta más concentrada de cuantas Clarín compuso, y la más lírica»[106], y *El cura de Vericueto*.

Aunque no hay una ley de discriminación invariable entre la poética del cuento y la de la novela corta, lo cierto es que el maestro Gonzalo Sobejano ha propuesto unos diferentes elementos constitutivos, que deben servirnos de normas orientadoras para su examen crítico.

---

[102] Ricardo Gullón, «Las novelas cortas de Clarín», *Ínsula*, 76 (1952), pág. 3. En esta dirección hay que entender la afirmación de Laura de los Ríos: «lo novelesco es mínimo y el estudio del personaje lo es todo» (*Los cuentos de Clarín. Proyección de una vida*, Madrid, Revista de Occidente, 1965, pág. 77). Se trata de un libro que sigue siendo fundamental para la narrativa breve de Alas.

[103] Carolyn Richmond, «Introducción» a Clarín, *Cuentos completos*, t. I, pág. 42.

[104] Ángeles Ezama, «Prólogo» a Clarín, *Cuentos*, Barcelona, Crítica, 1997, pág. LXXIII.

[105] Gonzalo Sobejano, *Clarín en su obra ejemplar*, Madrid, Castalia, 1985, pág. 94.

[106] *Ibídem*, pág. 101.

La norma de la novela corta residiría en lo que llama «realce intensivo», que es el común denominador de los siguientes rasgos: «suceso notable, motivos, punto crucial o momento crítico, selección de etapas, símbolo radiante, estructura repetitiva, concentración dramática»[107]. A ese suceso notable, como bien advierte Sobejano, Gullón lo llamó «acontecimiento clave» y creo que en el libro que nos ocupa podría también definirse con total pertinencia, al menos en *Doña Berta*, como «catástrofe moral», sintagma que Clarín, siguiendo a pie juntillas a Jean Marie Guyau y *L'Art au point de vue sociologique* (1889), utiliza para definir el rasgo característico de la narrativa psicológica, dominio al que sin duda pertenecen las tres novelas cortas de 1892. Catástrofe moral, que en palabras del profesor Antonio Vilanova, es «una catástrofe interna, en la cual los acontecimientos interiores son meros síntomas de la crisis psicológica o moral que constituye el verdadero drama, en el que todo, o casi todo, pasa por dentro»[108].

Por otra parte, la «catástrofe moral» infunde esa calidad dramática que Sobejano apunta en la norma de «realce intensivo» y que Clarín había advertido en la novela galdosiana *Realidad* (1889), que «sin dejar de ser novela, vino a ser un drama, no *teatral*, pero drama»[109], según la reseña aparecida en *La España Moderna* (marzo-abril, 1890). La norma de la novela corta psicológica, aquella que nace de las conquistas y de las insuficiencias del naturalismo, tendría el rasgo característico de la catástrofe moral, que vendría catalizado —como ha visto con intachable lucidez Maria Rosaria Alfani— por el arte, la música o la pintura, que no son «compensazione sublimatrice per eccentrici»[110] (Alfani piensa en Huysmans) sino generadores de catástrofes morales en los personajes de filiación romántica, que carecen de señales que les remitan a la excep-

---

[107] *Ibídem*, pág. 85.

[108] Antonio Vilanova, «Ensayos y Revistas», *Nueva lectura de «La Regenta» de Clarín*, Barcelona, Anagrama, 2001, pág. 341.

[109] Leopoldo Alas «Clarín», *«Realidad», Galdós, novelista*, pág. 197. En la «Introducción» he tratado de este rasgo característico de la novela psicológica, págs. XXIII-XLII.

[110] Maria Rosaria Alfani, «Introduzione» a Clarín, *Donna Berta*, pág. 14.

cionalidad de los héroes, dado que el autor de *La Regenta* está convencido —y así lo escribe en 1894— de que lo original radica «no en lo inaudito, no en lo raro y desconocido, sino en lo sincero y en lo espontáneo»[111]. Como siempre el vigoroso romanticismo de Leopoldo Alas prefería la poesía de la prosa al poema del héroe único y excepcional.

Frente a la novela corta, Sobejano propone como norma del cuento lo que denomina «unidad partitiva»[112], o la aspiración del género de «revelar sólo en una parte la totalidad a la que se alude». Sus características son la brevedad, la querencia por las unidades de acción, personaje, tiempo y lugar, y la búsqueda de un efecto único. Ahora bien, en el universo del cuento Sobejano propone, precisamente porque Clarín tiene un talento peculiar para combinar y crear posibilidades narrativas, una distinción básica entre cuento fabulístico y novelístico:

> El cuento fabulístico (que es el tradicional, aunque experimente renovaciones en nuestros tiempos) transfigura el mundo en mito, ejemplo, maravilla o fantasía; expone una trama, por breve que sea, a través de la cual se logra transcender la realidad comunicando al lector un reconocimiento, una iluminación, una interpretación; y en él lo que más importa es la buena trama, el choque moral, el humor, el vuelo imaginativo y los primorosos efectos. En cambio, el cuento *novelístico* (que es el cuento moderno a partir de 1880 aproximadamente; Clarín es uno de sus creadores) configura algo *de un* mundo *(una parte* de mundo) como impresión, fragmento, escena o testimonio; expone un mínimo de trama, si así puede llamarse, a través de la cual se alcanza una comprensión de la realidad, transmitiendo al lector la imagen de un retorno, una repetición, una abertura indefinida o una permanencia dentro del estado inicial; y en él lo que importa más es el reconocimiento de lo acostumbrado, la identificación con los personajes y la ampliación y refuerzo de nuestra capacidad de simpatía. Si llamo *fabulístico* al primer tipo es porque se aproxima a la *fá-*

[111] David Torres, *Los prólogos de Leopoldo Alas,* pág. 206. Se trata del prólogo a Federico Balart, *Poesías Completas* (1894) que había visto la luz previamente en *El Imparcial* (12 y 19-II-1894).

[112] Gonzalo Sobejano, *Clarín en su obra ejemplar,* pág. 86.

bula (conseja, parábola, apólogo, alegoría, milagro, leyenda, enigma, fantasía, maravilla) y si llamo *novelístico* al segundo tipo es porque se aproxima a la *novela* moderna, de la que viene a ser una sinécdoque (la parte por el todo), de donde su carácter partitivo (o participativo)[113].

La longitud de la cita se justifica porque en ella se advierte la proximidad que guardan las novelas cortas de Alas con sus cuentos novelísticos, en orden a «la relación del mundo ficcional con el paradigma de realidad y con la tradición literaria»[114], en palabras de Maria Rosso Gallo en una agudísima exploración del mundo ficcional de Clarín.

Por ello las distinciones de Sobejano *(nouvelle*-cuento novelístico-cuento fabulístico), ejemplificadas por *Doña Berta*, «Cambio de luz» y «Cuento futuro» (los dos cuentos procedentes del tomo de 1893), adquieren toda su pertinencia a la luz de la historia de la narrativa decimonónica, en la que Alas —como otros creadores europeos— se empeña, gracias a las conquistas de la novela, en abrir teórica y prácticamente el mundo ficcional al mundo psicológico, al mundo interior, al mundo moral de los personajes, mucho más atractivo desde su ética y su estética que «la descripción del mundo exterior»[115], según escribe en el prólogo de *Cuentos morales*.

III

Michel Raimond en un libro imprescindible, *La crise du roman. Des lendemains du Naturalisme aux années vingt*[116] ha estudiado cómo los múltiples avatares del género y las incertidumbres sobre la novela del porvenir a la altura de 1887 desembocan en la última década del siglo XIX en «le mépris du roman», a la par que se acentúa la idea del realismo-naturalis-

---

[113] *Ibídem*, pág. 88.
[114] Maria Rosso Gallo, *El narrador y el personaje en el mundo de Leopoldo Alas «Clarín»*, Torino, Edizioni dell'Orso, 2001, pág. 12.
[115] David Torres, *Los prólogos de Leopoldo Alas*, pág. 98.
[116] Michel Raimond, *La crise du roman. Des lendemains du Naturalisme aux années vingt*, París, José Corti, 1985.

mo como el paraíso perdido de la novela. Múltiples son los indicadores que el exhaustivo estudio de Raimond constata. Elijo el testimonio de Mallarmé. Entre las lúcidas observaciones que el gran poeta realiza en la encuesta sobre la evolución literaria promovida por Jules Huret en 1891 en las páginas de *L'Écho de Paris,* hay una que atina a perfilar el horizonte narrativo del fin de siglo: «dans une societé sans stabilité, sans unité, il ne peut se créer d'art stable, d'art définitif»[117]. En ese horizonte disgregado e inestable van a triunfar la novela corta y el cuento, géneros que resultan más afines a la estética simbolista y que tienen sus patrones de referencia en *The Philosophy of Composition* (1846) de E. A. Poe y en las reflexiones baudelerianas de *L'Art Romantique* (1869), textos familiares al Clarín posterior a 1887.

El pensamiento teórico y crítico de Alas sobre la narrativa no está en el centro de esa órbita que desacredita la novela y que afirma la muerte del naturalismo, pero sabe de esa órbita e intenta abrirse, tanto en la novela como en la *nouvelle* y el cuento, a los inciertos caminos que la crisis del naturalismo lleva consigo. Quizás el mejor escenario de estas inquietudes teóricas y críticas de Alas es el breve ensayo «La novela del porvenir», incluido en *Ensayos y Revistas (1888-1892),* recensión y comentario del artículo que con el mismo marbete había publicado Ferdinand Brunetière en su habitual revista de la *Revue des Deux Mondes* (1-VI-1891). Y digo que quizás sea el mejor escenario porque Clarín no había cesado —desde 1880— de discrepar y de contradecir los ensayos de «estética aplicada» de Brunetière, incansable debelador del naturalismo en las letras francesas, y ahora, hacia los días de la trilogía narrativa de 1892, va a tener «la ocasión de alabar, casi sin reservas, lo que Brunetière dice al terciar en la famosa cuestión de la *novela novelesca*»[118]. La alabanza de Alas es plena en la previsión de Brunetière de que la novela del porvenir se estaba inclinando al idealismo, al misticismo y al espiritualismo, al reino interior en

---

[117] Jules Huret, *Enquête sur l'évolution littéraire* (ed. Daniel Grojnowski), París, José Corti, 1999, pág. 101.

[118] Leopoldo Alas «Clarín», «La novela del porvenir», *Ensayos y Revistas, 1888-1892,* pág. 304.

suma, pero, en cambio, su actitud es claramente reticente al patrón idealista-simbolista que sugiere Brunetière, y por el cual se debe sustituir el reflejo de la vida por una imagen de la vida previamente determinada. Alas, que sigue empeñado en la defensa del naturalismo (especialmente en lo que atañe a las leyes de imitación y composición de la novela, que denomina «morfología de la vida» o «biología artística»), se niega a aceptar que los nuevos caminos de la narrativa —que él mismo transitará— cuestionen la *mimesis* y la experimentación artística conquistadas por el naturalismo, que a su juicio son el paso previo de cualquier formulación narrativa válida y suficiente ética y estéticamente.

La órbita en la que Alas se mueve en la última década del siglo XIX no está, como la de algunos simbolistas franceses, reñida con el realismo o divorciada del naturalismo. Lejos de esas posturas, Clarín quiere —desde el realismo y desde el naturalismo, desde sus conquistas y sus insuficiencias— ampliar la verdad y la sustantividad del arte. La narrativa clariniana de la última década de siglo, inclinada por razones de situación y contexto a plasmarse en relatos breves, perseguirá lo que él había llamado en un artículo de *Mezclilla*, «la esencia del realismo» o «sacarle la sustancia poética a la vida prosaica, y convertir en *héroes,* con nombre en la historia del arte, los *héroes* sin nombre de la historia vulgar de los anónimos»[119]. Doña Berta, Ángel Cuervo y Nicolás Serrano se convierten en héroes gracias al empeño de su creador de poetizar la prosa de la vida de una viejecita inquieta y solitaria, de un soltero entregado al espectáculo de la muerte o de un *dilettante* de la filosofía. Gracias al talento de un poeta que anclaba su arte en las diferentes luces y sombras de la poesía de la prosa. Gracias al genio de un escritor, cuyos quehaceres en la novela, la *nouvelle* y el cuento ha definido magistralmente Gonzalo Sobejano, parafraseando al propio Clarín:

---

[119] Leopoldo Alas «Clarín», «Alfonso Daudet. *Treinta años de París», La Ilustración Ibérica* (7-IV al 15-IX-1888), *Mezclilla* (ed. Antonio Vilanova), Barcelona, Lumen, 1987, pág. 214. Para los alrededores de estas explicaciones deben consultarse las sabias reflexiones de Antonio Vilanova en *Nueva lectura de «La Regenta» de Clarín,* págs. 331-339, y mi libro *El naturalismo en España: crítica y novela,* Salamanca, Almar, 2002, págs. 135-166.

Hizo Clarín la más encendida defensa de «la novela novelesca» como obra de idealidad, «de *sentimiento*», como novela poética que moviese a pensar en la lírica y en la música «en cuanto cosa del espíritu» y diese expresión a «las íntimas relaciones bellas de las cosas» que generan una *alegría sagrada*[120].

Tal es uno de los caminos que Clarín plantea teóricamente y que recorre en una *nouvelle* como *Doña Berta*. La oportunidad de la novela poética viene germinando desde el ahondamiento en la observación y en la experimentación artística. El texto canónico clariniano de estas nuevas formulaciones estéticas de la narrativa es «La novela novelesca», que es su inteligente y meditada contribución a la encuesta abierta por *Heraldo de Madrid* a finales de la primavera de 1891, como reflejo de la promovida semanas antes por Jules Huret en *L'Écho de Paris*. El tema de la encuesta —valor y significado de la novela moderna o novela que expresa la vida psicológica y del sentimiento— permite a Alas delinear los nuevos rumbos narrativos en los que —sobre todo desde la creación— se hallaba embarcado. Importa en dicho texto señalar que Alas desprecia cualquier nuevo camino que pretenda una vuelta al folletinismo o una restauración del disparate «seudorromántico» (el término es de Clarín, quien afirmó siempre el verdadero romanticismo). Importa también advertir que la defensa de la oportunidad de la novela de sentimiento se hace en el marco de la conveniencia de la novela neo-psicológica cuyo paradigma es Paul Bourget y cuya tradición hay que buscarla en Constant y Stendhal. Estas consideraciones son las que anidan en la siguiente reflexión de Clarín:

> Si la novela novelesca quiere decir nada más un nuevo afán de vulgo, que se aburre con el hastío a que, según Shakespeare, están condenados los espíritus pequeños; si la novela novelesca significa la restauración del disparate picaresco y seudorromántico, nada tiene que ver todo lo anterior con el asunto; pero en tal caso, tampoco yo quiero perder el tiempo hablando de tales vaciedades. Mas si la *novela novelesca* significa una protesta nueva de esa juventud literaria, que busca

---

[120] Gonzalo Sobejano, *Clarín en su obra ejemplar*, pág. 60.

idealidad o poesía, entonces, lejos de haber abandonado en los párrafos anteriores la cuestión, he penetrado en su núcleo. Porque mostrado que existe el nuevo anhelo, la nueva aspiración religiosa y filosófica ¿hace falta demostrar la legitimidad de una nueva literatura que sea su expresión artística? Sí, mil veces sí: el naturalismo en los grandes maestros, ni cansa todavía, ni debe cansar jamás, ni decae ni nada de eso; tiene por delante mucho camino; pero la novela psicológica también pretende con derecho una restauración, y no falta en Francia ni en otros países quien la procure, ni público que la acoja con cariño. Y es particularmente legítima la forma de la novela que atiende al alma, no por el análisis, sino por su hermosura, por la belleza de sus expansiones nobles, no menos bellas que la formidable lucha de sus pasiones; es legítima y es oportuna la novela de *sentimiento*[121].

Clarín certifica en estas reflexiones para la encuesta de *Heraldo de Madrid* la defensa del género de novela psicológica —que para estas fechas llama de «psicología ética»— que venía haciendo teóricamente desde 1887. En este sentido creo que no se ha enfatizado lo suficiente el hecho de que *La Regenta* sea una novela que cabe plenamente bajo el marbete de «naturalismo psicológico», al igual que *Fortunata y Jacinta*, cuyo diálogo con la obra maestra de Clarín seguramente permitió a éste la abierta defensa a partir de 1887 de lo que ya había practicado en 1884, sin que ello suponga el menoscabo de las resonancias que tienen en la teoría y en la crítica de la novela que lleva a cabo Clarín las inflexiones de la novela francesa desde 1887, es decir, las del propio Zola y las nuevas direcciones que siguen Bourget o Maupassant, junto al conocimiento de la gran novela rusa, especialmente Tolstoi.

Ya analizando la novela de Paul Bourget, *Mensonges* en *La Ilustración Ibérica* (17-XII-1887) había vinculado explícitamente la novela psicológica al ahondamiento «de veras en la observación y en la experimentación artística»[122]. Esta vincula-

---

[121] Leopoldo Alas «Clarín», «La novela novelesca», *Ensayos y Revistas, 1888-1892*, págs. 160-161.
[122] Leopoldo Alas «Carín», «Paul Bourget. Su última novela», *Mezclilla*, pág. 150.

ción es el hilo conductor de varias de sus consideraciones sobre la novela que cristalizan en positivo en los análisis de la *Realidad* galdosiana, y en negativo en los de *La prueba* de Pardo Bazán, ambos del año 90.

Alas, gracias a la novela galdosiana y gracias a su conciencia creadora que andaba empeñada en *Su único hijo* (la agudeza crítica de Juan Oleza[123] lo ha notado sin fisuras) y en la trilogía de narrativa breve del 92, advierte como aspecto esencial en la inflexión teórica y práctica del naturalismo al espiritualismo, el que la «historia» se traslade de la dialéctica entre el personaje y el mundo moral social al ámbito interior de la conciencia del personaje:

> En lo que Viera, Orozco y Augusta hablan con el mundo, y aun en lo mucho de lo que hablan entre sí estará, pues, el drama exterior; pero en lo que piensan, y sienten y se dicen a sus solas, cada cual a sí mismo, y algo a veces unos a otros, en todo esto quedará el drama interior, el que mueve *realmente* la fábula, el que se refiere a los grandes resortes del alma[124].

Del mismo modo que la verdadera «historia» está instalada en la conciencia de los personajes, también el sentido y la intención de la novela están ligados a los interiores del alma de Federico Viera:

> Lo que más importa en el libro es lo que le pasa a Federico por dentro; grandes esfuerzos de ingenio se necesitaban para llevar a feliz remate la empresa de hacer palpables, casi *teatrales*, estas luchas de conciencia, estas complicaciones psicológicas en que hay tanto de ese *gris espiritual* que el análisis descubre siempre en el fondo de los corazones examinando el bien y el mal que en ellos existe[125].

---

[123] Cfr. Juan Oleza, «*Su único hijo* versus *La Regenta*: una clave espiritualista», *Realismo y Naturalismo en España en la segunda mitad del siglo XIX* (ed. Yvan Lissorgues), Barcelona, Anthropos, 1988, págs. 421-445.

[124] Leopoldo Alas «Clarín», «*Realidad*» (*La España Moderna*, III/IV-1890), *Galdós, novelista*, pág. 200.

[125] Leopoldo Alas «Clarín», «*Realidad*» (*El Globo*, 19-I-1890), *Galdós, novelista*, pág. 188.

El espectáculo del alma reemplaza al espectáculo de la vida, sin soslayarlo definitivamente. La novela de psicología ética surge de las conquistas naturalistas en el seno de la teoría de la novela realista. La coherencia de Clarín es de una transparencia vertiginosa, incluso para el severo reparo que expondrá con respecto a la «distancia narrativa» empleada por Galdós en *Realidad*, cuya «superficie» narrativa parece la de una novela realista del género de las que estudian las costumbres y la materia social, pero, en el fondo de su intención, subyacente a esa historia, hay «un drama íntimo», «una catástrofe moral». Escribe Clarín:

> En este punto, la originalidad de Galdós no tiene ejemplo, que yo recuerde. Ya veremos que, en parte, paga cara esa originalidad. La cual no consiste en *volverse* hacia la novela psicológica y a los personajes superiores, de elección, sino en hacerlo así... y parecer que no lo hace. Galdós, no sólo nos ha hecho ver que en el mundo no todo es vulgaridad, ni todo se explica, *como siempre*, por los móviles ordinarios; no sólo nos ha hecho ver la novela de *análisis excepcional*, como legítima esfera del estudio de la realidad, sino que nos ha demostrado que esa novela puede existir... debajo de la otra; que muchas veces donde se ha presentado un estudio de medio social vulgar, puede encontrarse, cavando más, lo singular y escogido, lo raro y preciso[126].

El naturalismo no ha muerto, pero la nueva senda galdosiana de la psicología ética es un camino oportuno para acercarse a la íntima realidad de los hombres. Adentrarse en la intimidad de los personajes es el reto del realismo sin fronteras que Clarín profesa a la altura de 1890. Por ello el negativo de su armonía (con disonancias que no son de este lugar) con Galdós es la reseña de *La prueba* de Pardo Bazán, donde afloran las acusaciones que Alas —con notoria arbitrariedad en ocasiones— dirige a la novelista gallega, incapaz de vislumbrar la intimidad de sus personajes.

---

[126] Leopoldo Alas «Clarín», *«Realidad» (La España Moderna*, III/IV-1890), *Galdós, novelista*, pág. 199.

Pues bien, en esa brillante defensa de las aportaciones del naturalismo que Alas realiza al compás del varapalo que propina a *La prueba,* también expone bajo el *leitmotiv* de que «doña Emilia le tiene odio al alma» su creencia de que los autores españoles —excepción hecha de los místicos y Cervantes— «son medianos psicólogos en la novela»[127]. De ahí que estime conveniente reacudir a la novela psicológica, entendida como novela introspectiva y de análisis de las almas, tal y como sostiene en su espléndida crítica de *Realidad* para *La España Moderna:*

> A la novela moderna, llamando moderna ya a la novela de Stendhal, sobre todo en sus programas formales de estas últimas décadas, se debe esa especie de sexto sentido abierto al arte literario, gracias a la *introspección* del novelista en el alma toda, no sólo en la conciencia de su personaje. Mediante este estudio interior en que el artista no se coloca en lugar de la figura humana supuesta, ni recurre al aspecto lírico de la psicología de la misma, sino que toma una perspectiva ideal que le consiente verlo todo sin desproporción causada por las distancias, mediante este estudio parcial, íntimo (pero independiente del subjetivismo propio del personaje), ha podido alcanzar la *sonda* poética de algunos novelistas contemporáneos honduras a que, valga la verdad, no había llegado la psicología artística de ningún tiempo. Una de las causas de la superioridad que, en cierto respecto, hoy tiene la novela sobre los demás géneros, consiste en esta facultad de anatomía espiritual, que es, repito, cosa diferente del lirismo, y que en el drama es imposible[128].

Esta novela que cava y penetra en la psicología de los personajes con el fin de trazar su anatomía espiritual es el escenario que Clarín propone en la crisis del naturalismo de escuela, y dentro de ese escenario la modalidad narrativa por la que siente más entusiasmo es la de la novela poética o novela del sentimiento, que es el lugar de *Doña Berta,* mientras que

[127] Leopoldo Alas «Clarín», «Palique» *(Madrid Cómico,* 20-IX-1890), *Obra olvidada* (ed. Antonio Ramos Gascón), Madrid, Júcar, 1973, pág. 83.
[128] Leopoldo Alas «Clarín», «*Realidad (La España Moderna,* III/IV-1890)», *Galdós, novelista,* pág. 203.

en el dominio de lo psicológico cabrían tanto la ejemplar *Superchería* como la heterodoxa *Cuervo*.

La querencia de Alas por la novela poética sólo se explica enteramente si se contempla en el marco de la inflexión espiritualista que su ética krausista y su pensamiento religioso de ascendencia cristiana sufren a la altura de 1890. El romanticismo sincero que convivía en Alas con la búsqueda de la heterodoxa (frente al catolicismo tradicional) autenticidad religiosa delimita el escenario de su apuesta estética por la novela poética, que es —más adelante lo señalaré— una proyección del regeneracionismo espiritual de raíz krausista que siempre nutrió sus quehaceres.

La novela poética —según Clarín— nace de la necesidad de bucear en las interioridades psicológicas de los personajes, con la finalidad preferente de abordar no los conflictos pasionales (tarea que las doctrinas naturalistas habían fomentado) sino los estadios sentimentales que sugieren emociones líricas y efusiones de ternura o de piedad, o dicho en otras palabras, que trasladan la indecible belleza del alma humana. La novela poética clariniana parte de una base epistemológica realista, se siente segura de las conquistas naturalistas, pero aspira a captar la bella indefinición de lo lírico y lo musical en los desnudos laberintos del alma.

El autor de *La Regenta* —novela que al acudir a lo poético y recurrir a lo musical no puede ser el objeto de sus reproches— echaba en falta el elemento poético en la fábrica de novelas realistas y naturalistas, y por ello propugna la novela de sentimiento o poética, de la que el lector sacaría «impresiones parecidas a ese perfume ideal que dejan los *lieder*, de Goethe; el *Reischevilder*, de Heine; las *Noches* de Musset; cualquier cosa de Shakespeare... y el hálito ideal de *Don Quijote*»[129].

La novela poética clariniana compartía algunos de los principales supuestos simbolistas (con la teoría de las correspondencias como ancla fundamental) pese a la severa desautorización moral de la escuela simbolista que Clarín había expre-

---

[129] Leopoldo Alas «Clarín», «La novela novelesca», *Ensayos y Revistas, 1888-1892*, pág. 161.

sado en su magnífico ensayo sobre Baudelaire, recogido en *Mezclilla*. Dichos acuerdos con las teorías simbolistas deben aquilatarse, no obstante, en el contexto de su pensamiento ético-estético dominado por tres invariantes que le alejaban de lo que él llamaba lo «malsano, retorcido, forzado y decadente del simbolismo»[130]. Esas constantes, que hay que interpretar como la carta de marear de su navegación por la *nouvelle* y el cuento poéticos, son: la superioridad de la belleza de la naturaleza y de la vida por encima de la del arte, que siempre será reflejo de la de aquellas; el irrenunciable valor moral del arte, y la función de regeneración espiritual que el arte debe llevar siempre consigo, función que el Alas finisecular enfatiza con singular relieve.

El primero de estos rasgos deriva de su concepción epistemológica del arte y se hace patente alrededor de 1890 en los textos en los que aborda las relaciones entre la prosa y la poesía. El mejor ejemplo es el artículo que publicó el 15 de marzo de 1888 en la *Revista del antiguo Reino de Navarra*, titulado «Pequeños poemas en prosa. Prólogo». En él, defendiendo la sinceridad y la autenticidad ejemplares del arte, sostiene que «lo más hermoso, lo más poético no está en los poemas, está en la vida y la vida se habla en prosa»[131], con un corolario que no admite dudas sobre sus «distancias estéticas y éticas» con el simbolismo: «la Naturaleza no imita jamás a la música [...] la prosa es el sonido sin domar, es la voz de la Naturaleza»[132].

El segundo rasgo invariante de su carta de marear finisecular es paralelo al anterior. Si el arte y la narrativa deben ser sinceros y auténticos, nobles y francos, su afinidad —con deudas inequívocas de Tolstoi— al espiritualismo y a la idealidad filosófica y religiosa se ofrece como una tarea implícita. Por ello —y así escribe en «La novela novelesca», amonestando a Pardo Bazán— «si la literatura se acerca a la piedad, de-

---

[130] Leopoldo Alas «Clarín», «Baudelaire» *(La Ilustración Ibérica*, 23-VII al 26-XI-1887), *Mezclilla*, pág. 105.

[131] Fernando González Ollé, «Del Naturalismo al Modernismo: los orígenes del poema en prosa y un desconocido artículo de Clarín», *Revista de Literatura*, XXV (1964), pág. 52.

[132] *Ibídem*, pág. 53.

jadla ir, y no la pidáis hipoteca. Y el mejor camino para la piedad, a partir del arte, es el del sentimiento y la poesía»[133].

La tercera constante que guía su práctica de la narrativa breve en el fin de siglo es corolario de las anteriores y presenta con plena diafanidad la órbita krausista de su pensamiento, de su ética y de su moralidad. Alas afirma la necesidad de la novela poética como principio de la regeneración espiritual que pretenden los mejores intelectuales krausistas —con don Francisco Giner a la cabeza— en la España finisecular:

> La novela de *sentimiento,* novelesca, en este sentido, nos vendría muy bien a nosotros, no como triaca de excesivo análisis intelectual y fisiológico, que tampoco sobraría, sino como remedio de nuestra *castiza* sequedad sentimental[134].

En consecuencia, el retorno al psicologismo y la defensa de la novela del sentimiento, o dicho en otras palabras, la práctica narrativa de las novelas de 1892 (y también de *Su único hijo* y de buena parte de los cuentos finiseculares) viene avalada —desde el modelo irrenunciable del realismo narrativo— por la ampliación de los horizontes cognoscitivos del arte literario, que se pauta por los tres diapasones reseñados. Y, no obstante, los quehaceres clarinianos de los años 90 —la trilogía del 92 es una obra ejemplar— están dibujados por lo que el gran crítico asturiano había visto en la obra baudelairiana en su penetrante ensayo del 87. Creo que lo que Alas acierta a ver en Baudelaire es lo que el lector debe lícitamente buscar en sus trabajos narrativos de la década de los 90:

> Hay que ver en él [Baudelaire] aquel dolor cierto de un alma educada en un espiritualismo cristiano y metida en un cuerpo que es un pólipo de sensualidad: alma trabajada por la duda, y en la que hay especiales aptitudes (y como tendencias morbosas) para el alambicamiento ergotista, para el entusiasmo ideológico: tormento oculto de muchas almas sinceras y muy seriamente preocupadas por las grandes incógnitas de la vida[135].

---

[133] Leopoldo Alas «Clarín», «La novela novelesca», *Ensayos y Revistas, 1888-1892,* pág. 159.

[134] *Ibídem,* pág. 172.

[135] Leopoldo Alas «Clarín», «Baudelaire», *Mezclilla,* pág. 104.

La trilogía narrativa de 1892: «Doña Berta. Cuervo. Superchería»

I

Las tres novelas cortas que Alas publica en 1892 se acogen al principio estético clariniano según el cual «la imitación más perfecta de la hermosura real tiene que estar en prosa»[136], que debe ser leído en toda su exactitud como defensa de la *mimesis* y de la escenografía realistas.

Responden también, en lo que atañe a la construcción del personaje (doña Berta, Cuervo o Serrano), a su concepción de éste en el seno de la novela psicológica (la de psicología ética y la poética) y que Alas había expuesto con detenimiento por esas mismas fechas. De nuevo es el «modelo de recepción»[137] de su crítica literaria, en este caso, la crítica de *Realidad,* la que le permite establecer dos géneros de novelas de estirpe realista: la novela de costumbres y la novela psicológica, la novela de obediencia naturalista y la novela que —derivada de Stendhal— podemos llamar de análisis. De otro, y citando a Turguenev por la vía de *L'Art au point de vue sociologique*[138], distingue tres tipos de personajes para la «historia» de la novela de observación, representativos de las diversas capas de la sociedad: el de los hombres superiores, el de las medianías y el de los depravados o grotescos. Combinando ambos supuestos Clarín cree que:

---

[136] Fernando González Ollé, «Del Naturalismo al Modernismo: los orígenes del poema en prosa y un desconocido artículo de Clarín», pág. 53.

[137] Para el entorno teórico de este pasaje el lector debe consultar mi libro *El Naturalismo en España: crítica y novela,* págs. 13-54, donde expongo los dos modelos de crítica literaria de Clarín, siguiendo las pautas de los estudios de Henri Mitterand para Zola.

[138] Jean M. Guyau, *El Arte desde el punto de vista sociológico* (traducción de Ricardo Rubio), Madrid, Daniel Jorro, 1931, págs. 256-257.

la novela de *costumbres*, la *social*, la que pinta los *medios*, una clase entera, una profesión, debe escoger los tipos normales, los de la segunda capa de Turguenef, porque sólo estas medianías representan bien lo que el autor se ha propuesto estudiar y expresar, mientras la novela psicológica, la que atiende al carácter, necesita siempre, según Bourget, referirse a los extremos, a una de las otras dos capas que indica el escritor ruso, a los seres excepcionales, en los que no se estudia un término medio de su género, sino una individualidad bien acentuada, original y aparte[139].

En opinión de Clarín, Galdós ha cultivado de forma magistral el primer género —la novela de costumbres— y en *Realidad* ha optado por el segundo, pero sin llegar a articular la novela desde personajes paradigmáticos de las novelas de análisis; en cambio, Viera, que tiene el alma y la vida llena de contradicciones, cumple con acercarnos a una vida interior, singular, compleja y compuesta («Viera encuentra dentro de sí una *caverna moral*»)[140]. Federico Viera es un personaje que posee, como quería Paul Bourget, una «forte vie intérieure»[141], pero no es ni un ser excepcional ni un depravado, es una medianía. En este sentido, Clarín aplaude el que Galdós haya hecho aflorar esa «caverna moral» desde un carácter que podría ser personaje de una novela de costumbres. En esta misma senda proyectará sus quehaceres en las novelas cortas de 1892, no renunciando a las conquistas del realismo para sus nuevas orientaciones estéticas y echando en falta un novelista a la manera de George Sand, que hubiese sido el pórtico de la dirección que perfilaba como necesaria a la altura de 1890.

Por último, es principio estético de la narrativa clariniana para los tiempos del libro de 1892 su radical defensa de la experimentación artística, entendida como la misma composición o —en términos más cercanos a nosotros— como dis-

---

[139] Leopoldo Alas «Clarín», *«Realidad (La España Moderna, III/IV-1890)», Galdós, novelista*, pág. 198.

[140] *Ibídem*, pág. 297.

[141] Paul Bourget, «L'Esthétique de l'observation: *Sous l'oeil des Barbres*» (1888) (Appendice N), *Essais de psychologie contemporaine. Études littéraires* (ed. André Guyaux), París, Gallimard, 1993, pág. 378.

curso del relato. Este principio que germina desde el realismo y alcanza consistencia en los aprendizajes críticos del naturalismo[142]. Junto a este principio, que transforma la realidad en cosa artística y que denomina en alguna ocasión *perspectiva,* Clarín advierte —sobre todo en el dominio de las *nouvelles*— la necesidad de acomodar las creaciones breves al principio enunciado por Baudelaire en el prefacio a la traducción francesa de *Nuevas historias extraordinarias* (1857) de E. A. Poe, incluido en *El arte romántico.* Hablando del relato breve de Poe, el poeta francés escribe:

> Tiene este sobre la novela de amplias proporciones la inmensa ventaja que su brevedad añade a la intensidad del efecto. La unidad de impresión, la *totalidad del efecto,* es una ventaja inmensa que puede dar a este género de composición una superioridad particular[143].

Pasaje invocado por Alas en un «Palique» de *Madrid Cómico* (27-IX-1890) en el que, tras indicar la necesidad de la experimentación artística, añade:

> Yo no diré que en una novela debe existir aquella rigurosa dependencia de cada parte, desde el principio, a un efecto final, que pide el autor de *Los poemas en prosa* para las *nouvelles* a lo Poe; pero es indudable que, aun dando en los grandes cuadros de literatura épica a la digresión lo que es suyo, la idea de unidad y la de armonía deben estar presentes siempre y revelarse en el carácter *orgánico,* si vale hablar así de estas cosas, de cuanto en tales obras se escriba[144].

Es decir, el principio de experimentación artística, esencial en la novela tiene su equivalente en la narrativa breve en el carácter orgánico de la misma y en la necesidad de la totalidad del efecto.

---

[142] Para el significado de la «experimentación artística» en la teoría de la novela de Alas debe verse el capítulo «Leopoldo Alas, teórico de la novela» de mi libro *Perfiles de «Clarín»,* Barcelona, Ariel, 2001, págs. 41-63.

[143] Charles Baudelaire, *El arte romántico* (traducción de Carlos Wert), Madrid, Felmar, 1977, pág. 148.

[144] Leopoldo Alas «Clarín», *Obra olvidada,* pág. 88.

Resumiendo, las coordenadas estéticas de las creaciones publicadas en el 92 son: la suficiencia estética de la prosa para la imitación de la vida, el valor de los temas psicológicos y del espectáculo del alma como materias narrativas, y la necesidad de la experimentación artística y de la intensidad del efecto en el campo de la composición narrativa.

II

La *nouvelle Doña Berta* se publicó inicialmente en 1891 y con leves correcciones léxicas y sintácticas apareció en el tomo del 92, como el relato más destacado. Un buen discípulo y conocedor de Alas, Rafael Altamira, no dudó en calificarla como «la novela más perfecta de su autor» (véase Apéndice) pocas semanas después de que viese la luz en tomo. Estaba dividida en once capitulillos y el discurso narrativo, guiado por un narrador que divide estructuralmente el relato en dos partes (capítulos I al VII y VIII al XI), responde a una de las polaridades temáticas que sostienen la *nouvelle:* la oposición campo/ciudad.

La *historia* (en terminología de Genette) de *Doña Berta* se articula desde una dialéctica —lo ha apuntado Noël Valis[145]— pre-unamuniana entre historia e intrahistoria. En un lugar asturiano, sordo «a los rumores del mundo» (I)[146], aparentemente aislado de la historia, vive doña Berta de Rondaliego, una mujer anciana y sorda, miembro de una aristocracia en decadencia:

> Los Rondaliegos no querían nada con nadie; se casaban unos con otros, siempre con parientes, y no mezclaban la sangre ni la herencia; no se dejaban manchar el linaje ni los prados (II).

---

[145] Noël Valis, «La función del arte y la historia en *Doña Berta*, de Clarín», *Bulletin of Hispanic Studies*, LXIII (1986), pág. 67.
[146] En adelante, siempre que cita pasajes de las *nouvelles* remitiré en el propio texto y entre paréntesis, al capitulillo del que proceden.

Su vida en la casa solariega de los Rondaliego —*Posadorio*— solo tiene la compañía de la criada Sabelona y del gato, que «no tiene nombre porque es único, *el gato,* un género» (II) y que funcionará en el espacio narrativo como correlato del alma de la protagonista[147]. El narrador, con una voz propia que pone de relieve sus distancias ideológicas con el mundo de la protagonista, nos ofrece en los capítulos III y IV el pasado de doña Berta. Mediante una analepsis sabemos que la anciana del *relato primero* fue huérfana desde niña, al igual que sus cuatro hermanos; que «la limpieza de sangre era entre ellos un culto» (III); que consideraban el siglo como un mal, al cual despreciaban; que los hermanos todos permanecían solteros, guiados en sus conductas por el código «de la sangre inmaculada» y que en Berta «debía estar el santuario de aquella pureza» (III). Esa misma analepsis nos informa de lo que leía la joven Berta: folletines de ascendencia francesa con historias del sentimentalismo más lacrimoso y efectista. Las lecturas de esas novelas «en los varones no dejaban huella; en Berta hacían estragos» (III). La joven Berta, «hoguera de idealidad y puro sentimentalismo» (III) va a ser la causante de la «desgracia» de los Rondaliego, confundiendo, al modo de otros personajes clarinianos de estirpe quijotesca, vida y literatura.

La «desgracia» tiene su origen en un episodio que parece sacado de esas novelas que alimentaban la fantasía de la joven Rondaliego. A *Posadorio* llega un capitán liberal herido, al que la joven Berta cuida con esmero y cariño que desemboca en un amor ilícito y en el embarazo. La entidad folletinesca de la «desgracia», que lleva latiendo cuarenta años en la soledad de doña Berta, se complementa con la muerte en batalla del capitán y con la decisión de sus hermanos de borrar cualquier mancha de la honra familiar, haciendo desaparecer al hijo: «Se le robó el hijo, y los hermanos, los ladrones, la dejaron sola en Posadorio, con Isabel y otros criados» (IV). Hasta aquí la literatura

---

[147] Para una pulcra lectura de *Doña Berta* a la luz de la poética simbolista, debe verse el artículo de David Ordóñez, «La superación del Naturalismo en Leopoldo Alas: el correlato objetivo en *Doña Berta* (1891)», *España Contemporánea*, XII (1999), págs. 77-94.

pseudo-romántica, hasta aquí el folletín, punto de arranque de lo que en «la madurez del juicio» de la protagonista será la «catástrofe moral» que genera la *nouvelle:* su conciencia de madre no perdona ni a sus hermanos ni a ella misma. El infierno de la conciencia de Berta —como el de Ana o el de Bonifacio— busca su identidad, que es la de su hijo. El narrador de *Doña Berta* cede al monólogo restituido o citado la formulación de la catástrofe moral que la embarga y que poco tiene que ver con el folletinesco drama del honor familiar. Tiene que ver con su conciencia, con su identidad:

> Sí, se decía: yo debí protestar, yo debí reclamar el fruto de mi amor; yo debí después buscarlo a toda costa, no creer a mis hermanos cuando me aseguraron que había muerto (IV).

La arcadia de *Posadorio*, la aparente armonía de la protagonista con su entorno, esconde un intenso tormento, que era «lo más delicado, poético, fino y triste de su alma» (IV)[148]. Berta resulta así una conciencia problemática que el narrador describe oscilante como el tic-tac de un péndulo. De un lado, el sentimiento de «la soledad, el aislamiento, la pureza y limpieza de Posadorio, de Susacasa, del Aren» (IV). De otro, el recuerdo de su amor, de su capitán y de su hijo: «por aquí bajaba el péndulo del pensar automático a la tristeza del desfallecimiento, de las sombras y fealdades del espíritu, quejosa del mundo, del destino, de sus hermanos, de sí misma» (IV).

La conciencia problemática de doña Berta se sublevará con la llegada a *Posadorio* de un pintor, el impresionista Valencia; la identidad de doña Berta se empieza a recuperar gracias a los cuadros, gracias al arte[149], que es catalizador de la configuración definitiva de la catástrofe moral, que la obligará —en busca de su identidad— a viajar a Madrid, desprendiéndose

---

[148] En el capitulillo siguiente, cuando doña Berta y el pintor hablan del pasado que la protagonista se había silenciado a sí misma, el narrador sentencia: «Eran toda la historia de su alma» (V).

[149] Cfr. Noël Valis («La función del arte y de la historia en *Doña Berta* de Clarín», pág. 75): «Lo que importa en este momento es ver cómo el arte le ha permitido reinterpretar la vida, cómo le ha revelado, por lo menos en aquel instante, una parte del significado de su propia vida.»

de la vida arcádica de *Posadorio*. Esos cuadros remiten a su memoria y la proyectan hacia la reacción activa, hacia su verdadera identidad. Es importante subrayar en este punto crucial de la *nouvelle*, tal como ha hecho Noël Valis, que doña Berta —añadiríamos que también Leopoldo Alas— «entiende el arte sólo como otra forma de vida, que nunca lo valoriza como arte, sino como reflejo de la vida. La imagen del hijo creada por Valencia sólo cobra importancia por tener su referente en la realidad del hijo de carne y hueso»[150].

También es decisivo entender que el arte, todo arte (la pintura histórica o la impresionista, la narración realista o la poética), tiene su sustancia matriz en lo intrahistórico, traducido en el pensamiento del pintor como «el polvo anónimo de los heroísmos oscuros, de las grandes virtudes desconocidas, de los grandes dolores sin crónica» (V)[151].

Y, por último, debe destacarse en esta encrucijada del relato la creencia clariniana —de señas de identidad krausistas— según la cual el arte siempre lleva consigo una regeneración moral y un propósito ético, que no supone tendencia o moralización, sino adentramiento en lo que llamó en el prólogo a *Cuentos morales* «la psicología de las acciones intencionadas»[152], o lo que es sinónimo, el lado moral de la vida, que se plasma en el cambio de doña Berta hacia *otra vida*, aunque suponga dolor y sacrificio.

El capítulo VI es un prodigio de relojería narrativa en la presentación de las consecuencias íntimas de la catástrofe moral de doña Berta. Como ha advertido Maria Rosso Gallo[153], Alas maneja con habilidad y talento las diferentes formas de presentar la transparencia interior de la conciencia de doña

---

[150] *Ibídem*, pág. 75.

[151] Cfr. «Los "hombres oscuros", el "oscuro pastor", la "oscura cadena de sus existencias" son denominaciones de lo intrahistórico en Unamuno» [Adolfo Sotelo Vázquez, «En torno al pensamiento del primer Miguel de Unamuno», *Analecta Malacitana*, anejo XXIV, *La generación del 98* (1999), pág. 74].

[152] David Torres, *Los prólogos de Leopoldo Alas*, pág. 98. Deben verse las atinadas consideraciones de Maria Rosaria Alfani, «Introduzione» a *Donna Berta*, págs. 13-14.

[153] Cfr. Maria Rosso Gallo, *El narrador y el personaje en el mundo de Leopoldo Alas «Clarín»*, págs. 146-147.

Berta, que van desde la narración externa del narrador o psiconarración al monólogo narrativizado o al monólogo citado[154]. Así, la reverberación —que ahora, tras el encuentro con el pintor, con el arte, es diáfana— de los verdaderos perfiles de su catástrofe moral:

> Los remordimientos de doña Berta, que aún más que remordimientos eran *saudades,* se irritaron más y más desde aquel día en que una corazonada le hizo creer con viva fe que su amante había sido un héroe, que había muerto en la guerra, y por eso no había vuelto a buscarla. Porque siendo así, ¡qué cuentas podía pedirle de su *hijo!* ¿Qué había hecho ella por encontrar el *fruto de sus amores?* Poco más que nada; se había dejado aterrar, y recordaba con espanto los días en que ella misma había llegado a creer que era remachar el clavo de su ignominia emprender clandestinas pesquisas en busca de su hijo. Y ahora... ¡qué tarde era ya para todo!... El hijo, o había muerto en efecto, o se había perdido para siempre. No era posible ni soñar con su rastro. Ella misma había perdido en sus entrañas a la madre...; era ya una abuela (VI).

Así, aunque la prosa de sus quehaceres ordinarios (los de la arcadia asturiana) la distrae de su congoja, de su íntimo dolor, doña Berta adquiere las desoladas sensaciones de la fugacidad del tiempo y de los presentimientos de la muerte, que se intensifican cuando una semana después de la marcha del pintor recibe dos cuadros, dos retratos al óleo: uno, el de sí misma —«se vio de repente en un espejo... de haría más de cuarenta años» (VI)— y otro, el del capitán —«él *capitán* del pintor era como una restauración del otro capitán que ella veía en su cerebro» (VI)—. Estos retratos vivifican a su vez y de modo definitivo el pasado, que como escribió doña Laura de los Ríos, «tiene ya una fuerza de presente»[155].

Doña Berta se impone el sacrificio, la «resolución heroica» (VI): debe encontrar el cuadro que representa a su hijo. Note-

---

[154] Uso la terminología de Dorrit Cohn en su espléndido estudio *La transparence intérieure. Modes de réprésentation de la vie psychique dans le roman,* París, Éditions du Seuil, 1981.

[155] Laura de los Ríos, *Los cuentos de Clarín. Proyección de una vida,* pág. 63.

mos —compartiendo la tesis de Oleza[156]— que se trata de la obsesiva temática clariniana desarrollada en *Su único hijo,* y notemos también, como lo hizo Rafael Altamira en su temprana y penetrante lectura de la *nouvelle* (véase Apéndice), que la protagonista «lo abandona todo arrastrada por la fe verdaderamente ciega de una maternidad que, más que esto, es resurrección de todo el lejano poema de una vida, empleada, en su mayor parte, en olvidar ese mismo poema o cantarlo por lo bajo, pudorosamente, pero siempre con ilusión, en el fondo del alma».

La idea de la recuperación de un tiempo perdido, el sacrificio y la resolución absoluta y heroica tienen unos rasgos muy precisos. En primer lugar —se trata de un monólogo citado— «es un asidero; más vale el dolor material que de aquí venga, que aquel *tic-tac* insufrible de mis antiguos remordimientos, aquel ir y venir de las mismas ideas» (VI). La segunda característica es negativa: el sacrificio no nace de su amor maternal, porque no podía figurarse a su hijo, niño. Un tercer rasgo perfila más el sacrificio: doña Berta quiere restaurar la honra de los dos capitanes, porque «la honra de su hijo era la suya» (VI). Ahora bien, la honra de doña Berta es la honra de su identidad, perdida precisamente por los usos de la honra castiza y estéril de los Rondaliego. Por ello conviene anotar un cuarto y último rasgo del sacrificio: la dimensión divina del alma que lo ejecuta, preocupación capital del Leopoldo Alas del fin de siglo[157] y que en *Doña Berta* se ofrece por la vía del monólogo narrativizado:

> Parece que hay dos almas, se decía a veces; una que se va secando con el cuerpo, y es la que imagina, la que siente con fuerza, pintorescamente; y otra alma más honda, más pura, que llora sin lágrimas, que ama sin memoria y hasta sin latidos... y esta alma es la que Dios se debe de llevar al cielo (VI).

---

[156] Juan Oleza, «Introducción» a Leopoldo Alas «Clarín», *Su único hijo,* Madrid, Cátedra, 1990, pág. 121.

[157] Para este tema remito al magistral libro de Yvan Lissorgues, *El pensamiento filosófico y religioso de Leopoldo Alas «Clarín»,* Oviedo, Grupo Editorial Asturiano, 1996. También puede verse mi *Perfiles de «Clarín»,* especialmente, págs. 193-228.

En consecuencia, la segunda parte de la *nouvelle*, la *quête* madrileña de doña Berta en pos del retrato de su hijo es un a modo de imperativo categórico (como el de Jorge Arial o Juan de Dios o el doctor Glauben, protagonistas de «Cambio de luz», *El Señor* y «Un grabado»), que nace de la catástrofe moral y que desemboca en la búsqueda del hijo, que es la clave de su identidad perdida, a la que aspira doña Berta desde el sacrificio y desde la renuncia física al alma que la ligaba a su tierra, a *Posadorio,* a la llosa, a la huerta... Renuncia que es tan sólo física, porque el amor de doña Berta a la naturaleza de su entorno no tiene que ver con el mundo señorial en decadencia, sino con el verdadero amor, que implica la creencia, la fe: «el mejor creyente es el que sigue postrado ante el ara sin dios» (VII), que es el designio del sacrificio de doña Berta, narrado por Alas con evidentes paralelismos con la pasión de Cristo.

A solas, en medio de la multitud, con el único referente y exclusivo consuelo de la religiosidad tradicional —la misa del alba, que es la de Zaornín y, a la vez, la de la proyección de la juventud madrileña de Leopoldo Alas— doña Berta junto a su correlato, el gato, empieza a vencer los obstáculos que la separan de la imagen pictórica de su hijo. En efecto, como advirtió doña Laura de los Ríos, «toda la acción recae en la búsqueda del retrato por la ciudad»[158].

La «mañana fría, de nieve» (VIII), que era la del día en que doña Berta iba a ver a su hijo y que el narrador compara, mediante la nieve, con las mañanas de *Posadorio,* encuadra el encuentro de la protagonista con el retrato. Doña Berta subida en una escalera puede contemplar el lienzo en movimiento, pues unos obreros lo estaban trasladando:

> Como un fantasma ondulante, como un sueño, vio entre humo, sangre, piedras, tierra, colorines de uniformes, una figura que la miró a ella un instante con ojos de sublime espanto, de heroico terror...: la figura de *su capitán,* del que ella había encontrado, manchado de sangre también, a la puerta de Posadorio. Sí, era *su capitán,* mezclado con ella misma, con

[158] Laura de los Ríos, *Los cuentos de Clarín. Proyección de una vida,* pág. 64.

su hermano mayor; era un Rondaliego injerto en el esposo de su alma: ¡era su hijo! (IX).

Leopoldo Alas y su narrador, que han insistido durante la escena en los paralelismos con la pasión y la crucifixión de Cristo, la cierran remitiendo al descendimiento de la Cruz mediante «el estímulo pictórico del cuadro de Van der Weyden»[159]:

> Doña Berta, que perdía el sentido, se desplomaba y venía a caer, deslizándose por la escalera, en los brazos del mozo compasivo que la había ayudado en la ascensión penosa.
> Aquello era también un cuadro; parecía, a su manera, un *Descendimiento* (IX).

El momento de la *nouvelle* como escribió, aun sin extraer todas sus consecuencias, doña Laura de los Ríos es «agudísimo». Cristalizan en él todas las convergencias del relato, una especialmente, la que vincula el sacrificio de doña Berta al de Cristo, con una particularidad que resulta aleccionadora del sentido de la obra. El *leitmotiv* de la pasión y muerte de Cristo está latiendo a lo largo de toda la escena[160], así Cristo es el hijo, el capitán muerto «con los brazos abiertos» (IX) y, a la vez, doña Berta en su calvario. Nunca pudo estar mejor expresada la fusión de la búsqueda del hijo con la idea de la identidad de doña Berta, y dicha fusión con la pasión de Cristo, quien fue —según Alas— quien enseñó a la humanidad la reforma interior, definida —en el prólogo a *Resurrección* (1900) de Tolstoi— como la «austera educación del alma»[161], y que —Lissorgues *dixit*— fue su fascinación constante, al considerarlo «el *Héroe* por excelencia, cuyo mensaje es válido por los siglos de los siglos»[162].

---

[159] Leonardo Romero Tobar, «*Doña Berta* en su pintura (Sobre la evolución narrativa de "Clarín")», *Homenaje a Alonso Zamora Vicente*, Madrid, Cátedra, 1994, t. IV, pág. 338.

[160] Lo ha advertido Maria Rosso Gallo, *El narrador y el personaje en el mundo de Leopoldo Alas «Clarín»*, pág. 151.

[161] David Torres, *Los prólogos de Leopoldo Alas*, pág. 244.

[162] Yvan Lissorgues, *El pensamiento religioso y filosófico de Leopoldo Alas «Clarín»*, pág. 225. Como señaló con agudeza Francisco García Sarriá (*Clarín y la he-*

De este momento crucial deriva, gracias a que la protagonista puede contemplar en varias ocasiones el cuadro, un corolario esencial desde el pensamiento filosófico y religioso de Alas en el *fin-de-siècle*. Es el momento de la novela corta en que se transparenta más y mejor el ideario de su autor, gracias a la *totalidad del efecto* (Poe, Baudelaire) del discurso del relato. Doña Berta, al contemplar con asiduidad la imagen pictórica de su hijo, duda de su veracidad: «Leía todo lo que el pintor había querido expresar; pero... no siempre reconocía a su hijo» (X). Se acentúa de este modo la concepción realista que vertebra las convicciones estéticas de Alas, pero la incertidumbre de la protagonista abre el camino de una honda reflexión ética y religiosa, que desvela la mismidad del pensamiento de Alas.

Si la incertidumbre se cierne sobre el relato, su resolución heroica se desvanece; todo carece de sentido, desde sus íntimas convicciones a su sacrificio en pos de su identidad:

> Si perdía aquella íntima convicción de que el capitán del cuadro era su hijo, ¿qué iba a ser de ella? ¡Cómo entregar toda su fortuna, cómo abismarse en la miseria por adquirir un pedazo de lienzo que no sabía si era o no el sudario de la *imagen* de su hijo! ¡Cómo consagrarse después a buscar al acreedor o a su familia para pagarles la deuda de aquel héroe, si no era su hijo! (X).

Sumergida en el abismo de la duda, los entresijos de la conciencia de doña Berta responden afirmando —como si fuera

---

rejía amorosa, Madrid, Gredos, 1975) las palabras más claras de Alas a este respecto son las de su artículo «La novela novelesca»: «Yo pienso que cualquier alma serena y bien sentida, que, sin fanatismo positivo ni negativo, se acerque a la figura de Jesús y medite en la misteriosa influencia de su personalidad y de su ejemplo y doctrina sobre la sociedad y sobre el individuo, no podrá menos de reconocer allí, sin salir de lo natural, una misteriosa y singular exaltación de la conciencia humana a la comunicación con lo ideal, algo *único* en la historia, y, como dice Carlyle, "la voz más alta que fue oída jamás sobre la tierra..." ¡Carlyle! El *poeta-crítico* de Odino y de Mahoma, es también el que dijo, aludiendo a Jesús: "el más grande de los *Héroes* es Uno que no nombraremos aquí. ¡Que un silencio sagrado medite sobre esta materia sagrada!..." "El acontecimiento más importante de los cumplidos en el mundo, está en la Vida y en la Muerte del Hombre Divino, en Judea..."» (Leopoldo Alas «Clarín», *Ensayos y Revistas, 1888-1892*, pág. 160).

un personaje unamuniano *avant-la-lettre*— la fe en la duda. Afirmación que se hace desde «ese carácter inapelable de la necesidad de creer»[163] que Maresca ha constatado en su *Hipótesis sobre Clarín* como un eslabón más del imperativo categórico de la protagonista:

> Doña Berta acabó por sentir la sublime y austera alegría de la *fe en la duda*. Sacrificarse por lo evidente, ¡vaya una gloria! ¡vaya un triunfo! La valentía estaba en darlo todo, no por su fe... sino por *su duda*... En la duda amaba lo que tenía de fe, como las madres aman más y más al hijo cuando está enfermo o cuando se lo roba el pecado. «La fe débil, enferma» llegó a ser a sus ojos más grande que la fe ciega, robusta (X).

La resolución final de la protagonista «de mover cielo y tierra para hacer suyo el cuadro» (X) desembocará en el fracaso y en la muerte de doña Berta y del gato. «Las cosas soñadas no se cumplen» (XI) dice el relato desde la conciencia de doña Berta. Sus ansias de que se obrase el milagro de obtener la imagen de su hijo, de culminar su sacrificio, de perfilar su identidad perdida (expresadas mediante un espléndido monólogo citado, que preludia momentos estelares de la expresión de la corriente de conciencia en la narrativa del siglo XX) se cierran con la muerte. Hasta aquí el discurso del relato de la *nouvelle*, plagado de reverberaciones, simetrías, paralelismos... Desde aquí, desde el final de la *nouvelle*, que lleva implícito la intensidad de su desarrollo, debe derivarse su finalidad, que se proyecta en tres significados fuertemente relacionados.

El primer significado de *Doña Berta* tiene que ver con la identidad de la protagonista, en cuya alma de fondo noble y sincero se hace la luz gracias a la catástrofe moral que provoca la llegada a *Posadorio* del pintor Valencia. El alma escindida de doña Berta es paradigma del impulso romántico del siglo XIX, «como ilusión, primero, y frente a la desilusión después»[164]. Impulso de verdadero romanticismo en el que anida

[163] Mariano Maresca, *Hipótesis sobre Clarín (El pensamiento crítico del reformismo español)*, Granada, Diputación de Provincial, 1985, pág. 326.
[164] Gonzalo Sobejano, *Clarín en su obra ejemplar*, pág. 93.

la proyección biográfica de Leopoldo Alas, quien ciertamente no escribió —no se atrevió a escribirlo, como confesaba en 1889— «un libro sobre las creencias de los angustiados hijos de los años caducos del siglo XIX»[165], pero, en cambio, sí noveló, con pulso seguro y con prosa cargada de sugerencias, el sacrificio al amor de la vida de la protagonista, o dicho de otro modo, la pasión de doña Berta por su auténtica identidad.

La segunda lección significativa tiene que ver con «la fe en la duda» que espolea las acciones de la anciana en Madrid, que guía su sacrificio, metonimia de su deber moral. Como en algunas otras de sus narraciones finiseculares, Alas dibuja en *Doña Berta* otra línea de su perfil intelectual, formulada con fina penetración por su discípulo Ramón Pérez de Ayala, al prologar la *nouvelle* en 1942: «su nostalgia de absoluta certidumbre para el humano destino y honda religiosidad, puesto que el sentido trascendente de la vida y el mundo es su preocupación primordial, y aun obsesión»[166]. En efecto, obsesión que expresa el verso de Píndaro con el que Albert Camus abría en 1942 *El mito de Sísifo:* «Oh, alma mía, no aspires a la vida inmortal, pero agota el campo de lo posible.» Es el evangelio de la conducta de doña Berta y de Leopoldo Alas.

El tercer significado de *Doña Berta* ahorma los dos anteriores en su final. La *nouvelle* concluye con la muerte de la anciana y de su gato. Esta última es tal y como la leyó Palacio Valdés, «de un altísimo humorismo, a que no ha llegado aquí ningún novelista, ni soñarlo»[167]. Humorismo triste, humorismo de moralista hasta los tuétanos, que por los días en que andaba componiendo *Doña Berta* pronunciaba una oración sobre la muerte en el discurso de apertura del curso universitario ovetense de 1891-1892, que vio la luz como su octavo «Folleto literario». Clarín medita desde la idea de la muerte y

[165] Leopoldo Alas «Clarín», «Revista literaria» *(La España Moderna,* XI, 1899), *Ensayos y Revistas, 1888-1892,* pág. 199.

[166] Ramón Pérez de Ayala, «Clarín y Leopoldo Alas», *Amistades y Recuerdos,* Barcelona, Aedos, 1961, pág. 29.

[167] *Epistolario a Clarín (Menéndez Pelayo, Unamuno, Palacio Valdés),* Madrid, Escorial, 1941, pág. 152. Carta del 20 de febrero de 1892.

desde sus enseñanzas, convencido de que, quien vive y se sacrifica, quien practica el amor y la ternura, sabe que ha de morir «y que para él la vida con la idea de la muerte toma perspectivas ideales»[168], engendrando el desinterés, los sentimientos humanitarios, la idealidad. Sólo desde la idea de la muerte tiene racionalidad la vida, vivida según el deber moral, tanto en la dimensión de vivir para el alma como en su proyección en los demás quehaceres. La vida racionalmente vivida no puede ser otra que la que se vive desde la figuración de la muerte, que alimenta tanto el deber moral como la bondad, según lo expone en otro texto capital «La leyenda de oro»:

> En el mundo no ha vivido racionalmente nadie más que los buenos. Todos los demás, genios, conquistadores, sabios, poderosos, si no han ajustado su conducta a la ley del deber como pensamiento capital, constante, han vivido como locos[169].

Doña Berta, criatura clariniana hasta la médula, decidió vivir su vida ajustada a la ley del deber: el amor auténtico, el hijo auténtico (y no el bastardo de los códigos del honor de los Rondaliego), el ansia de la auténtica identidad de un alma poética y soñadora, de un alma profundamente romántica aun en la desilusión.

III

La crítica contemporánea de la trilogía del 92 no fue muy entusiasta con *Cuervo*. Alguna reseña —la de Ortega y Munilla— la silencia totalmente, mientras Rafael Altamira, quien reconoce en las páginas de la *nouvelle* «sátira fina y elevada», la define como «un entreacto» que no combina bien con el tono de las otras dos novelas cortas y con el de *Cuesta abajo*,

---

[168] Leopoldo Alas «Clarín», *Un discurso. Folletos literarios, VIII*, Madrid, Fernando Fe, 1891, pág. 55.

[169] Leopoldo Alas «Clarín», «La leyenda de oro» (*La Ilustración Española y Americana*, 30-I-1897), *Siglo pasado*, Madrid, Antonio López, 1901, pág. 93.

que la penetrante pupila del crítico alicantino asimila a *Doña Berta* y *Superchería*. Luis París, que es quien más se extiende en su valoración, estimo que radicaliza innecesariamente su juicio sobre la *intentio operis* al entenderla «como un puñetazo descargado sobre esa negación espiritualista que se llama La Muerte» (véase Apéndice).

Por su parte, Armando Palacio Valdés entiende la *nouvelle* como «un estudio soberbio de carácter» al tiempo que indica que «hubiera sido un magnífico personaje para una novela de dimensiones»[170]. *Cuervo*, en efecto, es una *etopeya*, la descripción de las costumbres y el retrato de los rasgos morales del personaje central, Ángel Cuervo. Etopeya que esconde una espléndida manifestación del humorismo clariniano, que, a la vez, tan sólo vela la mismidad de su pensamiento, de su espiritualismo, que Azorín, atentísimo lector de *Cuervo*[171] leyó glosando precisamente esta *nouvelle* como insuflada en su final de «un espiritualismo indefinido, un spinozismo vago y profundo»[172]. *Cuervo* es más que un entreacto: es la reunión de la etopeya amasada en el humor con los latidos del espiritualismo, que envolvía al Clarín posterior a 1887, y que aflora explícitamente en las últimas páginas de la narración, calificada por Azorín como de «un panteísmo estético o un esteticismo panteísta, a la manera del expresado por Flaubert en *La tentación de San Antonio*»[173].

Maria Rosso Gallo ha estudiado con precisión este relato iterativo de once capitullillos de amplitud desigual que se articula en torno del protagonista, que no experimenta ninguna evolución, «sino que se limita a representar con meticulosa regularidad un papel prefijado, que el narrador ilustra por acu-

---

[170] *Epistolario a Clarín (Menéndez Pelayo, Unamuno, Palacio Valdés)*, pág. 152. Ramón Pérez de Ayala años después (1942) suscribió la lectura de Palacio Valdés.

[171] Azorín incluyó *Cuervo* como primera narración del apartado «El cuentista» de su edición de las *Páginas escogidas* de Clarín (Madrid, Biblioteca Calleja, 1917).

[172] Azorín, «Leopoldo Alas», *La Vanguardia* (19-VIII-1910). Cito por mi estudio, «Azorín, lector y crítico de Leopoldo Alas», pág. 405.

[173] Azorín, «Leopoldo Alas», *ABC* (13 y 18-XII-1912), *Clásicos y modernos* (1913). Cito por *Obras escogidas, II. Ensayos*, pág. 870.

mulación y ampliación de detalles»[174]. La dedicación del protagonista a lo largo de toda la *nouvelle* no es otra que asistir a los prolegómenos de la muerte de sus vecinos y acompañarlos hasta el cementerio. Ángel Cuervo es soltero y «disfrutaba de un destino humilde en el palacio episcopal» (III) de la ciudad de Laguna, «ciudad alegre, blanca toda y metida en un cuadro de verdura» (I), donde es conocido de todos porque entra en las casas de los muertos para comunicarles y contagiarles la vida, la alegría de vivir, frente al difunto al que considera poco menos que su enemigo. Su lema tras la muerte de alguno de sus vecinos es sencillo:

> ¡Abrir ventanas! Venga aire, fuera colchones; todo patas arriba; aquí no ha pasado nada. Como no hubiera orden expresa en contrario, y a veces aunque la hubiera, Cuervo transformaba el escenario de repente como el mejor tramoyista; y a los pocos momentos nadie conocía la habitación en que había sonado un estertor horas antes (IX).

Ángel Cuervo, personaje construido sobre aparentes contradicciones (su apellido y su vestimenta negra apuntan a la muerte, pero en cambio, es robusto y goza de una salud inmejorable), acentúa en su obrar una idea básica: «el destierro del miedo y del dolor ante el hecho de la muerte»[175].

Ahora bien, este personaje que tiene sus líneas de caricatura (así lo ha estudiado Gramberg)[176] y que tiene sus perfiles cómicos, no es un ser raro ni excéntrico en el universo espacio temporal definido con notables rasgos realistas (la cuestión del higienismo, por ejemplo) por el narrador, sino que como escribió doña Laura de los Ríos es un «personaje plausible y normal»[177]. Creo que esa normalidad es producto de la refinada construcción humorística que Alas aplica al personaje, cuya concepción de la muerte de los otros como un gozo vi-

---

[174] Maria Rosso Gallo, *El narrador y el personaje en el mundo de Leopoldo Alas «Clarín»*, pág. 163.

[175] Gonzalo Sobejano, *Clarín en su obra ejemplar*, pág. 95.

[176] Cfr. Eduard J. Gramberg, *Fondo y forma del humorismo de Leopoldo Alas «Clarín»*, Oviedo, IDEA, 1958, págs. 145-150.

[177] Laura de los Ríos, *Los cuentos de Clarín. Proyección de una vida*, pág. 79.

tal tanto le aleja del pensamiento de su creador, de quien, sin embargo, se nutre para el final de la *nouvelle*. Sólo desde el humorismo se entiende el significado del personaje de la *nouvelle*, articulada en torno a Cuervo como si fuese un modo de superar la tentación de la tristeza y la desesperanza del pesimismo, que en ocasiones embargaba a su autor[178].

De todas las formas cómicas, el pensamiento krausista, y especialmente Giner de los Ríos, consideraron como la más adecuada a la modernidad el humorismo[179]. Alas, como Giner y González Serrano, discrepó de la afirmación hegeliana según la cual el humorismo era la señal indeleble de la ruina del espíritu romántico, mientras aceptó la propuesta de Hegel por la que el verdadero humor debe tener fondo y no precipitarse por la vía del sentimentalismo. Decía Hegel:

> El *verdadero humor,* que quiere realmente mantenerse alejado de esta excrecencia del arte, debe unir, a una gran riqueza de imaginación, mucho sentido y profundidad de espíritu, con el fin de desarrollar lo que parece puramente arbitrario como realmente lleno de verdad; y ha de hacer resaltar con cuidado, de estas particularidades accidentales, una idea sustancial y positiva[180].

Leopoldo Alas parece atenerse en la construcción narrativa de *Cuervo* a esta importantísima reflexión hegeliana. En primer lugar, el humorismo se produce en la vida del espíritu, pero Clarín es sabedor desde bien temprano (algunos artículos de 1879 lo atestiguan) de que el empleo del humorismo necesita del conocimiento y la observación de la vida, y de ahí la poética realista con la que fragua la *nouvelle* y el efecto de realidad que propone, porque Ángel Cuervo nos parece

---

[178] Para cuestiones más genéricas (que no puedo abordar aquí) remito al interesado lector al capítulo «L'ironie compensatrice pour le lecteur e pour l'auteur» del excelente libro de Marine Ricord, *«Les Caractères» de La Bruyère ou les exercices de l'esprit*, París, PUF, 2000, págs. 161-214.

[179] Cfr. Adolfo Sotelo Vázquez, «Introducción» a Leopoldo Alas «Clarín», *Apolo en Pafos*, Barcelona, PPU, 1989, págs. XXXI-XXXVI.

[180] G. W. F. Hegel, «Del humorismo», *Estética* (traducción de Hermenegildo Giner de los Ríos), Madrid, Daniel Jorro, 1908, t. I, pág. 276. Se trata de la traducción del *rifacimento* francés de Charles Bénard.

un personaje plausible[181], pese a ser arbitrario y caricaturesco y, en segundo término, hay en Cuervo una idea positiva, pese a su ninguna preocupación metafísico-religiosa por la muerte (lo que le aleja radicalmente de su creador). Esa idea sustancial y positiva es la que apreció Azorín en el final de la *nouvelle*. Cuervo y su compañero Antón —«la delicia de ambos era un buen funeral de aldea» (XI)— en el colmo de un deliquio escuchan, como en ensueños, el *Benedictus qui venit in nomine Domini* de la misa de Réquiem entremezclado con «los sonidos dulces y misteriosos de la naturaleza, que, como ellos, ve pasar la muerte, sin comprenderla, sin profanarla, sin insultarla, sin temerla, como albergándola en su seno, y haciéndola desaparecer cual una hoja seca en un torrente, entre las olas de vida que derrama el sol, que esparce el viento, y de que se empapa la tierra» (XI). Es decir, la idea sustancial que subyace en el humorismo con el que está configurado el personaje y compuesto el relato es la taracea del canto evangélico de la muerte con el canto de la naturaleza, que la subsume, que la anega, que la absorbe en sí desde la vertiente estética. Pero, este panteísmo es tan sólo estético, deja al margen la ética, el misterio y la muerte, ingredientes básicos del pensamiento de Alas, que siente la idealidad ética como verdadera necesidad vital.

Por otra parte, el humorismo que permite Alas poner de relieve como Cuervo escapa del miedo a la muerte y no engendra el dolor que ésta lleva consigo[182], sino que lo combate con la inconsciencia de la naturaleza, le facilita, a su vez, desvelar «una reacción muy humana y muy secreta frente a la muerte: la de celebrar la muerte de que la persona fallecida sea precisamente otra»[183].

---

[181] Luis París en su reseña del tomo del 92 (ver anexo) llega a decir que Cuervo es un «apunte tal vez recogido del natural».

[182] Una lectura en paralelo de *Cuervo* con el artículo humorístico «No engendres el dolor» *(Madrid Cómico,* 7-III-1891) que Alas incluyó en *Siglo pasado* deriva alguna sugestión significativa e importante para la comprensión de la *nouvelle*.

[183] Carolyn Richmond, «Introducción» a Clarín, *Cuentos Completos,* t. I, pág. 62.

El humorismo es consustancial al moralista Alas. *Cuervo,* es desde su forma literaria de *nouvelle,* una especie de «cavilación» de Clarín, una más, porque ya en *Solos* (1881) había escrito:

> Los enemigos del afán de filosofar verían acaso satisfechos sus deseos si lograsen suprimir el miedo a la muerte[184].

Ángel Cuervo no tiene ningún afán de filosofar. Alas, en cambio, siente siempre y, sobre todo en el *fin-de-siècle,* la necesidad de filosofar desde la duda[185], en la incertidumbre, siente la necesidad racional de la metafísica, quiere penetrar en el misterio; necesidades que, gracias al humorismo, la novela corta soslaya, aunque en su final quizás inspira una tristeza que —como señaló Alas en referencia a Leconte de l'Isle— «a su modo, edifica al mismo que cree y espera, porque le hace ahondar en el misterio»[186], o quizás le afirma en el panteísmo estético como asidero, como refugio de una conciencia creadora que sentía la idea de la muerte, y «como es cierto que hay muerte, es cierto que hay *cierta* metafísica»[187].

Cuervo, en fin, pertenece a ese perfil clariniano de humorista que su maestro González Serrano reconocía como antídoto congénito de su quehacer intelectual, evocado con alguna injustificable aspereza, en el artículo necrológico de *La Correspondencia de España* (14-VI-1901):

> Complicado y enmarañado su pensamiento, enriquecido por lecturas rápidas su criterio artístico, sugestionado por la erudición y juicio crítico de Menéndez Pelayo, parecía inclinarse a considerar definitivo un estado mental suyo, exclusivamente personal, a ratos un tanto esquinado y petrificado en la fatal manía de la certeza absoluta. Y a la par, el humorismo congénito con su espíritu de raza, sacudía tales ligaduras, vol-

---

[184] Leopoldo Alas «Clarín», «Cavilaciones», *Solos,* pág. 88.
[185] Cfr. «La duda provisional es una duda falsificada. Se conoce en que no duele», «Cavilaciones», *Solos,* pág. 81.
[186] Leopoldo Alas «Clarín», «Revista literaria. *Dolores* de Federico Balart» *(El Imparcial,* 19-II-1894). Cito por David Torres, *Los prólogos de Leopoldo Alas,* pág. 205.
[187] Leopoldo Alas «Clarín», *Un discurso. Folletos literarios, VIII,* pág. 7.

vía a un *diletantismo* de bromas serias y en tejer y destejer semejantes, desequilibraba su habitual manera de pensar y sentir, sólo en medio de la muchedumbre, isla de islas[188].

IV

Superchería fue la novela corta más cuidadosamente editada por Alas en tomo. Las correcciones desde la primera versión periodística a su publicación en 1892 son abundantes, lo que avala el interés del autor por esta *nouvelle*, quien la crítica contemporánea acogió como secundaria respecto a *Doña Berta*, salvo Ortega y Munilla, que afirma que es «lo mejor que ha escrito Alas» (véase Apéndice). Los críticos contemporáneos realzan el carácter psicológico de *Superchería* y la vaguedad de su «doctrina»; discrepan sobre su carácter unitario en la composición y —es de nuevo la pluma de Altamira— se dan cuenta de los dos momentos cruciales de la obra: la evocación de la adolescencia del filósofo y el «dulce, noble y melancólico final de la novela» (véase Apéndice).

El protagonista de la *nouvelle* es Nicolás Serrano, «un filósofo irónico, saturado de lecturas modernas, triste, amargado, que pasea por el mundo su tedio irremediable», en penetrante definición de uno de los mejores lectores de la obra, Azorín[189], quien además apuntó la proyección autobiográfica de la *nouvelle*.

Serrano, soltero, rico[190] y con treinta años vuelve a España en una noche invernal, tras «tres años de correr mundo,

---

[188] Urbano González Serrano recogió el artículo necrológico bajo el marbete de «Un día de luto» en *La literatura del día (1900-1903)*, Barcelona, Henrich, 1903. Lo cito por mi *Leopoldo Alas y el fin de siglo*, pág. 228.

[189] Azorín, «Fantasías y Devaneos. Clarín: un recuerdo», *(España*, 24-VIII-1904), *Tiempos y cosas* (1944), *Obras completas*, Madrid, Aguilar, 1947-1954, t. VII, pág. 190. La relación de Azorín con *Superchería* es apasionante. Además de editarla por separado para la «Colección Fémina» (Madrid, Biblioteca Estrella, 1918), le dedicó varios pasajes en sus numerosos artículos sobre Alas. Destaca especialmente «Nicolás Serrano» *(Blanco y Negro*, 25-V-1906), recogido posteriormente en *España* (1909).

[190] De Serrano se puede decir lo que de todos los héroes de fin de siglo: «Está libre de cualquier tipo de atadura económica o social» (Hans Hinterhäuser, *Fin de siglo. Figuras y mitos*, Madrid, Taurus, 1980, pág. 43).

preocupado con los mismos problemas metafísicos y psicológicos y con idénticas aprensiones nerviosas» (I) con los que se había marchado. Procede de París y atraviesa la meseta en tren camino de Madrid. Lleva consigo un libro de memorias en las que «no había recuerdos de la infancia, ni aventuras amorosas, y apenas nada de la historia del corazón; todo se refería a la vida del pensamiento y a los efectos anímicos, así estéticos como de la voluntad y de la inteligencia, que las ideas propias y ajenas producían en el que escribía» (I).

Este es el planteamiento inicial de la *historia* de la *nouvelle*, cuyo discurso narrativo es más complejo que el de las anteriores, dado que la *narración* emerge desde el narrador y desde el yo protagonista a través de sus memorias. Clarín se propone aquí —como en *Cuesta abajo*— adentrarse en el alma de Nicolás Serrano, trazando su anatomía espiritual, pues como el mismo personaje piensa, sus memorias —material narrativo fundamental en *Superchería*— son «la historia sincera de una conciencia dedicada a la meditación» (I).

Durante la noche en tren sufre una alucinación (una monja se transforma en santa Teresa) de un misticismo prosaico: la sustitución de la figura de la monja, acomodándose equivocadamente en el compartimento en el que viajaba Serrano, por la visión falsa de santa Teresa. Alucinación que transcribe de inmediato en sus memorias. En cambio, no se percata, pues vuelve a dormirse, de que entra en su compartimento «una dama vestida de negro y cubierta con manto largo» (II). Esta dama leerá por curiosidad la última página de las memorias de Serrano. Esta dama —que siente atracción por el joven filósofo— desaparecerá de inmediato. Esta dama es la sonambulista Caterina Porena, casada con el doctor Foligno, y madre del niño Tomasuccio, a quien el protagonista encuentra en la fonda de Guadalajara, ciudad a la que viaja meses después de lo sucedido en el tren.

Los capítulos (III al X) cuyo cronotopo es Guadalajara son fundamentales para el acercamiento a las encrucijadas psicológicas del alma de Serrano, empeñado en perfilar la relación de su conciencia con el mundo, con los fenómenos, en un escenario que como le remite a la adolescencia está dominado por la fugacidad, por el tiempo[191]:

> Sintió, con una fuerza que no suele acompañar a la contemplación ordinaria y frecuente de la vanidad de la vida, el soplo frío y el rumor misterioso de las alas del tiempo, la sensación penosa de los fenómenos que huyen a nuestra vista como en un vértigo y nos hacen muecas, alejándose y confundiéndose, como si enseñaran, abriendo miembros y vestiduras, el vacío de sus entrañas (III).

La ciudad de Guadalajara (acaso la ciudad muerta)[192] en la que Serrano sólo había vivido seis meses, pero «allí había vivido siglos en pocos días, mundos en breve espacio» (III) le suscita recuerdos que paladea con delectación íntima:

> La emoción dominante era amarga, un dolor positivo; pero no importaba; aquello valía la *pena* de sentirlo. Se acordaba de sí mismo, de aquel niño que había sido él, como de un hijo muerto: se tenía una lástima infinita. El verse en aquel tiempo le hacía pensar en el efecto de mirarse de espaldas en los espejos paralelos (III).

El texto —con resonancias que remiten a pasajes finales de *La Regenta* y, desde luego, a la filosofía de Schopenhauer— se abre a la reminiscencia, y Guadalajara, la ciudad de la adolescencia comprimida e intensificada, se apodera de Serrano, le refresca el alma: era su «epopeya primitiva, el despertar de aquel espíritu que había sido suyo» (III). Despertar que tiene

---

[191] La fina sensibilidad azoriniana supo captar la sensación de temporalidad que anega las *nouvelles* de Alas: «la sensación de tiempo se percibe intensamente en los cuentos y las novelas de Alas. Y más que en ninguna otra obra, en *Superchería* y en *Doña Berta*» [Azorín, «Clarín y la inteligencia» *(ABC,* 12-X-1925), *Andando y pensando* (1929), *OC,* t. V, pág. 193].

[192] Aunque hay distancias éticas que son insalvables, quiero señalar que *Bruges-la-Morte,* la breve novela de Georges Rodenbach se publicó en 1892, el mismo año que *Superchería.* De ahí arranca el mito finisecular de la «ciudad muerta», según el magnífico ensayo de Hans Hinterhäuser. Clarín no desarrolla este sugestivo mito —lo hará Azorín— pero sí escribe tajante que Serrano se acordaba de aquel niño que vivió en Guadalajara «como de un hijo muerto» (III).

el correlato de su encuentro con Tomasuccio, en la fonda de la ciudad, y que podría leerse como el *efecto totalizador* de la obra.

Tomasuccio le fascina. Primero, es la encarnación del «hijo muerto», pues «aquella cabecita de guedejas lánguidas, alrededor de una garganta de seda muy delicada, tenía como un símbolo algo de las flores y tules del ataúd de un inocente. Él también parecía vestido para la muerte» (III). Después, y pese a su apuesta de aprehender la realidad por la vía intelectual, el despertar de «aquel espíritu» encarnado en Tomasuccio conduce a Serrano a pensar «en la mujer, como en un consuelo, como en un regazo para los desencantos del alma solitaria, incomunicable» (IV). Tomasuccio ha desatado otra vía de conocimiento, la que tantea lo inefable escapando del estrecho intelectualismo: «mientras sus ojos se clavaban en aquel niño, como aspirando, en fuerza de imaginación y voluntad, a producir en él la absurda metamorfosis de convertirlo en su madre» (IV). Esa vía de conocimiento le acerca al misterio verdadero[193], el del amor, encarnado en la madre del niño, en Caterina Porena, nombre cuyas palabras:

> ahora tenían una extraña música sugestiva, algo de cifra babilónica; eran como el *sésamo* de nuevos misterios de sensibilidad que no semejaban el misticismo, impersonal, anafrodita (IV).

La encarnación del amor aparece. Catalina es la «catástrofe moral» de Serrano y el eje vertebrador de la *nouvelle*. El joven filósofo se lo tiene que confesar a sí mismo: la Porena «era una emoción fuerte, llena de angustia deliciosa, algo serio, algo que le arrancaba de sus cavilaciones de alma desocupada y de pasiones apagadas» (VI). Serrano se nutre ya de las ansias

---

[193] El misterio aparente (por ejemplo, la alucinación del tren) le será revelado por Catalina, quien además le dice «que el milagro está en el todo» (X). Y ciertamente, el todo supone algo más que el conocimiento intelectual. Para entender el proceso de maduración de Serrano debe verse el artículo de Nicholas G. Round, «The Fictional Integrity of Leopoldo Alas *"Superchería"*», *Bulletin of Hispanic Studies*, XLVII (1970), págs. 97-116.

del enamorado e inicia el camino de la pasión y de la imaginación —«la superchería le indignaba, pero le fascinaba la mujer» (IX)— que le impulsará, en efecto, a un conocimiento más complejo que el puramente racional. Los impulsos de este conocimiento —que es paralelo al amor y que tienen como escenario la sesión de magnetismo— presentan tres momentos sensoriales: la voz, el tacto, los ojos. En primer lugar, Serrano recoge la voz de Catalina «como si fuera para él solo, como si fuera una caricia honda, voluptuosa, franca; algo semejante a la sensación de apoyar ella su cuerpo, y *hasta el alma*, en él, sobre su pecho» (VIII). Momento segundo es el tacto: la mano ciega de Catalina se agarra a la de Serrano «como a un asidero» (IX) y lleva consigo un calor «cargado de sentido voluptuoso sin dejar de ser espiritual puro» (IX). Finalmente los ojos. Los ojos de Catalina estaban «llenos de idealidad, de poesía, del fuego de la pasión pura» (X), «aquellos ojos eran el mundo del afecto» (X), «aquellos ojos le acariciaban» (X). Los ojos de Catalina son para Serrano los ojos de una pasión auténtica, voluptuosa y pura, y el camino para combatir sus enfermedades de la voluntad y sus trastornos fisiológicos. El sentimiento amoroso se ofrece como alternativa a sus tortuosos caminos de conocimiento. El sentir y el querer son opciones tan válidas como las del puro conocer. Serrano las aprende gracias a la Porena, mientras Leopoldo Alas las reconocía como tales en sus clases de Derecho Natural[194].

Serrano ha reconocido el amor, el milagro amoroso, el misterio amoroso. Frente a la superchería y el aparente milagro que Catalina ha exhibido en la sesión de magnetismo, adivinando lo que ocurrió en el tren, se levanta la ca-

---

[194] Ángeles Ezama ha invocado con toda razón un pasaje de los apuntes de las clases de Leopoldo Alas del año 1896, recogidos por el alumno José Acebal. Alas les decía a sus alumnos: «tenemos con la realidad más relaciones que las del puro conocer, y es que la realidad se comunica también de otra suerte, tenemos comunicación con la realidad fuera de lo intelectual; existen otras relaciones muy importantes entre la realidad y el hombre, como son las del sentimiento y la voluntad» [*Apuntes de clase de «Clarín»* (ed. Luis García San Miguel y Elías Díaz), Oviedo, Caja de Ahorros de Asturias, 1986, conferencia 15, págs. 169-179.]

sualidad de los dos encuentros, de las coincidencias, la escondida vida de los sentimientos, que es el verdadero milagro. La escena junto a la cuna de Tomasuccio enfermo pertenece a la mejor estirpe del espiritualismo de Alas. Habla Serrano:

> —Después de todo, ¿qué mayor coincidencia *inverosímil* que el encontrarse en el mundo dos almas, dos almas hechas la una para la otra?
> —¡Ah! Sí; es verdad. El amor es un misterio. El amor es un milagro.
> Llegó Foligno. Yo le estreché la mano sin miedo ni a él ni a mi conciencia. Después estreché la de Catalina, aquella mano *tan mía*, y la estreché tranquilo. Nos miramos ambos satisfechos como dos compañeros de naufragio que se saludan, sanos y salvos, en la orilla (X).

Doña Laura de los Ríos interpretó este pasaje como la culminación de «una concepción espiritualizada, huidiza e incorpórea del amor»[195]. Sin duda, pero además existe un sumando del que no se puede prescindir: la persistente resistencia a aceptar la voluptuosidad, la tenaz negación de la corporalidad, pese a que late en la voz, en el encuentro de las manos, en la mirada[196]. De ahí nace una escisión que solamente se puede proyectar en el dolor, realidad última y tangible de la *nouvelle*.

El encuentro final —dos años después de los días de Guadalajara— entre Catalina y Serrano es desolador. El filósofo, en una tregua de su incurable enfermedad (la angustia metafísica) pasea por Madrid y se tropieza con Catalina, que se le aparece como «sacerdotisa del dolor» (XI), debido a la muerte de Tomasuccio, quien había sido el vínculo del amor entre ambos. Ya no cabe el amor tras la muerte del vínculo, sólo

---

[195] Laura de los Ríos, *Los cuentos de Clarín. Proyección de una vida*, pág. 103.
[196] Cfr. «Acaso no sea posible, ni fisiológica ni psicológicamente, despojar a toda buena acción, por desinteresada que sea, de un estado de conciencia *voluptuoso*, por sutil, profundo y mordido de dolor que aparezca» [Leopoldo Alas «Clarín», «Paul Verlaine» *(Arte y Letras*, 3-II-1901), incluido en *Siglo pasado* (ed. J. L. García Martín), Gijón, Llibros del Pexe, 2000, pág. 249].

cabe el recuerdo. La desazón de Serrano es absoluta y en la confusión que le embarga quisiera seguir la pista de un perro «muy satisfecho de su existencia» (XI) y que «tomaba los fenómenos como lo que eran, como... una superchería» (XI). Pero, su conciencia —en cuyos entresijos se ha detenido el relato— y su experiencia —parte de la cual ha aflorado en la *nouvelle*— dicen otra cosa: no puede prescindir de las inquietudes espirituales ni de las apetencias metafísicas, no puede prescindir del dolor.

A la luz del desarrollo de la *historia* de *Superchería* su intención —como ha escrito Sobejano— es plantear «la relación de una conciencia con el mundo»[197]. Conciencia atormentada y escindida que, en efecto, madura al integrar la vía del conocimiento amoroso, que como reconocía Leopoldo Alas, comentando un artículo de Fouillée en la *Revue de Deux Mondes* (15-IX-1893) sobre la psicología del sexo, es una vía de acceso a la realidad. Escribía Clarín:

> El amor acaso es toda una fuente de conocimiento, o de revelación *sui generis*, con que no se había contado hasta ahora de modo suficiente. Tal vez el amor debiera ser para nosotros todo un aspecto de la realidad, como Kant quiso que lo fuera el mandato moral de la conciencia[198].

Por ello, creo que en los claroscuros del *fin-de-siècle* la lección final que Alas quiere ofrecer en *Superchería*, huyendo de subjetivismos temerarios y de ligerezas superficiales, es una lección del mejor espiritualismo, acercándose al análisis de lo interior y lo anímico de una conciencia ávida de conocimiento que se debate entre la razón y el misterio; debate que desemboca en el dolor, idea y realidad que esconde una evidente sed de metafísica, entendida como «un postulado práctico de la necesidad racional»[199]. En este sentido, el personaje de Antoñito Alcázar, primo de Nicolás Serrano, es la antítesis

---

[197] Gonzalo Sobejano, *Clarín en su obra ejemplar*, pág. 99.
[198] Leopoldo Alas «Clarín», «Lecturas. Psicología del sexo» (*La Ilustración Ibérica*, 20-I-1894), incluido en *Siglo pasado* (ed. J. L. García Martín), pág. 197.
[199] Leopoldo Alas «Clarín», «Cartas a Hamlet», *Siglo pasado*, pág. 172.

de los ideales clarinianos[200]: desprecia la historia, la filosofía y la verdad, y le encanta «una clase de filosofía: la maravillosa» (VI). A Serrano la asistencia a una demostración de filosofías y ciencias misteriosas le revela con toda autenticidad —gracias a Catalina— el amor como fuente de conocimiento, el amor como misterio y el amor como imposibilidad, una aproximación más a «el *porqué* del saber» (VI). Aproximación tan sólo, porque como sentencia el gallo clariniano del cuento simbólico «El gallo de Sócrates»:

> El que *demuestra* toda la vida, la deja hueca. Saber el porqué de todo es quedarse con la geometría de las cosas y sin la sustancia de nada. Reducir el mundo a una ecuación es dejarlo sin pies ni cabeza[201].

Las tres *nouvelles* de 1892 son creaciones excepcionales de la ética-estética de Leopoldo Alas camino del fin de siglo. Son manifestaciones estéticas que incluso lo anticipan en esa vertiente agudamente señalada por Sobejano de poemas: el amor hasta la muerte *(Doña Berta)*, la muerte como vida *(Cuervo)* y el misterio de vivir *(Superchería)*. En las proximidades del fin de siglo los géneros literarios se fragmentan y se fusionan: Alas fue protagonista como teórico y como creador de este proceso. Lástima que entre los lectores contemporáneos de la trilogía del 92 no se encontrase Mallarmé, pues seguramente podría haber escrito de *Doña Berta. Cuervo. Superchería* lo que escribió tras la lectura de *Bruges-la-Morte*: «Toda tentativa contemporánea de lectura consiste en hacer desembocar el poema en novela, la novela en poema»[202]. En efecto, estas tres novelas cortas son tres poemas que anclados en la prosa de la vida rescatan de ella algunas de sus mejores vibraciones poéticas.

---

[200] Ideales que representa Fernando Vidal, protagonista del cuento «Un jornalero» (1893), donde el protagonista afirma: «Yo trabajo en la filosofía y en la historia y sé que cuanto más trabajo más me acerco al desengaño» [Leopoldo Alas «Clarín», «Un jornalero», *El Señor y lo demás, son cuentos* (1893), *Cuentos completos*, t. I, pág. 513].

[201] Leopoldo Alas «Clarín», «El gallo de Sócrates» *(Los lunes de El Imparcial,* 21-IX-1896), *El gallo de Sócrates* (1901), *Cuentos completos*, t. II, pág. 223.

[202] «Lettre de Stéphane Mallarmé» (28-VI-1892) en Georges Rodenbach, *Bruges-la-Morte* (ed. Jean Pierre Bertrand y Daniel Grojnowski), París, Flammarion, 1998, pág. 292.

Esta edición

La presente edición de *Doña Berta. Cuervo. Superchería* reproduce el texto de la primera edición (1892), única corregida por el autor. Leopoldo Alas había publicado previamente las tres novelas cortas en la prensa. A esas versiones solamente se acude cuando el texto del libro ofrece dificultades de sentido. Esta edición contrae numerosas deudas con la de la profesora Ángeles Ezama, tanto en la fijación del texto como en su anotación, pero carece del aparato crítico de su espléndido trabajo.

El texto que a continuación se ofrece es el de la única edición corregida por Clarín, con una sola modificación que merezca referencia: en el capítulo XI de *Cuervo* se enmienda el sintagma «el *diputado eléctrico*» por el que rotula el diario de Laguna, «*El Despertador Eléctrico*», pese a que tanto la versión periodística como la de 1892 y todas las siguientes leen «el *diputado eléctrico*». Creo, sin embargo, que la enmienda ofrece una lectura más plausible.

En el texto de *Superchería* se respeta el defecto heredado por todas las ediciones desde la periodística inicial, por el cual se salta del capítulo IV al VI, careciendo la *nouvelle* de capítulo V y sumando en realidad tan sólo diez capítulos.

Debo añadir que en la anotación de las *nouvelles* ha colaborado conmigo la joven investigadora del Departamento de Filología Hispánica de la Universidad de Barcelona, Raquel Velázquez, a quien sin duda se debe el esfuerzo para que las notas sean lo más sucintas y lo más claras posibles, sin asfixiar la lectura de las obras. Agradezco también la ayuda que en la transcripción y corrección de los textos me ha prestado Gemma Márquez.

En un apéndice final se recogen los más importantes artículos de crítica literaria que el libro de 1892 suscitó en el momento de su publicación, como ejemplo del horizonte de expectativas en el que vio la luz la trilogía.

Por último, debe constar que Leopoldo Alas dedicó el tomo de 1892 a su amigo Tomás Tuero. El texto de la dedicatoria (pág. 255) rezaba: «A Tomás Tuero. Tomás: Después de leído el libro, el que más quiero de los míos, no sé por qué, a no ser vagamente, sentí la comezón de dedicártelo a ti. Clarín.»

Bibliografía

OBRAS DE LEOPOLDO ALAS «CLARÍN»

El derecho y la moralidad, Madrid, Medina, 1878.
Solos de Clarín, Madrid, A. de Carlos Hierro, 1881; Madrid, Alianza, 1971.
La literatura en 1881 (en colaboración con Armando Palacio Valdés), Madrid, A. de Carlos Hierro, 1882.
La Regenta, Barcelona, Cortezo, 1884-1885; ed. José M. Martínez Cachero, Barcelona, Planeta, 1963; ed. Gonzalo Sobejano, Madrid, Castalia, 1981; ed. Juan Oleza, Madrid, Cátedra, 1984.
Sermón perdido (Crítica y sátira), Madrid, Fernández y Lasanta, 1885.
Pipá, Madrid, Fernando Fe, 1886; ed. Antonio Ramos-Gascón, Madrid, Cátedra, 1976.
Un viaje a Madrid (Folletos literarios I), Madrid, Fernando Fe, 1886; ed. Joaquín Verdú de Gregorio, Madrid, Caja de Madrid, 1995.
Nueva campaña, Madrid, Fernando Fe, 1887; ed. Antonio Vilanova, Barcelona, Lumen, 1990.
Cánovas y su tiempo (Folletos literarios II), Madrid, Fernando Fe, 1887.
Apolo en Pafos (Folletos literarios III), Madrid, Fernando Fe, 1887; ed. Adolfo Sotelo Vázquez, Barcelona, PPU, 1989.
Mis plagios. Un discurso de Núñez de Arce (Folletos literarios IV), Madrid, Fernando Fe, 1888.
Benito Pérez Galdós: Estudio crítico-biográfico, Madrid, Fernando Fe, 1889.
Mezclilla, Madrid, Fernando Fe, 1889; ed. Antonio Vilanova, Barcelona, Lumen, 1987.
A 0,50 poeta. Epístola en versos malos con notas en prosa clara (Folletos literarios V), Madrid, Fernando Fe, 1889.

Rafael Calvo y el teatro español (Folletos literarios VI), Madrid, Fernando Fe, 1890.

Museum (Mi revista) (Folletos literarios VII), Madrid, Fernando Fe, 1890.

Su único hijo, Madrid, Fernando Fe, 1891; ed. Carolyn Richmond, Madrid, Espasa-Calpe, 1979; ed. Juan Oleza, Madrid, Cátedra, 1990; ed. José María Martínez Cachero, Madrid, Taurus, 1991.

Un discurso (Folletos literarios VIII), Madrid, Fernando Fe, 1891.

Doña Berta. Cuervo. Superchería, Madrid, Fernando Fe, 1892.

Ensayos y Revistas (1888-1892), Madrid, Fernández y Lasanta, 1892; ed. Antonio Vilanova, Barcelona, Lumen, 1991.

El Señor y lo demás, son cuentos, Madrid, Fernández y Lasanta, 1893; ed. Gonzalo Sobejano, Madrid, Espasa-Calpe, 1989.

Palique, Madrid, Victoriano Suárez, 1894; ed. José María Martínez Cachero, Barcelona, Labor, 1973.

Teresa, Madrid, José Rodríguez, 1895; ed. Leonardo Romero Tobar, Madrid, Castalia, 1975.

Cuentos morales, Madrid, La España Editorial, 1896; Madrid, Alianza, 1973.

El gallo de Sócrates (colección de cuentos), Barcelona, Maucci, 1901; Madrid, Espasa-Calpe, 1973.

Siglo pasado, Madrid, Antonio R. López, 1901; ed. José Luis García Martín, Oviedo, Llibros del Pexe, 1999, 2000.

Obras completas: I. *Galdós*, II. *Su único hijo*, III. *Doctor Sutilis (Cuentos)*, IV. *Doña Berta. Cuervo. Superchería*, Madrid, Renacimiento, 1912-1916.

Preludios de Clarín, ed. Jean-François Botrel, Oviedo, IDEA, 1972.

Obra olvidada, ed. Antonio Ramos-Gascón, Madrid, Júcar, 1973.

Juan Ruiz, ed. Sofia Martín-Gamero, Madrid, Espasa-Calpe, 1985.

Narraciones breves, ed. Yvan Lissorgues, Barcelona, Anthropos, 1989.

Galdós, novelista, ed. Adolfo Sotelo Vázquez, Barcelona, PPU, 1991.

Obras completas: I. *La Regenta*, II. *Pipá; Doña Berta, Cuervo, Superchería; El Señor y lo demás, son cuentos; Cuentos morales; El gallo de Sócrates*, IV. *Folletos literarios*, ed. Santos Sanz Villanueva, Madrid, Turner, 1995.

Cuentos, ed. Ángeles Ezama, prólogo Gonzalo Sobejano, Barcelona, Crítica, 1997.

Cuentos completos, ed. Carolyn Richmond, Madrid, Taurus, 2000.

Obras completas: V. *Artículos (1875-1878)*, ed. Jean-François Botrel-Yvan Lissorgues, Oviedo, Nobel, 2002 y ss.

Amorós, Andrés, «Doce cartas inéditas de Clarín a José Octavio Picón», *Los Cuadernos del Norte*, II (1981), págs. 8-20.

Beser, Sergio, «Siete cartas de Leopoldo Alas a José Yxart», *Archivum*, X (1960), págs. 385-397.

— «Documentos clarinianos», *Archivum*, XII (1963), págs. 507-526.

Blanquat, Josette y Botrel, Jean-François (eds.), *Clarín y sus editores. 65 cartas inéditas de Leopoldo Alas a Fernando Fe y Manuel Fernández Lasanta. 1884-1893*, Rennes, Université de Haute-Bretagne, 1981.

Botrel, Jean-François, «De periodista a periodista: diez cartas de Clarín a Luis París», *Letras de Deusto*, 15-32 (1985), págs. 185-198.

— «71 cartas de Leopoldo Alas "Clarín" a Sinesio Delgado, Director de "Madrid Cómico" (1883-1899), y seis de Manuel del Palacio», *Boletín del Real Instituto de Estudios Asturianos*, LI (1997), págs. 7-53.

Cardenal Iracheta, Manuel, «Seis cartas inéditas de Clarín a Castelar», *Boletín de la Biblioteca Menéndez Pelayo*, XXIV (1948), págs. 92-96.

«Cartas de Clarín a Quevedo», en Francisco García Sarriá, *Clarín o la herejía amorosa*, Madrid, Gredos, 1975, págs. 241-280.

Epistolario a Clarín (Menéndez Pelayo, Unamuno, Palacio Valdés), ed. Adolfo Alas, Madrid, Escorial, 1941.

Epistolario (Menéndez Pelayo, Leopoldo Alas), ed. Adolfo Alas, Madrid, Escorial, 1943.

Giner de los Ríos, Francisco, *Ensayos y cartas*, México, Tezontle, 1965, págs. 109-116.

Gómez-Tabanera, José M. y Rodríguez Arrieta, Esteban, «La "conversión" de Leopoldo Alas Clarín: ante una carta inédita de Clarín a don Francisco Giner (20-X-1887)», *Boletín del Instituto de Estudios Asturianos*, XXXIX, 115 (1985), págs. 467-482.

Martín-Gamero, Sofía, «Diez cartas de Clarín dirigidas a Adolfo Posada», *Clarín y su tiempo. Exposición conmemorativa del centenario de la muerte de Leopoldo Alas*, Oviedo, 2001, págs. 243-252.

Martínez Cachero, José M., «Trece cartas inéditas de Leopoldo Alas a Rafael Altamira, y otros papeles», *Archivum*, XVIII (1968), págs. 145-176.

99

ORTEGA, Soledad (ed.), *Cartas a Galdós*, Madrid, Revista de Occidente, 1964.

SOTELO VÁZQUEZ, Adolfo y SOTELO VÁZQUEZ, Juan-José, «Entre críticos anda el juego: Clarín y Andrenio», *Cuadernos Hispanoamericanos*, 613-614 (2001), págs. 17-30.

TOLIVAR ALAS, Ana Cristina, «Once cartas inéditas de Leopoldo Alas Clarín», *Clarín y su tiempo. Exposición conmemorativa del centenario de la muerte de Leopoldo Alas,* Oviedo, 2001, págs. 229-242.

ESTUDIOS SOBRE LEOPOLDO ALAS «CLARÍN»*

*AA.VV., *Leopoldo Alas «Clarín»,* ed. José M. Martínez Cachero, Madrid, Taurus, 1978.

— *Clarín y su obra en el centenario de «La Regenta»,* ed. Antonio Vilanova, Barcelona, Universidad de Barcelona, 1985.

— *Clarín y «La Regenta» en su tiempo,* Oviedo, Universidad de Oviedo, 1987.

— *Realismo y Naturalismo en España en la segunda mitad del siglo XIX,* ed. Yvan Lissorgues, Barcelona, Anthropos, 1988.

— *Leopoldo Alas «Clarín»,* ed. Antonio Vilanova y Adolfo Sotelo Vázquez, Barcelona, Universitat de Barcelona, 2002.

*ALBADALEJO, Tomás, *Teoría de los mundos posibles y macroestructura narrativa. Análisis de las novelas cortas de Clarín,* Alicante, Universidad de Alicante, 1986.

**ALFANI, Maria Rosaria, «Introduzione» a «Clarín», *Donna Berta,* Palermo, Sellerio, 1997.

— *Il ritorno di don Chisciotte. Clarín e il romanzo,* Roma, Donzelli, 2000.

*BAQUERO GOYANES, Mariano, «Clarín y la novela poética», *Boletín de la Biblioteca Menéndez Pelayo,* XXIII, págs. 145-169.

— *El cuento español en el siglo XIX,* Madrid, CSIC, 1949.

**BESER, Sergio, *Leopoldo Alas, crítico literario,* Madrid, Gredos, 1968.

— *Leopodo Alas: Teoría y crítica de la novela española,* Barcelona, Laia, 1972.

---

* Los estudios que tratan de la narrativa breve van precedidos de un asterisco. Los que tratan específicamente de *Doña Berta. Cuervo. Superchería* llevan un doble asterisco.

BONET, Laureano, «Campoamor en Clarín: la estrategia de la araña», *Ínsula*, 575 (1994), págs. 20-23.

**BORING, Phyllis, «Some Reflections on Clarín's Doña Berta», *Romance Notes*, XI (1969-1970), págs. 322-325.

BOTREL, Jean-François, «Producción literaria y rentabilidad: El caso de Clarín», en AA.VV., *Hommage des hispanistes français à Noël Salomon*, Barcelona, Laia, 1979, págs. 123-133.

CABEZAS, Juan Antonio, *Clarín, el provinciano universal*, Madrid, Espasa Calpe, 1962.

**DOBÓN, María Dolores, *El intelectual y la urbe: Clarín maestro de Azorín*, Madrid, Fundamentos, 1996.

*EBERENZ, Rolf, *Semiótica y mofología textual del cuento naturalista*, Madrid, Gredos, 1989.

*EZAMA, Ángeles, *El cuento de la prensa y otros cuentos*, Zaragoza, Prensas Universitarias, 1992.

— **«Prólogo» a Leopoldo Alas «Clarín», *Cuentos*, Barcelona, Crítica, 1997.

GARCÍA MORALES, Alfonso, *Literatura y pensamiento hispánico en el fin de siglo: Clarín y Rodó*, Sevilla, Universidad de Sevilla, 1992.

*GARCÍA PAVÓN, Francisco, «El problema religioso en la obra narrativa de Clarín», *Archivum*, V (1955), págs. 319-349.

GARCÍA SAN MIGUEL, Luis, *El pensamiento de Leopoldo Alas «Clarín»*, Madrid, Centro de Estudios Constitucionales, 1987.

*GARCÍA SARRIÁ, Francisco, *«Clarín» o la herejía amorosa*, Madrid, Gredos, 1975.

GÓMEZ SANTOS, Marino, *Leopoldo Alas «Clarín». Ensayo bio-bibliográfico*, Oviedo, IDEA, 1952.

**GONZÁLEZ HERRÁN, José Manuel, «Construcción y sentido de *Cuervo*», *Los Cuadernos del Norte*, 4 (1987), págs. 86-92.

*GONZÁLEZ OLLÉ, Fernando, «Del naturalismo al modernismo: los orígenes del poema en prosa y un desconocido artículo de Clarín», *Revista de Literatura*, XXV (1964), págs. 49-67.

**GRAMBERG, Eduard J., *Fondo y forma del humorismo de Leopoldo Alas «Clarín»*, Oviedo, IDEA, 1958.

GULLÓN, Germán, *El narrador en la novela del siglo XIX*, Madrid, Taurus, 1976.

**GULLÓN, Ricardo, «Las novelas cortas de Clarín», *Ínsula*, 76 (1952), pág. 3.

**KRONIK, John W., «La modernidad de Leopoldo Alas», *Papeles de Son Armadans*, XLI-122 (1966), págs. 121-134.

LISSORGUES, Yvan, *Clarín político*, Barcelona, Lumen, 1989, 2 tomos.

— **El pensamiento filosófico y religioso de Leopoldo Alas «Clarín»*, Oviedo, Grupo Editorial Asturiano, 1996.

— *«Introducción» a Leopoldo Alas «Clarín», *Narraciones breves*, Barcelona, Anthropos, 1989.

**LOZANO MARCO, Miguel Ángel, «Introducción» a Leopoldo Alas «Clarín», *Las dos cajas, Doña Berta y otros relatos*, Alicante, Aguaclara, 1988.

**MAESTRO, Jesús G., «La muerte y las funciones narrativas en *Doña Berta* de Clarín. Clasificación e interpretación», *Boletín del Instituto de Estudios Asturianos*, XLII, págs. 123-143.

**MAÑERO, David, «La estructura de *Doña Berta* como denuncia del inmovilismo social carlista y capitalista», *Hesperia*, I (1998), págs. 81-103.

*MARESCA, Mariano, *Hipótesis sobre Clarín (El pensamiento crítico del reformismo español)*, Granada, Diputación Provincial, 1985.

**MARTÍNEZ CACHERO, José M., «Doña Berta de Rondaliego en Madrid (Leopoldo Alas: *Doña Berta*, VIII)», *El comentario de textos, 3. La novela realista*, Madrid, Castalia, 1982.

— *Las palabras y los días*, Oviedo, IDEA, 1984.

MIÑANO, Blanca, «*Teresa* de Clarín a la luz de la crítica catalana», *Cuadernos Hispanoamericanos*, 595 (2000), págs. 7-20.

NUÑEZ DE VILLAVICENCIO, Laura, *La creatividad en el estilo de Leopoldo Alas «Clarín»*, Oviedo, IDEA, 1974.

OLEZA, Juan, *La novela del siglo XIX. Del parto a la crisis de una ideología*, Barcelona, Laia, 1984.

**ORDÓÑEZ, David, «La superación del naturalismo en Leopoldo Alas: el correlato objetivo en *Doña Berta* (1891)», *España Contemporánea*, XII-1 (1999), págs. 77-94.

PÉREZ DE AYALA, Ramón, «Clarín y don Leopoldo Alas», *Amistades y Recuerdos*, Barcelona, Aedos, 1961.

POSADA, Adolfo, *Leopoldo Alas «Clarín»*, Oviedo, Imprenta La Cruz, 1946.

REISS, Katherine, «Valoración artística de las narraciones breves de Leopoldo Alas "Clarín", desde los puntos de vista estético, técnico y temático», *Archivum*, V (1955), págs. 77-126 y 256-303.

RICHMOND, Carolyn, «Estudio crítico» a Clarín, *«Vario»... y varia. Clarín a través de cinco cuentos suyos*, Madrid, Orígenes, 1990.

— **«Introducción» a Clarín, *Cuentos completos*, Madrid, Alfaguara, 2000.

**RÍOS, Laura de los, *Los cuentos de Clarín. Proyección de una vida*, Madrid, Revista de Occidente, 1965.

*RIVKIN, Laura, «Estudio preliminar» a Leopoldo Alas «Clarín», *Cuesta abajo,* Madrid, Júcar, 1985.

**ROMERO TOBAR, Leonardo, *«Doña Berta* en su pintura (Sobre la evolución narrativa de "Clarín")», *Homenaje a Alonso Zamora Vicente,* Madrid, Castalia, 1994, t. IV, págs. 327-343.

— **«Introducción» a Clarín, *Doña Berta y otras narraciones,* Madrid, Alianza, 2002, págs. 7-39.

**ROSSO GALLO, Maria, *El narrador y el personaje en el mundo de Leopoldo Alas «Clarín»,* Turín, Edizioni dell'Orso, 2001.

**ROUND, Nicholas G., «The Fictional Integrity of Leopoldo Alas, *Superchería», Bulletin of Hispanic Studies,* XLVII (1970), págs. 97-116.

**RUIZ SILVA, J. C., «Clarín y el amor como imposibilidad (En torno a *Superchería*)», *Ínsula,* XXII, 365 (1977), págs. 1 y 12.

SAILLARD, Simone, «Estudio preliminar» a Leopoldo Alas «Clarín», *El hambre en Andalucía,* Toulouse, Presses Universitaires du Mirail, 2001.

SAINZ RODRÍGUEZ, Pedro, «La obra de Clarín», en *Evolución de las ideas sobre la decadencia española,* Madrid, Rialp, 1962,

**SOBEJANO, Gonzalo, *Clarín en su obra ejemplar,* Madrid, Castalia, 1985.

— *«Introducción» a Leopoldo Alas «Clarín», *El Señor y lo demás, son cuentos,* Madrid, Espasa Calpe, 1988.

*SOTELO VÁZQUEZ, Adolfo, *Leopoldo Alas y el fin de siglo,* Barcelona, PPU, 1988.

— «Introducción» a Leopoldo Alas «Clarín», *Los artículos en «Las Novedades» de Nueva York (1894-1897),* Madrid, CHA-Los Complementarios, 1994.

— *Perfiles de «Clarín»,* Barcelona, Ariel, 2001.

— *«Azorín, lector y crítico de Clarín», *Prosa y Poesía. Homenaje a Gonzalo Sobejano* (ed. J. F. Botrel, Y. Lissorgues, C. Maurer y L. Romero Tobar), Madrid, Gredos, 2001, págs. 395-405.

TORRES, David, *Los prólogos de Leopoldo Alas,* Madrid, Playor, 1984.

— *Studies on Clarín: An Annotated Bibliography,* Methuen, NJ, & Londres, The Scarecrow Press, 1987.

Tintoré, María José, *«La Regenta» de Clarín y la crítica de su tiempo*, Barcelona, Lumen, 1987.

Utt, Roger L., *Textos y con-textos de Clarín: Los artículos de Leopoldo Alas en «El Porvenir» (Madrid, 1882)*, Madrid, Istmo, 1988.

Valis, Noël M., *The Decadent Vision in Leopoldo Alas*, Baton Rouge-Londres, Louisiana State U.P., 1981.

— *Leopoldo Alas (Clarín): An Annotated Bibliography*, Londres, Grant & Cutler, 1986.

— **«La función del arte y de la historia en *Doña Berta* de Clarín», *Bulletin of Hispanic Studies*, LXIII (1986), págs. 67-78.

*Vilanova, Antonio, *Nueva lectura de «La Regenta» de Clarín*, Barcelona, Anagrama, 2001.

Doña Berta

I

Hay un lugar en el Norte de España adonde no llegaron nunca ni los romanos ni los moros; y si doña Berta de Rondaliego, propietaria de este escondite verde y silencioso, supiera algo más de historia, juraría que jamás Agripa, ni Augusto, ni Muza, ni Tarick[1] habían puesto la osada planta sobre el suelo, mullido siempre con tupida hierba fresca, jugosa, oscura, aterciopelada y reluciente, de aquel rincón suyo, todo suyo, sordo, como ella, a los rumores del mundo, empaquetado en verdura espesa de árboles infinitos y de lozanos prados, como ella lo está en franela amarilla, por culpa de sus achaques.

Pertenece el rincón de hojas y hierbas de doña Berta a la parroquia de Pie del Oro, concejo de Carreño, partido judicial de Gijón; y dentro de la parroquia se distingue el barrio de doña Berta con el nombre de Zaornín, y dentro del barrio se llama Susacasa la hondonada frondosa, en medio de la cual hay un gran prado que tiene por nombre Aren. Al extremo noroeste del prado pasa un arroyo orlado de altos álamos,

---

[1] Referencia histórica. *Marco Vipsano Agripa* (63-12 a.C.), general y político romano, quien sometió a los cántabros durante el siglo I a.C., pasó a ser uno de los más fieles colaboradores del emperador romano Octavio Augusto tras ayudarle a conseguir el poder. En el año 711, el caudillo árabe *Muza ibn Nusayr* (640-718) envió a su lugarteniente, el general *Tarik ibn Ziyad* (siglo VIII) como avanzada para la conquista de la Península Ibérica, lo cual supuso la victoria de éste sobre las fuerzas del rey visigodo don Rodrigo en la histórica batalla de Guadalete. Muza se unió más tarde a Tarik y prosiguieron juntos sus conquistas por la meseta castellana y la región cántabra.

abedules y cónicos *humeros*[2] de hoja oscura, que comienza a rodear en espiral el tronco desde el suelo, tropezando con la hierba y con las flores de las márgenes del agua.

El arroyo no tiene allí nombre, ni lo merece, ni apenas agua para el bautizo; pero la vanidad geográfica de los dueños de Susacasa lo llamó desde siglos atrás *el río,* y los vecinos de otros lugares del mismo barrio, por desprecio al señorío de Rondaliego[3], llaman al tal río el *regatu*[4], lo humillan cuanto pueden, manteniendo incólumes capciosas servidumbres que atraviesan la corriente del cristalino huésped fugitivo del Aren y de la *llosa*[5]; y la atraviesan, ¡oh sarcasmo!, sin necesidad de puentes, no ya romanos, pues queda dicho que por allí los romanos no anduvieron; ni siquiera con puentes que fueran troncos huecos y medio podridos, de verdores redivivos al contacto de la tierra húmeda de las orillas. De estas servidumbres tiranas de ignorado y sospechoso origen, democráticas victorias sancionadas por el tiempo, se queja amargamente doña Berta, no tanto porque humillen el río, cruzándole sin puente (sin más que una piedra grande en medio del cauce, islote de sílice, gastado por el roce secular de pies desnudos y zapatos con tachuelas), cuanto porque marchitan las más lozanas flores campestres y matan, al brotar, la más fresca hierba del Aren fecundo, señalando su verdura inmaculada con cicatrices que lo cruzan como bandas un pecho; cicatrices hechas a patadas. Pero dejando estas tristezas para luego

---

[2] *humeros:* voz bable. Alisos, árboles que se crían en terrenos aguanosos, de diez a doce metros de altura, de tronco rollizo y copa bien poblada, flores blancas y frutos pequeños y rojizos.

[3] *señorío:* territorio perteneciente al señor. El 'lugar de *señorío*' era aquel que estaba sujeto a un señor particular, a distinción de los realengos. Durante los años treinta del siglo XIX se abolió el régimen señorial, base de la sociedad del Antiguo Régimen.

[4] *regatu:* regato (el cierre de la vocal es propio del dialecto bable). Arroyuelo de riego.

[5] *servidumbre:* obligación que pesa sobre una finca, en relación con otra contigua o próxima. El texto contempla concretamente la servidumbre que da derecho a entrar en una finca no lindante con camino público, causa de la queja de doña Berta. La *llosa* es el terreno labrantío cercado y por lo común próximo a la casa o barriada a que pertenece. Se trata de una voz dialectal, especialmente de zonas de Asturias, Santander y Vizcaya.

seguiré diciendo que más allá y más arriba, pues aquí empieza la cuesta, más allá del *río* que se salta sin puentes ni vados,
está la *llosa*, nombre genérico de las vegas de maíz que reúnen
tales y cuales condiciones, que no hay para qué puntualizar
ahora; ello es que cuando las cañas crecen, y sus hojas, lanzas
flexibles, se columpian ya sobre el tallo, inclinadas en graciosa curva, parece la llosa verde mar agitado por las brisas. Pues
a la otra orilla de ese mar está el *palacio*[6], una casa blanca, no
muy grande, solariega de los Rondaliegos, y ella y su corral,
quintana[7], y sus dependencias, que son: capilla, pegada al palacio, lagar (hoy convertido en pajar), hórreo de castaño con
pies de piedra, *pegollos*[8], y un palomar blanco y cuadrado,
todo aquello junto, más una cabaña con honores de casa de
labranza, que hay en la misma falda de la loma en que se apo-
ya el *palacio*, a treinta pasos del mismo; todo eso, digo, se llama *Posadorio*.

II

Viven solas en el *palacio* doña Berta y Sabelona; ellas y el
gato, que, como el arroyo del Aren, no tiene nombre porque
es único, *el gato,* su género. En la casa de labor vive el *casero*,
un viejo, sordo como doña Berta, con una hija casi imbécil
que, sin embargo, le ayuda en sus faenas como un gañán for-
zudo, y un criado, zafio siempre, que cada pocos días es otro;
porque el viejo sordo es de mal genio, y despide a su gente

---

[6] *palacio:* casa noble. En una época en que el estamento de la nobleza ha
dejado de gozar de sus privilegios, el afán de los Rondaliego por mantener su
posición de nobles resulta anacrónico. De ahí el fin irónico con el que Clarín
utiliza el término.

[7] *quintana:* asturianismo. Lugar de la casa cerrado y descubierto al que dan
las puertas de la vivienda del labrador, de los establos y graneros. Es sinónimo
de *corral;* antiguamente, patio principal de una casa de vecindad.

[8] *pegollo:* cada uno de los pilares de piedra o madera sobre los cuales descan-
sa el hórreo. Característico del noroeste de la Península Ibérica, el *hórreo* es una
construcción aislada y de forma cuadrada o rectangular, que se utiliza como
granero.

por culpas leves. La *casería*[9] la lleva a medias. Aun entera valdría bien poco; el terreno tan verde, tan fresco, no es de primera clase, produce casi nada. Doña Berta es pobre, pero limpia, y la dignidad de su señorío casi imaginario consiste en parte en aquella pulcritud que nace del alma. Doña Berta mezcla y confunde en sus adentros la idea de limpieza y la de soledad, de aislamiento; con una cara de pascua hace la vida de un *muní*[10]... que hilara y lavara la ropa, mucha ropa, blanca, en casa, y que amasara el pan en casa también. Se amasa cada cinco o seis días; y en esta tarea, que pide músculos más fuertes que los suyos y aun los de la decadente Sabel, las ayuda la imbécil hija del *casero;* pero hilar, ellas solas, las dos viejas; y cuidar de la colada, en cuanto vuelve la ropa del río, ellas solas también. La huerta de arriba se cubre de blanco con la ropa puesta a secar, y desde la caseta del recuesto, que todo lo domina, doña Berta, sorda, callada, contempla risueña y dando gracias a Dios, la nieve de lino inmaculado que tiene a los pies, y la verdura que también parece lavada, que sirve de marco a la ropa, extendiéndose por el bosque de casa, y bajando hasta la llosa y hasta el Aren, el cual parece segado por un peluquero muy fino, y casi tiene aires de una persona muy afeitada, muy jabonada y muy olorosa. Sí. Parece que le cortan la hierba con tijeras y luego lo jabonan y lo pulen; no es llano del todo, es algo convexo, se hunde misteriosamente allá hacia los *humeros,* al besar el arroyo; y doña Berta mil veces deseó tener manos de gigante, de un *día de bueyes*[11] cada una, para pasárselas por el lomo al Aren, ni más ni menos que se las pasa al *gato.* Cuando está de mal humor, sus ojos, al contemplar el prado, se detienen en las dos sendas que lo cruzan; manchas infames, huellas de la plebe, de los malditos destripaterrones que, por envidia, por moler, por pura malicia, mantienen sin necesidad, sin por qué ni para qué, aquellas servidumbres públicas, deshonra de los Rondaliegos.

---

[9] *casero:* arrendatario agrícola de tierras que forman un lugar o *casería,* que es la casa de labranza, aislada en el campo, con edificios dependientes y huertos, praderías y fincas rústicas unidas o cercanas a ella.

[10] *muní:* en la religión hindú, asceta.

[11] *un día de bueyes:* medida agraria de superficie usada en Asturias, equivalente a 1.257 centiáreas.

Por aquí no se va a ninguna parte: en Zaornín se acaba el mundo; por Susacasa jamás atravesaron cazadores, ejércitos, bandidos, ni pícaros delincuentes; carreteras y ferrocarriles quédanse allá lejos; hasta los caminos vecinales pasan haciendo respetuosas eses por los confines de aquella mansión embutida en hierba y follaje; el rechino de los carros se oye siempre lejano, doña Berta ni lo oye... y los empecatados vecinos se empeñan en turbar tanta paz, en manchar aquellas alfombras con senderos que parecen la podre de aquella frescura, senderos en que dejan las huellas de los zapatones y de los pies desnudos y sucios, como grosero sello de una usurpación del dominio absoluto de los Rondaliegos. ¿Desde cuándo puede la chusma pasar por allí? «Desde tiempo inmemorial», han dicho cien veces los testigos. «¡Mentira! —replica doña Berta—. ¡Buenos eran los Rondaliegos de antaño para consentir a los sarnosos marchitarles con los calcaños puercos la hierba del Aren!» Los Rondaliegos no querían nada con nadie, se casaban unos con otros, siempre con parientes, y no mezclaban la sangre ni la herencia, no se dejaban manchar el linaje ni los prados. Ella, doña Berta, no podía recordar, es claro, desde cuándo había sendas públicas que cruzaban sus propiedades; pero el corazón le daba que todo aquello debía de ser desde la caída del Antiguo Régimen, desde que había liberales y cosas así por el mundo.

«Por aquí no se va a ninguna parte; éste es el finibusterre del mundo», dice doña Berta, que tiene caprichosas nociones geográficas; un mapamundi homérico, por lo soñado; y piensa que la tierra acaba en punta, y que la punta es Zaornín, con Susacasa, el prado Aren y Posadorio.

«Ni los moros ni los romanos pisaron jamás la hierba del Aren», dice ella un día y otro día a su fidelísima Sabelona (Isabel grande), criada de los Rondaliegos desde los diez años, y por la cual tampoco pasaron moros ni cristianos, pues aún es tan virgen como la parió su madre, y hace de esto setenta inviernos.

«¡Ni los moros ni los romanos!», repite por la noche doña Berta, a la luz del candil, junto al rescoldo de la cocina, que tiene el hogar en el suelo; y Sabelona inclina la cabeza, en señal de asentimiento, con la misma credulidad ciega con que poco después repite arrodillada los *actos de fe* que su ama va recitando delante. Ni doña Berta ni Isabel saben de romanos y moros cosa mayor, fuera de aquella noticia negativa de que nunca pasaron por allí; tal vez no tienen seguridad completa de la total ruina del Imperio de Occidente ni de la toma de Granada, que doña Berta, al fin más versada en ciencias humanas, confunde un poco con la gloriosa guerra de África, y especialmente con la toma de Tetuán[12]; de todas suertes, no creen ni una ni otra tan remotas, como lo son, en efecto, las respectivas dominaciones de agarenos y romanos; y en definitiva, romanos y moros vienen a representar para ambas, como en símbolo, todo lo extraño, todo lo lejano, todo lo enemigo; y así, cuando algún raro interlocutor osó decirles que los franceses tampoco llegaron jamás, ni había para qué, a Susacasa, ellas se encogieron de hombros, como diciendo: «Bueno, todo eso quiere decir lo de moros y romanos.» Y es que esta manía, hereditaria en los Rondaliegos, le viene a doña Berta de tradición anterior a la invasión francesa.

III

¡Ay, los liberales! Ésos sí habían llegado a Posadorio. Se ha hablado antes de la virginidad intacta de Sabelona. El lector habrá supuesto que doña Berta era viuda, o que su virtud se callaba por elipsis. Virtuosa era..., pero virgen no; soltera sí. Si Sabel se hubiera visto en el caso de su ama, no estaría tan entera. Bien lo comprendía, y por eso no mostraba ningún género de superioridad moral respecto de su señora. Había sido una desgracia, y bien cara se había pagado, desgracia y todo. Eran los Rondaliegos cuatro hermanos y una hermana, Berta, huérfanos desde niños. El mayorazgo[13], don Claudio, hacía

---

[12] La reconquista del último reducto árabe en la España de 1492, la conquista de Marruecos en los años 1850-1860 y uno de los postreros capítulos de esta última en febrero de 1860 son, respectivamente, la *toma de Granada,* la *guerra de África* y la *toma de Tetuán,* que se citan en el texto y que doña Berta confunde.

[13] *mayorazgo:* hijo mayor de una familia, heredero del mayorazgo; esto es, del patrimonio familiar que según institución del antiguo régimen retransmi-

de padre. La limpieza de la sangre era entre ellos un culto. Todos buenos, afables, como Berta, que era una sonrisa andando, hacían obras de caridad... desde lejos. Temían al vulgo, a quien amaban como hermano en Cristo, no en Rondaliego; su soledad aristocrática tenía tanto de ascetismo risueño y resignado, como de preocupación de linaje. La librería de la casa era símbolo de esas tendencias; apenas había allí más que libros religiosos, de devoción recogida y desengañada, y libros de blasones; por todas partes la cruz; y el oro, y la plata, y los gules de los escudos estampados en vitela[14]. Un Rondaliego, tres o cuatro generaciones atrás, había aparecido muerto en un bosque, en la Matiella, a media legua[15] de Posadorio, asesinado por un vecino, según todas las sospechas. Desde entonces toda la familia guardaba la espalda hasta al repartir limosna. El mayor pecado de los Rondaliegos era pensar mal de la plebe a quien protegían. Por su parte, los villanos, tal vez un día dependientes de Posadorio, recogían con gesto de humillación servil los beneficios, y a solapo se burlaban de la decadencia de aquel señorío, y mostraban, siempre que no hubiese que dar la cara, su falta de respeto en todas las formas posibles. Para esto, los ayudaban un poco las nuevas leyes, y la nueva política especialmente. El símbolo de las libertades públicas (que ellos no llamaban así por supuesto) era para los vecinos de Pie del Oro el desprecio creciente a los Rondaliegos, y la sanción legal que a tal desprecio los alentaba, mediante recargo de contribución al distribuirse la del concejo, trabajo forzoso y desproporcionado en las sextaferias[16], abandono de la policía rural en los límites de Zaornín, y singular-

---

te siempre al hijo mayor. De éste dependía el resto de hermanos que permanecían solteros.

[14] *gules:* color rojo heráldico que en pintura se expresa por el rojo vivo y en el grabado por líneas verticales muy espesas. La *vitela* es la piel de vaca o ternera, adobada y muy pulida, en particular la que sirve para pintar o escribir en ella.

[15] *legua:* medida itineraria definida por el camino que regularmente se anda en una hora y que equivale aproximadamente a cinco quilómetros y medio.

[16] *sextaferia* (de *sexta feria,* el viernes): En Asturias y Santander, obligada prestación vecinal para la reparación de caminos y otras obras de utilidad pública a la que se acudía los viernes de ciertas épocas del año.

mente de Susacasa, con otros cien alfilerazos disimulados, que iban siempre a cuenta del Ayuntamiento, de la ley, de los nuevos usos, de los pícaros tiempos.

En cuanto al despojo de fruta, hierba, leña, etc., ya no se podía culpar directamente a la ley, que no llegaba a tanto como autorizar que se robase de noche y con escalamiento a los Rondaliegos; pero si no la ley, sus representantes, el alcalde, el juez, el pedáneo[17], según los casos, ayudaban al vecindario con su torpeza y apatía, que no les consentían tropezar jamás con los culpables. Todo esto había sido años atrás; la buena suerte de los Rondaliegos fue la esquivez topográfica de su dominio; si su carácter, el de la familia, los alejaba del vulgo, la situación de su casa también parecía una huida del mundo; los pliegues del terreno y las espesuras del contorno, y el no ser aquello *camino para ninguna parte,* fueron causa del olvido que, con ser un desprecio, era también la paz anhelada. «Bueno —se decían para sus adentros *los hermanos* de Posadorio—, *el siglo*[18], el populacho aldeano nos desprecia, y nosotros a él; en paz.» Sin embargo, siempre que había ocasión, los Rondaliegos ejercían su caridad por aquellos contornos.

Todos los hermanos permanecían solteros; eran fríos, apáticos, aunque bondadosos y risueños. El ídolo era el honor limpio, la sangre noble inmaculada. En Berta, la hermana, debía estar el santuario de aquella pureza. Pero Berta, aunque de la misma apariencia que sus hermanos, blanca, gruesa, dulce, reposada de gestos, voz y andares, tenía dentro ternuras que ellos no tenían. El hermano segundo, algo literato, traía a casa novelas de la época, traducidas del francés. Las leían todos. En los varones no dejaban huella; en Berta hacían estragos interiores. El romanticismo, que en tantos vecinos y vecinas de las ciudades y villas era pura conversación, a lo más, pretexto para viciucos[19], en Posadorio tenía una sacerdotisa verdadera,

---

[17] *pedáneo:* el alcalde o juez pedáneo era aquel que había sido designado para aldeas o partidos rurales en municipios dispersos. Solía entender en asuntos de poca importancia, castigar las faltas leves y auxiliar en las causas graves al juez letrado.

[18] *el siglo:* el mundo de la vida civil, en oposición al de la vida religiosa.

[19] *viciucos:* en el dialecto bable se usa, de forma esporádica, el sufijo *-uco* con un valor diminutivo-despectivo.

aunque llegaba hasta allí en ecos de ecos, en folletines apelmazados. Jamás pudieron sospechar los hermanos la hoguera de idealidad y puro sentimentalismo que tenían en Posadorio. Ni aun después de la *desgracia* dieron en la causa de ella, pensando en el romanticismo; la atribuyeron al azar, a la ocasión, a la traición, que culpa tuvieron también; tal vez el peor pensado llegó hasta pensar en la concupiscencia, que por parte de Berta no hubo; sólo no se acordó nadie del amor inocente, de un corazón que se derrite al contacto del fuego que adora. Berta se dejó engañar con todas las veras de su alma. La historia fue bien sencilla; como la de sus libros: todo pasó lo mismo. Llegó *el capitán*, un capitán de los *cristinos*[20], venía herido, fugitivo; cayó desmayado delante de la portilla de la quinta; ladró el perro; llegó Berta, vio la sangre, la palidez, el uniforme, y unos ojos dulces, azules, que pedían piedad, tal vez cariño; ella recogió al desgraciado, le escondió en la capilla de la casa, abandonada, hasta pensar si haría bien en avisar a sus hermanos, que eran, como ella, carlistas[21], y acaso entregarían a los suyos al fugitivo, si los suyos pasaban por allí y le buscaban. Al fin era un liberal, un negro[22]. Pensó bien, y acertó. Reveló su secreto, los hermanos aprobaron su conducta, el herido pasó de la tarima de la capilla a las plumas del mejor lecho que había en la casa; todos callaron. La facción, que pasó por ahí, no supo que tenía tan cerca a tal enemigo, que había sido azote de los *blancos*. Dos meses cuidó Berta al liberal con sus propias manos, solícita, enamorada ya desde el primer día; los hermanos la dejaban *cuidar* y enamo-

---

[20] *cristinos:* partidarios de Isabel II durante la regencia de su madre doña María Cristina de Borbón, en contra del pretendiente a la corona don Carlos, a la muerte de Fernando VII.

[21] *carlistas:* se dice de los partidarios de don Carlos María Isidro de Borbón, hijo segundo de Carlos IV y aspirante al trono con el nombre de Carlos V. Protagonizó las guerras llamadas *carlistas,* en oposición a Isabel II, hija de Fernando VII y heredera al trono tras ser derogada la ley sálica. La primera de estas guerras tuvo lugar entre 1833 y 1840; uno de sus escenarios más relevantes fue el norte de España.

[22] El color negro representa, de forma simbólica, en la terminología política del siglo XIX, al partido liberal; por el contrario, el blanco es representación del partido carlista.

rarse; la dejaban hacer servicios de amante esposa que tiene al esposo moribundo, y esperaban que ¡naturalmente! el día en que el enfermo pudiera abandonar a Posadorio, todo afecto se acabaría; la señorita de Rondaliego sería una extraña para el capitán garrido, que todas las noches lloraba de agradecimiento, mientras los hermanos roncaban y la hermana velaba, no lejos del lecho, acompañada de una vieja y de Sabel, entonces lozana doncella.

Cuando el capitán pudo levantarse y pasear por la huerta, dos de los hermanos, entonces presentes en Posadorio (los otros dos, el mayor y el último habían ido a la ciudad por algunos días), vieron en el *negro* un excelente amigo, capaz de distraerlos de su resignado aburrimiento; la simpatía entre los carlistas y el liberal creció de día en día; el capitán era expansivo, tierno, de imaginación viva y fuerte; quería, y se hacía querer; y a más de eso, animaba a los linfáticos[23] Rondaliegos a inocentes diversiones, como asaltos de armas, que él dirigía, sin tomar en ellos parte muy activa, juegos de ajedrez y de naipes, y leía en *voz alta*, con hermosa entonación, blanda y rítmica, que los adormecía dulcemente, después de la cena, a la luz del velón vetusto del salón de Posadorio, que resonaba con las palabras y con los pasos.

IV

Llegó el día en que el *liberal* se creyó obligado por delicadeza a anunciar su marcha, porque las fuerzas recobradas ya, le permitían volver al campo de batalla en busca de sus compañeros. Dejaba allí el alma, que era Berta; pero debía partir. Los hermanos no se lo consintieron; le dieron a entender con mil rodeos que cuanto más tardara en volver a luchar contra los carlistas, mejor pagaría aquella hospitalidad y aquella vida que decía deber a los Rondaliegos. Además, y sobre todo, ¡les era tan grata su compañía! Vivían unos y otros en una deli-

---

[23] *linfáticos:* se designa así el tipo psicosomático de la persona falta de energía o apática.

ciosa interinidad, olvidados de los rencores políticos, de todo lo que estaba más allá de aquellos bosques, marco verde del cuadro idílico de Susacasa. El capitán se dejó vencer; permaneció en Posadorio más tiempo del que debiera; y un día, cuando las fuerzas de su cuerpo y la fuerza de su amor habían llegado a un grado de intensidad que producía en él una armonía deliciosa y de mucho peligro, cayó, sin poder remediarlo, a los pies de Berta, en cuanto la ocasión de verla sola vino a tentarle. Y ella, que no entendía palabra de aquellas cosas, se echó a llorar; y cuando un beso loco vino a quemarle los labios y el alma, no pudo protestar sino llorando, llorando de amor y miedo, todo mezclado y confuso. No fue aquel día cuando *perdió el honor,* sino más adelante; en la huerta, bajo un laurel real que olía a gloria; fue al anochecer; los hermanos, ciegos, los habían dejado solos en casa, a ella y al capitán; se habían ido a cazar, ejercicio todavía demasiado penoso para el convaleciente que quería ir a la guerra antes de tiempo.

Cantaba un ruiseñor solitario en la vecina *carbayeda*[24], un ruiseñor como el que oía arrobada de amor la sublime santa Dulcelina, la hermana del venerable obispo Hugues de Dignes. «¡Oh, qué canto solitario el de ese pájaro!», dijo la santa, y enseguida se quedó en éxtasis absorta en Dios por el canto de aquel ave. Así habla Salimbeno[25]. Así se quedó Berta; el ruiseñor la hizo desfallecer, perder las fuerzas con que se resiste, que son desabridas, frías; una infinita poesía que lo llena todo de amor y de indulgencia le inundó el alma; perdió la idea del bien y el mal; no había mal; y absorta por el canto de aquel ave, cayó en los brazos de su capitán, que hizo allí de Tenorio sin trazas de malicia. Tal vez si no hubiese estado presente el *liberal,* que le debía la vida a ella, Berta, escuchan-

---

[24] *carbayeda:* voz dialectal que designa un robledal; lugar poblado de robles o carbayos.
[25] *Salimbene da Parma:* monje y cronista italiano (1221-1287). Fue el autor de una *Crónica* manuscrita que abarca desde 1168 hasta 1287 y que constituye una fuente histórica, filosófica y teológica importante. En ella se recoge la figura del clérigo Hugues de Dignes y de su hermana Santa Dulcelina (1212-1274), que cayó en frecuentes éxtasis religiosos y que vivió acorde con el ideal franciscano.

do aquella tarde al solitario ruiseñor, se hubiera jurado ser otra Dulcelina, y amar a Dios, y sólo a Dios, con el dulce nombre de Jesús, en la soledad del claustro, o como Santa Dulcelina, en el mundo, en el *siglo,* pero en aquel *siglo* de Susacasa, que era más solitario que un convento; de todas suertes, de seguro aquel día, a tal hora, bajo aquel laurel, ante aquel canto, Berta habría llorado de amor infinito, hubiera consagrado su vida a su culto. Cuando las circunstancias permitieron ya al capitán pensar en el aspecto civil de su felicidad suprema, se ofreció a sí mismo, a fuer de amante y caballero, volver cuanto antes a Posadorio, renunciar a sus armas y pedir la mano de su esposa a los hermanos, que a un guerrero *liberal* no se la darían. Berta, inocente en absoluto, comprendió que había pasado algo grave, pero no lo irreparable. Calló, más por dulzura del misterio que por terror de las consecuencias de sus revelaciones. El capitán prometió volver a casarse. Estaba bien. No estaba de más eso; pero la dicha ya la tenía ella en el alma. Esperaría cien años. El capitán, como un cobarde, huye el peligro de la muerte; vuelve a sus banderas por ceremonia, por cumplir, dispuesto a salvar el cuerpo y pedir la absoluta[26]; su vida no es suya, piensa él, es del honor de Berta.

Pero el hombre propone y el héroe dispone. Una tarde, a la misma hora en que cantaba el ruiseñor de Berta y de Santa Dulcelina, el capitán liberal oye cantar al bronce el himno de la guerra; como un amor supremo, la muerte gloriosa le llama desde una trinchera; sus soldados esperan el ejemplo, y el capitán lo da; y en un deliquio de santa valentía entrega el cuerpo a las balas, y el alma a Dios, aquel bravo que sólo fue feliz dos veces en la vida, y ambas para causar una desgracia y engendrar un desgraciado. Todo esto, traducido al único lenguaje que quisieron entender los hermanos Rondaliegos, quiso decir que un infame liberal, mancillando la hospitalidad, la gratitud, la amistad, la confianza, la ley, la virtud, todo lo santo, les había robado el honor y había huido.

Jamás supieron de él. Berta tampoco. No supo que el elegido de su alma no había podido volver a buscarla para cum-

---

[26] *la absoluta:* la licencia absoluta; la baja en el ejército.

plir con la Iglesia y con el mundo, porque un instinto indomable le había obligado a cumplir antes con su bandera. El capitán había salido de Zaornín al día siguiente de su ventura; de la deshonra que allí dejaba no se supo, hasta que, con pasmo y terror de los hermanos, con pasmo y sin terror de Berta, la infeliz cayó enferma de un mal que acabó en un bautizo misterioso y oculto, en lo que cabía, como una ignominia. Berta comenzó a comprender su falta por su castigo. Se le robó el hijo, y los hermanos, los ladrones, la dejaron sola en Posadorio con Isabel y otros criados. La herencia, que permanecía sin dividir, se partió, y a Berta se le dejó, además de lo poco que le tocaba, el usufructo de todo Susacasa, Posadorio inclusive: ya que había manchado la casa solariega pecando allí, se le dejaba el lugar de su deshonra, donde estaría más escondida que en parte alguna. Bien comprendió ella, cuando renunció a la esperanza de que volviera su capitán, que el mundo debía en adelante ser para la joven deshonrada aquel rincón perdido, oculto por la verdura que lo rodeaba y casi sumergía. Muchos años pasaron antes que los Rondaliegos empezasen, si no a perdonar, a olvidar; dos murieron con sus rencores, uno en la guerra, a la que se arrojó desesperado; otro en la emigración, meses adelante. Ambos habían gastado todo su patrimonio en servicio de la causa que defendían. Los otros dos también contribuyeron con su hacienda en pro de don Carlos, pero no expusieron el cuerpo a las balas; llegaron a viejos, y éstos eran los que, de cuando en cuando, volvían a visitar el *teatro de su deshonra.* Ya no lo llamaban así. El secreto que habían sabido guardar había quitado a la deshonra mucho de su amargura; después, los años, pasando, habían vertido sobre la *caída* de Berta esa prescripción que el tiempo tiende, como un manto de indulgencia hecho de capas de polvo, sobre todo lo convencional. La muerte, acercándose, traía a los Rondaliegos pensamientos de más positiva seriedad; la vejez perdonaba en silencio a la juventud lejanos extravíos de que ella, por su mal, no era capaz siquiera; Berta se había perdonado a sí propia también, sin pensar apenas en ello; pero seguía en el retiro que le habían impuesto, y que había aceptado por gusto, por costumbre, como el ave del soneto de Lope, aquella que se volvió por no ver llorar a una mu-

119

jer[27]. Berta llegó a no comprender la vida fuera de Posadorio. A la preocupación de su aventura, poco a poco olvidada, en lo que tenía de mancha y pecado, no como poético recuerdo, que subsistió y se acentuó y sutilizó en la vejez, sucedieron las preocupaciones de familia, aquella lucha con toda sociedad y con todo contacto plebeyo. Pero si Berta se había perdonado su falta, no perdonaba en el fondo del alma a sus hermanos el *robo* de su hijo, que mientras ella fue joven, aunque le dolía infinito, la parecía legítimo; mas cuando la madurez del juicio le trajo la indulgencia para el pecado horroroso de que antes se acusaba, la conciencia de la madre recobró sus fuerzas, y no sólo no perdonaba a sus hermanos, sino que tampoco se perdonaba a sí misma. «Sí —se decía—; yo debí protestar, yo debí reclamar el fruto de mi amor; yo debí después buscarlo a toda costa, no creer a mis hermanos cuando me aseguraron que había muerto.»

Cuando a Berta se le ocurrió sublevarse, indagar el paradero de su hijo, averiguar si se la engañaba anunciándole su muerte, ya era tarde. O en efecto había muerto, o por lo menos se había perdido. Los Rondaliegos se habían portado en este punto con la crueldad especial de los fanatismos que sacrifican a las abstracciones absolutas las realidades relativas que llegan a las entrañas. Aquellos hombres buenos, bondadosos, dulces, suaves, caballeros sin tacha, fueron cuatro Herodes contra una sola criatura, que a ellos se les antojó baldón de su linaje[28]. Era el hijo del *liberal,* del traidor, del infame.

---

[27] «Daba sustento a un pajarillo un día / Lucinda, y por los hierros del portillo / fuésele de la jaula el pajarillo / al libre viento en que vivir solía. // Con un suspiro a la ocasión tardía / tendió la mano, y no pudiendo asillo / dijo —y de las mejillas amarillo / volvió el clavel, que entre su nieve ardía—: // "¿Adónde vas, por despreciar el nido, / al peligro de ligas y de balas, / y el dueño huyes, que tu pico adora?" // Oyóla el pajarillo enternecido, / y a la antigua prisión volvió las alas / que tanto puede una mujer que llora» [Lope de Vega, *Rimas,* soneto 174; ed. Antonio Carreño, Barcelona, Crítica, 1998].

[28] En el capítulo 2 del Santo Evangelio según San Mateo, en el Nuevo Testamento, se recoge la crueldad de la venganza de Herodes ante la huida a Egipto del recién nacido rey de los judíos. «Herodes entonces, cuando se vio burlado por los magos, se enojó mucho, y mandó matar a todos los niños menores de dos años que había en Belén y en todos sus alrededores, conforme al tiempo que había inquirido de los magos» (Mateo, 2, 16).

Conservarle cerca, cuidarle y exponerse con estos cuidados a que se descubrieran sus relaciones con el *sobrino bastardo*, les parecía a los Rondaliegos tanta locura, como fundir una campana con metal de escándalo y colgarla de una azotea de Posadorio para que de día y de noche estuviera tocando a vuelo la ignominia de su raza, la vergüenza eterna, irreparable, de los suyos. ¡Absurdo! El *hijo maldito* fue entregado a unos mercenarios, sin garantías de seguridad, precipitadamente, sin más precauciones que las que apartaban para siempre las sospechas que pudieran ir en busca del origen de aquella criatura; lo único que se procuró fue rodearle de dinero, asegurarle el pan; y esto contribuyó para que desapareciera. Desapareció. Borrando huellas, unos por un lado, por el punto de honor, y otros por interés y codicia, todo rastro se hizo imposible. Cuando la conciencia acusó a los Rondaliegos que quedaban vivos, y les pidió que buscasen al niño perdido, ya no había remedio. El interés, el egoísmo de estas buenas gentes se alegró de haber ideado tiempo atrás aquella patraña de la muerte del pobre niño. Primero se había mentido para castigar a la infame que aun se atrevía a pedir el fruto de su enorme pecado; después se mintió para que ella no se desesperase de dolor, maldiciendo a los verdugos de su felicidad de madre. Los dos últimos Rondaliegos murieron en Posadorio, con dos años de intervalo. Al primero, que era el hermano mayor, nada se atrevió a preguntarle Berta a la hora de la muerte; cerca del lecho y mientras él agonizaba, despejada la cabeza, expedita la palabra, Berta, en pie, le miraba con mirada profunda, sin preguntar ni con los ojos, pero pensando en el hijo. El hermano moribundo miraba también a veces a los ojos de Berta; pero nada decía de aquella respuesta que debía dar sin necesidad de pregunta; nada decía ni con labios ni con ojos. Y, sin embargo, Berta adivinaba que él también pensaba en el niño muerto o perdido. Y poco después cerraba ella misma, anegada en llanto, aquellos ojos que se llevaban un secreto. Cuando moría el último hermano, Berta, que se quedaba sola en el mundo, se arrojó sobre el pecho flaco del que expiraba, y sin compasión más que para su propia angustia, preguntó desolada, invocando a Dios y el recuerdo de sus padres, que ni él ni ella habían conocido; preguntó por su

121

hijo. «¿Murió? ¿Murió? ¿Lo sabes de fijo? ¡Júramelo, Agustín; júramelo por el Señor, a quien vas a ver cara a cara!» Y Agustín, el menor de los Rondaliegos, miró a su hermana, ya sin verla, y lloró la lágrima con que suelen las almas despedirse del mundo.

Berta se quedó sola con *Sabel* y el *gato*, y empezó a envejecer de prisa, hasta que se hizo de pergamino, y comenzó a vivir la vida de la corteza de un roble seco. Por dentro también se apergaminaba; pero como dos cristalizaciones de diamante, quedaban entre tanta sequedad dos sentimientos, que tomaron en ella el carácter automático de la manía que se mueve en el espíritu con el *tic-tac* de un péndulo. La soledad, el aislamiento, la pureza y limpieza de Posadorio, de Susacasa, del Aren..., por aquí subía el péndulo a la actividad ratonil de aquella anciana flaca, amarillenta (ella, que era tan blanca y redonda), que, sorda y ligera de pies, iba y venía *llosa* arriba, *llosa* abajo, tendiendo ropa, dando órdenes para segar los prados, podar los árboles, limpiar las sebes[29]. Pero, en medio de esta actividad, al contemplar la verdura inmaculada de sus tierras, la soledad y apartamiento de Susacasa, la sorprendía el recuerdo del *liberal*, de su *capitán*, traidor o no, de su hijo muerto o perdido...; y la pobre setentona lloraba a su niño, a quien siempre había querido con un amor algo abstracto, sin fuerza de imaginación para figurárselo; lloraba y amaba a su hijo con un tibio cariño de abuela; tibio, pero obstinado. Y por aquí bajaba el péndulo del pensar automático a la tristeza del desfallecimiento, de las sombras y frialdades del espíritu, quejosa del mundo, del destino, de sus hermanos, de sí misma. De este vaivén de su existencia sólo conocía *Sabelona* la mitad: lo notorio, lo activo, lo material. Como en tiempo de sus hermanos, Berta seguía condenada a soledad absoluta para lo más delicado, poético, fino y triste de su alma. Las viejas, hilando a la luz del candil en la cocina de campana, que tenía el hogar en el suelo, parecían dos momias, y lo eran; pero la una, *Sabel*, dormía en paz; la otra, Berta, tenía un ratoncillo,

---

[29] *sebe:* en Asturias, seto vivo constituido por diferentes matas (zarzamoras, espinos y otras trepadoras) que separan los campos.

un espíritu loco dentro del pellejo. A veces, Berta, después de haber estado hablando de la colada una hora, callaba un rato, no contestaba a las observaciones de *Sabel;* y después, en el silencio, miraba a la criada con ojillos que reventaban con el tormento de las ideas..., y se figuraba que aquella otra mujer, que nada adivinaba de su pena, de la rueda de ideas dolorosas que le andaba a ella por la cabeza, no era una mujer..., era una hilandera de marfil viejo.

V

Una tarde de agosto, cuando ya el sol no quemaba y de soslayo sacaba brillo a la ropa blanca tendida en la huerta en declive, y encendía un diamante en la punta de cada hierba, que, cortada al rape por la guadaña, parecía punta de acero, doña Berta, después de contemplar desde la casa de arriba las blancuras y verdores de su dominio, con una brisa de alegría inmotivada en el alma, se puso a canturriar una de aquellas *baladas* románticas que había aprendido en su inocente juventud, y que se complacía en recordar cuando no estaba demasiado triste, ni *Sabel* delante, ni cerca. En presencia de la criada, su vetusto sentimentalismo le daba vergüenza. Pero en la soledad completa, la dama sorda cantaba sin oírse, oyéndose por dentro, con desafinación tan constante como melancólica, una especie de aires, que podrían llamarse el canto llano[30] del romanticismo músico. La letra, apenas pronunciada, era no menos sentimental que la música, y siempre se refería a grandes pasiones contrariadas o al reposo idílico de un amor pastoril y candoroso.

Doña Berta, después de echar una mirada por entre las ramas de perales y manzanos para ver si *Sabel* andaba por allá abajo, cerciorada de que no había tal estorbo en la huerta, echó al aire las perlas de su repertorio; y mientras, inclinada y regadera en mano, iba refrescando plantas de pimientos, y

---

[30] *canto llano:* también llamado canto gregoriano. El propio de la liturgia religiosa, cuyos puntos y notas son de igual figura y se miden con el mismo tiempo.

limpiando de caracoles árboles y arbustos (su prurito era cumplir con varias faenas a un tiempo), su voz temblorosa decía:

> Ven, pastora, a mi cabaña,
> Deja el monte, deja el prado,
> Deja alegre tu ganado
> Y ven conmigo a la mar...

Llegó al extremo de la huerta, y frente al postigo que comunicaba con el monte, bosque de robles, pinos y castaños, se irguió y meditó. Se le había antojado salir por allí, meterse por el monte arriba entre helechos y zarzas. Años hacía que no se le había ocurrido tal cosa, pero sentía en aquel momento un poco de sol de invierno en el alma; el cuerpo le pedía aventuras, atrevimientos. ¡Cuántas veces, frente a aquel postigo, escondido entre follaje oscuro, había soñado su juventud que por allí iba a entrar su felicidad, lo inesperado, lo poético, lo ideal, lo inaudito! Después, cuando esperaba a su sueño de carne y hueso, a *su capitán,* que no volvió, por aquel postigo le esperaba también. Dio vuelta a la llave, levantó el picaporte y salió al monte. A los pocos pasos tuvo que sentarse en el santo suelo, separando espinas con la mano; la pendiente era ardua para ella; además le estorbaban el paso los helechos altos y las plantas con pinchos. Sentada a la sombra siguió cantando:

> Y juntos en mi barquilla...[31].

Un ruido en la maleza, que llegó a oír cuando ya estuvo muy próximo, le hizo callar, como un pájaro sorprendido en sus soledades. Se puso en pie, miró hacia arriba y vio delante de sí un guapo mozo, como de treinta años a treinta y cinco, moreno, fuerte, de mucha barba, y vestido, aunque con descuido —de cazadora y hongo flexible, pantalón de-

---

[31] La cancioncilla de doña Berta, mezcla del tema pastoril y del relativo a la vida de los pescadores, guarda similitudes con algunas baladas compuestas por la literatura prerromántica y romántica.

masiado ancho— con ropa que debía ser buena y elegante; en fin, le pareció un joven de la corte, a pesar del desaliño. Colgada de una correa pendiente del hombro, traía una caja. Se miraban en silencio, los dos parados. Doña Berta conoció que por fin el desconocido la saludaba, y, sin oírle, contestó inclinando la cabeza. Ella no tenía miedo, ¿por qué? Pero estaba pasmada y un poco contrariada. Un señorito tan señorito, tan de lejos, ¿cómo había ido a parar al bosque de Susacasa? ¡Si por allí no se iba a ninguna parte; si aquello era el finibusterre del...! La ofendía un poco un viajero que atravesaba sus dominios. Llegaron a explicarse. Ella, sin rodeos, le dijo que era sorda, y el ama de todo aquello que veía. ¿Y él? ¿Quién era él? ¿Qué hacía por allí? Aunque el recibimiento no fue muy cortés, ambos estaban comprendiendo que simpatizaban; ella comprendió más; que aquel señorito la estaba admirando. A las pocas palabras hablaban como buenos amigos; la exquisita amabilidad de ambos se sobrepuso a las asperezas del recelo, y cuando minutos después entraban por el postigo de la huerta, ya sabía doña Berta quién era aquel hombre. Era un pintor ilustre, que mientras dejaba en Madrid su última obra maestra colgada donde la estaba admirando media España, y dejaba a la crítica ocupada en cantar las alabanzas de su paleta, él huía del incienso y del estrépito, y a solas con su musa, la soledad, recorría los valles y vericuetos asturianos, sus amores del estío, en busca de efectos de luz, de matices del verde de la tierra y de los grises del cielo. Palmo a palmo conocía todos los secretos de belleza natural de aquellos repliegues de la *marina;* y por fin, más audaz o afortunado que *romanos y moros,* había llegado, rompiendo por malezas y toda clase de espesuras, al mismísimo bosque de Zaornín y al monte mismísimo de Susacasa, que era como llegar al riñón del riñón del misterio.

—¿Le gusta a usted todo esto? —preguntaba doña Berta al pintor, sonriéndole, sentados los dos en un sofá del salón, que resonaba con las palabras y los pasos.

—Sí, señora; mucho, muchísimo —respondió el pintor con voz y gesto para que se le entendiera mejor.

Y añadió por lo bajo:

—Y me gustas tú también, anciana insigne, *bargueño* humano[32].

En efecto; el ilustre artista estaba encantado. El encuentro con doña Berta le había hecho comprender el interés que puede dar al paisaje un alma que lo habita. Susacasa, que le había hecho cantar, al descubrir sus espesuras y verdores, acordándose de Gayarre:

O paradiso...
Tu m'appartieni...[33]

adquiría de repente un sentido dramático, una intención espiritual al mostrarse en medio del monte aquella figura delgada, *llena de dibujo* en su flaqueza, y cuyos *colores* podían resumirse diciendo: cera, tabaco, ceniza. Cera la piel, ceniza la cabeza, tabaco los ojos y el vestido. Poco a poco doña Berta había ido escogiendo, sin darse cuenta batas y chales del color de las hojas muertas; y en cuanto a su cabellera, algo rizosa, al secarse se había quedado en cierto matiz que no era el blanco de plata, sino el recuerdo del color antiguo, más melancólico que el blanco puro, como ese obstinado rosicler del crepúsculo en los días largos, que no se decide a ceder el horizonte al negro de la noche. Al pintor le parecía aquella dama con aquellos colores y aquel dibujo *ojival*, copia de una miniatura en marfil. Se le antojaba escapada del *país*[34] de un abanico precioso de fecha remota. Según él, debía de oler a sándalo.

El artista aceptó el chocolate y el dulce de conserva que le ofreció doña Berta de muy buena gana. Refrescaron en la huerta, debajo de un laurel real, hijo o nieto del *otro*. Habían

---

[32] *bargueño:* mueble vertical con muchos compartimientos y cajones pequeños, destinado a ir colocado sobre una mesa y decorado generalmente con labores de talla, en parte decorados y en parte de colores vivos, al estilo de los que se construían antiguamente en Bargas, pueblo de la provincia de Toledo.

[33] «Oh, paraíso... / tú me perteneces.» Se trata del inicio de la romanza del acto IV de *La Africana* de Meyerbeer, uno de los mayores éxitos operísticos del tenor español Julián Gayarre (1844-1890).

[34] *país:* papel, piel o tela que cubre la parte superior del varillaje del abanico y que suele aparecer dibujado.

hablado mucho. Aunque él había procurado que la conversación le dejase en la sombra, para observar mejor, y fuese toda la luz a caer sobre la historia de la anciana y sobre sus dominios, la curiosidad de doña Berta, y al fin el placer que siempre causa comunicar nuestras penas y esperanzas a las personas que se muestran *inteligentes* de corazón, hicieron que el mismo pintor se olvidara a ratos de su *estudio* para pensar en sí mismo. También contó su historia, que venía a ser una serie de ensueños y otra serie de cuadros. En sus cuadros iba su carácter. Naturaleza rica, risueña, pero misteriosa, casi sagrada, y figuras dulces, *entrañables,* tristes o heroicas, siempre modestas, recatadas... y sanas. Había pintado un amor que había tenido en una fuente; el público se había enamorado también de su *colunguesa*[35], pero él, el pintor, al volver por la primavera, tal vez a casarse con ella, la encontró muriendo tísica. Como este recuerdo le dolía mucho al pintor, por egoísmo volvió a olvidarse de sí mismo; y por asociación de ideas, con picante curiosidad, osó preguntar a aquella dama, entre mil delicadezas, si ella no había tenido amores y qué había sido de ellos. Y doña Berta, ante aquella dulzura, ante aquel candor retratado en aquella sonrisa del *genio* moreno, lleno de barbas, ante aquel dolor de un amante que había sido leal, sintió el pecho lleno de la muerta juventud, como si se lo inundara de luz misteriosa la presencia de un *aparecido,* el amor suyo; y con el espíritu retozón y aventurero que le había hecho cantar poco antes y salir al bosque, se decidió a hablar de sus amores, omitiendo el incidente deshonroso, aunque con tan mal arte, que el pintor, hombre de mundo, atando cabos y aclarando oscuridades que había notado en la narración anterior referente a los Rondaliegos, llegó a suponer algo muy parecido a la verdad que se ocultaba; igual en sustancia. Así que, cuando ella le preguntaba si, en su opinión, el capitán había sido un traidor o habría muerto en la guerra, él pudo apreciar en su valor la clase de traición que habría que atribuir al *liberal,* y se inclinó a pensar, por el carácter que

---

[35] *colunguesa:* natural de Colunga, municipio situado en la costa este de Asturias.

ella le había pintado, que el amante de doña Berta no había vuelto... porque no había podido. Y los dos quedaron silenciosos, pensando en cosas diferentes. Doña Berta pensaba: «¡Parece mentira, pero es la primera vez en la vida que hablo con *otro* de estas cosas!» Y era verdad; jamás en sus labios habían estado aquellas palabras, que eran toda la historia de su alma. El pintor, saliendo de su meditación, dijo de repente algo por el estilo:

—A mí se me figura en este momento ver la causa de la eterna ausencia de *su* capitán, señora. Un espíritu noble como el suyo, un caballero de la calidad de ese que usted me pinta, vuelve de la guerra a cumplir a su amada una promesa..., a no ser que la muerte gloriosa le otorgue antes sus favores. *Su* capitán, a mi entender, no volvió..., porque, al ir a recoger la absoluta, se encontró con *lo absoluto*, el deber; ese *liberal*, que por la sangre de sus heridas mereció conocer a usted y ser amado, mi respetable amiga; ese capitán, por su sangre, perdió el logro de su amor. Como si lo viera, señora: no volvió porque murió como un héroe...

Iba a hablar doña Berta, cuyos ojillos brillaban con una especie de locura mística; pero el pintor tendió una mano, y prosiguió diciendo:

—Aquí nuestra historia se junta, y verá usted cómo hablándola del *por qué* de mi último cuadro, el que me alaban propios y extraños, sin que él merezca tantos elogios, queda explicado el *por qué* yo presumo, *siento*, que el capitán de *usted* se portó como el *mío*. Yo también tengo mi capitán. Era un amigo del alma...; es decir, no nos tratamos mucho tiempo; pero su muerte, su gloriosa y hermosa muerte, le hizo el íntimo de mis visiones de pintor que aspira a poner un corazón en una cara. Mi último cuadro, señora, ese de que hasta usted, que nada quiere saber del mundo, sabía algo por los periódicos que vienen envolviendo garbanzos y azúcar, es... seguramente el menos malo de los míos. ¿Sabe usted por qué? Porque lo vi de repente, y lo vi en la realidad primero. Años hace, cuando la segunda guerra civil[36], yo, aunque ya conoci-

---

[36] Se trata de la segunda guerra carlista, que tuvo lugar en 1860, año en que estallaba la conspiración que había llevado a cabo Carlos VI, el hijo en quien

do y estimado, no había alcanzado esto que llaman... la celebridad, y acepté, porque me convenía para mi bolsa y mis planes, la plaza de corresponsal que un periódico ilustrado extranjero me ofreció para que le dibujase cuadros de actualidad, de costumbres españolas, y principalmente de la guerra. Con este encargo, y mi gran afición a las emociones fuertes, y mi deseo de recoger datos dignos de crédito para un gran cuadro de heroísmo militar con que yo soñaba, me fui a la guerra del Norte, resuelto a ver muy de cerca todo lo más serio de los combates, de modo que el peligro de mi propia persona me facilitase esta proximidad apetecida. Busqué, pues, el peligro, no por él, sino por estar *cerca* de la muerte heroica. Se dice, y hasta lo han dicho escritores insignes, que en la guerra *cada cual* no ve nada grande, nada poético. No es verdad esto... para un pintor. A lo menos para un pintor de mi carácter. Pues bueno, en aquella guerra conocí a *mi* capitán; él me permitió lo que acaso la disciplina no autorizaba: estar a veces donde debía estar un soldado. Mi capitán era un bravo y un jugador; pero jugaba tan bien, era tan pundonoroso, que el juego en él parecía una virtud, por las muchas buenas cualidades que le daba ocasión para ejercitar. Un día le hablé de su arrojo temerario, y frunció el ceño. «Yo no soy temerario —me dijo con mal humor—; ni siquiera valiente; tengo obligación de ser casi un cobarde... Por lo menos debo mirar por mi vida. Mi vida no es mía...; es de un acreedor. Un compañero, un oficial, no ha mucho me libró de la muerte, que iba a darme yo mismo, porque, por primera vez en mi vida, había jugado lo que no tenía, había perdido una cantidad... que no podía entregar al *contrario;* mi compañero, al sorprender mi desesperación, que me llevaba al suicidio, vino en mi ayuda; pagué con su dinero..., y ahora debo dinero, vida y gratitud. Pero el amigo me advirtió, después que ya era imposible devolverle aquella suma, que con ella había puesto su honra en mis manos... "Vive, me dijo, para pagarme trabajando,

---

había abdicado Carlos María Isidro de Borbón (Carlos V). Aquélla acabó con la detención de Carlos y su hermano Fernando, a quienes se les obligó a firmar su renuncia al trono el 23 de abril de 1860, lo cual significó un fracaso para los partidarios carlistas.

ahorrando, como puedas; esa cantidad de que hoy pude disponer, y dispuse para salvar tu vida, tendré un día que entregarla; y si no la entrego, pierdo la fama. *Vive* para ayudarme a recuperar esa fortunilla y salvar mi honor." Dos honras, la suya y la mía, penden, pues, de mi existencia; de modo, señor artista, que huyo o debo huir de las balas. Pero tengo dos vicios: la guerra y el juego; y como ni debo jugar ni debo morir, en cuanto honrosamente pueda, pediré la absoluta; y, entre tanto, seré aquí muy prudente.» Así, señora, poco más o menos, me habló *mi* capitán; y yo noté que al siguiente día, en un encuentro, no se aventuró demasiado; pero pasaron semanas, hubo choques con el enemigo y él volvió a ser temerario; mas yo no volví a decirle que me lo parecía. Hasta que, por fin, llegó *el día de mi cuadro*.

El pintor se detuvo. Tomó aliento, reflexionó a su modo, es decir, recompuso en su fantasía el *cuadro*, no según *su obra maestra*, sino según la realidad se lo había ofrecido.

Doña Berta, asombrada, agradeciendo al artista las voces que éste daba para que ella no perdiese ni una sola palabra, escuchó la historia del cuadro célebre, y supo que en un día ceniciento, frío, una batalla decisiva había llevado a los soldados de aquel *capitán* al extremo de la desesperación, que acaba en la fuga vergonzosa o en el heroísmo. Iban a huir todos, cuando el jugador, el que debía su vida a un acreedor, se arrojó a la muerte segura, como arrojaba a una carta toda su fortuna; y la muerte le rodeó como una aureola de fuego y de sangre; a la muerte y a la gloria arrastró consigo a muchos de los suyos. Mas antes hubo un momento, el que se había grabado como a la luz de un relámpago en el recuerdo del artista, llenando su fantasía; un momento en que en lo alto de un reducto, el *capitán* jugador brilló solo, como en una apoteosis, mientras más abajo y más lejos los soldados vacilaban, el terror y la duda pintados en el rostro.

—El gesto de aquel hombre, el que milagrosamente pude conservar con absoluta exactitud y trasladarlo a mi *idea*, era de una expresión singular, que lo apartaba de todo lo clásico y de todo lo convencional; no había allí las líneas *canónicas* que podrían mostrar el entusiasmo bélico, el patriotismo exaltado; era otra cosa muy distinta...; había dolor, había remordimientos, había la pasión ciega y el impulso soberano en aquellos ojos, en aquella frente, en aquella boca, en aquellos brazos; bien se veía que aquel soldado caía en la muerte heroica como en el abismo de una tentación fascinadora a que en vano se resiste. El público y la crítica se han enamorado de *mi* capitán; ha traducido cada cual a su manera aquella *idealidad* del rostro y de todo el gesto; pero todos han visto en ello lo mejor del cuadro, lo mejor de mi pincel; ven una lucha espiritual misteriosa, de fuerza intensa, y admiran sin comprender, echándose a adivinar al explicar su admiración. El secreto de mi triunfo lo sé yo; es éste, señora, lo que yo vi aquel día en aquel hombre que desapareció entre el humo, la sangre y el pánico, que después vino a oscurecerlo todo. Los demás tuvimos que huir al cabo; su heroísmo fue inútil...; pero mi cuadro conservará su recuerdo. Lo que no sabrá el mundo es que *mi* capitán murió faltando a su *palabra* de no buscar el peligro.

—¡Así murió *el mío!* —exclamó exaltada doña Berta, poniéndose en pie, tendiendo una mano como inspirada—. ¡Sí, el corazón me grita que él también me abandonó por la muerte gloriosa!

Y doña Berta, que en su vida había hecho frases ni ademanes de sibila[37], se dejó caer en su silla, llorando, llorando con una solemnidad que sobrecogió al pintor y le hizo pensar en una estatua de la Historia vertiendo lágrimas sobre el polvo anónimo de los heroísmos oscuros, de las grandes virtudes desconocidas, de los grandes dolores sin crónica.

Pasó una brisa fría; tembló la anciana, levantóse, y con un ademán indicó al pintor que la siguiera. Volvieron al salón; y doña Berta, medio tendida en el sofá, siguió sollozando.

VI

Sabelona entró silenciosa y encendió todas las luces de los candelabros de plata que adornaban una consola. Le pareció a ella que era toda una inspiración, para dar *tono* a la casa,

---

[37] *sibila:* mujer sabia o sacerdotisa a la que, entre los griegos y los romanos, se consideraba dotada de espíritu profético.

aquella ocurrencia de iluminar, sin que nadie se lo mandara, el salón oscuro. La noche se echaba encima sin que lo notaran ni el pintor ni doña Berta. Mientras ésta ocultaba el rostro con las manos, porque Sabel no viera su enternecimiento, el artista se puso a pasear sus emociones hondas y vivas por el largo salón, cabizbajo. Pero al llegar junto a la consola, la luz le llamó la atención, levantó la cabeza, miró en torno de sí, y vio en la pared, cara a cara, el retrato de una joven vestida y peinada a la moda de hacía cuarenta y más años. Tardó en distinguir bien aquellas facciones; pero cuando por fin la imagen completa se le presentó con toda claridad, sintió por todo el cuerpo el ziszás de un escalofrío como un latigazo. Por señas preguntó a Sabelona quién era la dama pintada; y Sabel, con otro gesto y gran tranquilidad, señaló a la anciana, que seguía con el rostro escondido entre las manos. Salió Sabelona de la estancia en puntillas, que éste era su modo de respetar los dolores de los *amos* cuando ella no los comprendía; y el pintor, que, pálido y como con miedo, seguía contemplando el retrato, no sintió que dos lágrimas se le asomaban a los ojos. Y cuando volvió a su paseo sobre los tablones de castaño, que crujían, iba pensando: «Estas cosas no caben en la pintura; además, por lo que tienen de *casuales,* de inverosímiles, tampoco caben en la poesía; no caben más que en el mundo... y en los corazones que saben sentirlas.» Y se paró a contemplar a doña Berta, que, ya más serena, había cesado de llorar, pero con las manos cruzadas sobre las flacas rodillas, miraba al suelo con ojos apagados. El amor muerto, como un aparecido, volvía a pasar por aquel corazón arrugado, yerto, como una brisa perfumada en los jardines, que besa después los mármoles de los sepulcros.

—Amigo mío —dijo la anciana, poniéndose en pie y secando las últimas lágrimas con los flacos dedos, que parecían raíces—; hablando de mis cosas se nos ha pasado el tiempo, y usted... ya no puede buscar albergue en otra parte; llega la noche. Lo siento por el qué dirán —añadió, sonriendo—; pero... tiene usted que quedarse a cenar y a dormir en Posadorio.

El pintor aceptó de buen grado y sin necesidad de ruegos.

—Pienso pagar la posada —dijo.

—¿Cómo?

—Sacando mañana una copia de ese retrato; unos apuntes para hacer después en mi casa otro... que sea como ése, en cuanto a la semejanza con el original... si es que la tiene.

—Dicen que sí —interrumpió doña Berta, encogiendo los hombros con una modestia póstuma, graciosa en su triste indiferencia—. Dicen —prosiguió— que se parece como una gota a otra gota a una Berta Rondaliego, de que yo apenas hago memoria.

—Pues bien; mi copia, dicho sea sin jactancia... será algo menos mala que ésa, en cuanto pintura...; y exactamente fiel en el parecido.

Y dicho y hecho; a la mañana siguiente, el pintor, que había dormido en el lecho de nogal en que había expirado el último Rondaliego, se levantó muy temprano, hizo llevar el cuadro a la huerta, y allí, al aire libre, comenzó su tarea. Comió con doña Berta, contemplándola atento cuando ella no le miraba, y después del café continuó su trabajo. A media tarde, terminados sus apuntes, recogió sus bártulos, se despidió con un cordialísimo abrazo de su nueva amiga, y por el Aren adelante desapareció entre la espesura, dando el último adiós desde lejos con un pañuelo blanco que tremolaba como una bandera.

Otra vez se quedó sola doña Berta con sus pensamientos; pero ¡cuán otros eran! *Su capitán*, de seguro, no había vuelto porque no había podido; no había sido un malvado, como decían los hermanos; había sido un héroe... Sí, lo mismo que el *otro*, el capitán del pintor, el jugador que jugaba hasta la honra por ganar la gloria... Los remordimientos de doña Berta, que aún más que remordimientos eran *saudades*[38], se irritaron más y más desde aquel día en que una corazonada le hizo creer con viva fe que su amante había sido un héroe, que había muerto en la guerra, y por eso no había vuelto a buscarla. Porque siendo así, ¡qué cuentas podía pedirle de su *hijo*! ¿Qué había hecho ella por encontrar al *fruto de sus amores*? Poco más

---

[38] *saudade:* término de origen gallego-portugués; con él se expresa el sentimiento en que se unen soledad, nostalgia, añoranza.

que nada; se había dejado aterrar, y recordaba con espanto los días en que ella misma había llegado a creer que era remachar el clavo de su ignominia emprender clandestinas pesquisas en busca de su hijo. Y ahora... ¡qué tarde era ya para todo!... El hijo, o había muerto en efecto, o se había perdido para siempre. No era posible ni soñar con su rastro. Ella misma había perdido en sus entrañas a la madre...; era ya una abuela. Una vaga conciencia le decía que no podía sentir con la fuerza de otros tiempos; las menudencias de la vida ordinaria, la prosa de sus quehaceres, la distraían a cada momento de su dolor, de sus meditaciones; volvían, era verdad, pero duraban poco en la cabeza, y aquel ritmo constante del olvido y del recuerdo llegaba a marearla. Ella propia llegaba a pensar: «¡Es que estoy chocha! Esto es una manía, más que un sentimiento.» Y con todo, a ratos pensaba, particularmente después de cenar, antes de acostarse, mientras se paseaba por la espaciosa cocina a la luz del candil de Sabelona, pensaba que en ella había una recóndita energía que la llevaría a un gran sacrificio, a una absoluta abnegación... si hubiera asunto para esto. «¡Oh! ¡Adónde iría yo por mi hijo... vivo o muerto! Por besar sus huesos pelados, ¡qué años no daría, si no de vida, que ya no puedo ofrecerla, qué años de gloria pasándolos de más en el purgatorio! O porque yo soy como un sepulcro, un alma que ya se descompone, o porque presiento la muerte, sin querer pienso siempre, al figurarme que busco y encuentro a mi hijo..., que doy con sus restos, no con sus brazos abiertos para abrazarme.» Imaginando estas y otras amarguras semejantes, sorprendió a doña Berta el mensaje que, al cabo de ocho días, le envió el pintor por un propio. Un aldeano, que desapareció enseguida sin esperar propina ni refrigerio, dejó en poder de doña Berta un gran paquete que contenía una tarjeta del pintor y dos retratos al óleo; uno era el de Berta Rondaliego, copia fiel del cuadro que estaba sobre la consola en el salón de Posadorio, pero copia idealizada y llena de expresión y vida, gracias al arte verdadero. Doña Berta, que apenas se reconocía en el retrato del salón, al mirar el nuevo, se vio de repente en un espejo... de hacía más de cuarenta años. El otro retrato que le enviaba el pintor tenía un rótulo al pie, que decía en letras pequeñas, rojas: «Mi capitán.» No era más que una cabeza. Doña Berta, al mirarlo, perdió el aliento y dio un grito de espanto. Aquel *mi capitán* era también el *suyo*... el *suyo*, mezclado con ella misma, con la Berta de hacía cuarenta años, con la que estaba allí al lado... Juntó, confrontó las telas, vio la semejanza perfecta que el pintor había visto entre el retrato del salón y el *capitán* de sus recuerdos, y de su obra maestra; pero además, y sobre todo, vio otra semejanza, aún más acentuada, en ciertas facciones y en la expresión general de aquel rostro, con las facciones y la expresión que ella podía evocar de la imagen que en su cerebro vivía, grabada con el buril de lo indeleble, como la gota labra la piedra. El amor único, muerto, siempre escondido, había plasmado en su fantasía una imagen fija, indestructible, parecida a su modo a ese granito pulimentado por los besos de muchas generaciones de creyentes que van a llorar y esperar sobre los pies de una Virgen o de un santo de piedra. El *capitán* del pintor era como una restauración del retrato del otro capitán que ella veía en su cerebro, algo borrado por el tiempo, con la pátina oscura de su escondido y prolongado culto; ahumado por el holocausto del amor antiguo, como lo están los cuadros de iglesia por la cera y el incienso. Ello fue que cuando Sabelona vino a llamar a doña Berta, la encontró pálida, desencajado el rostro y medio desvanecida. No dijo más que «Me siento mal», y dejó que la criada la acostara. Al día siguiente vino el médico del concejo, y se encogió de hombros. No recetó. «Es cosa de los años», dijo. A los tres días, doña Berta volvía a correr por la casa más ágil que nunca, y con un brillo en los ojos que parecía de fiebre. Sabelona vio con asombro que a la siguiente madrugada salía de Posadorio un propio con una carta lacrada. ¿A quién escribía la señorita? ¿Qué podía haber en el mundo, por allá lejos, que la importase a ella? El ama había escrito al pintor; sabía su nombre y el del concejo en que solía tener su posada durante el verano; pero no sabía más, ni el nombre de la parroquia en que estaba el rústico albergue del artista, ni si estaría él entonces en su casa, o muy lejos, en sus ordinarias excursiones.

El propio volvió a los cuatro días, sin contestación y sin la carta de la señorita. Después de muchos afanes, de mil pesquisas, en la capital del concejo le habían admitido la misiva, dándole seguridades de entregar el pliego al pintor, que estaría de vuelta en aquella fonda en que esto le decían, antes de una semana. Buscarle inmediatamente era inútil. Podía estar muy cerca, o a veinte leguas. Se deslizaron días y días, y doña Berta aguardaba en vano, casi loca de impaciencia, noticias del pintor. En tanto, su carta, en que iba entre medias palabras el secreto de su honra, andaba por el mundo en manos de Dios sabía quién. Pasaron tristes semanas, y la pobre anciana, de flaquísima memoria, comenzó a olvidar lo que había escrito al pintor. Recordaba ya sólo, vagamente, que le declaraba de modo implícito *su pecado,* y que le pedía, por lo que más amase, noticias de *su capitán:* ¿cómo se llamaba?, ¿quién era?, ¿su origen?, ¿su familia?; y además quería saber quién había dado aquel dinero al pobre héroe que había muerto sin pagar; cómo sería posible encontrar al acreedor... Y, por último, ¡qué locura!, le preguntaba por el *cuadro,* por la obra maestra. ¿Era suya aún? ¿Estaba ya vendida? *¿Cuánto podría costar?* ¿Alcanzaría el dinero que le quedase a ella, después de vender todo lo que tenía y de pagar al acreedor del... *capitán,* para comprar el cuadro? Sí, de todo esto hablaba en la carta, aunque ya no se acordaba cómo; pero de lo que estaba segura era de que no se volvía atrás. En la cama, en los pocos días que tuvo que permanecer en ella, había resuelto aquella *locura,* de que no se arrepentía. Sí, sí, estaba resuelta; *quería* pagar la deuda de su *hijo,* quería comprar el *cuadro* que representaba la muerte heroica de su hijo, y que contenía el *cuerpo entero* de su hijo en el momento de perder la vida. Ella no tenía idea aproximada de lo que podían valer Susacasa, Posadorio y el Aren vendidos; ni la tenía remota siquiera de la deuda de su hijo y del precio del cuadro. Pero no importaba. Por eso quería enterarse, por eso había escrito al pintor. Las razones que tenía para su locura eran bien sencillas. Ella no le había dado nada suyo al hijo de sus entrañas, mientras el infeliz vivió; ahora muerto *le encontraba,* y quería dárselo todo; la honra de su hijo era la suya; lo que debía él lo debía ella, y quería pagar, y pedir limosna; y si después de pagar quedaba dinero para comprar el cuadro, comprarlo y morir de hambre; porque era como tener la sepultura de los dos *capitanes,* restaurar su honra, y era además tener la imagen fiel del hijo adorado y el reflejo de otra imagen adorada. Doña Berta sentía que aquella fortísima, absoluta, irrevocable resolución suya debía acaso su fuerza a un impulso invisible, extraordinario, que se le había metido en la cabeza como un cuerpo extraño que lo tiranizaba todo. «Esto —pensaba— será que definitivamente me he vuelto loca; pero, mejor; así estoy más a gusto, así estoy menos inquieta; esta resolución es un asidero; más vale el dolor material que de aquí venga, que aquel *tic-tac* insufrible de mis antiguos remordimientos, aquel ir y venir de las mismas ideas...» Doña Berta, para animarse en su resolución heroica, para llevar a cabo su sacrificio sin esfuerzo, por propio deseo y complacencia, y no por aquel impulso irresistible, pero que no le parecía *suyo*, se consagraba a irritar su amor maternal, a buscar ternuras de madre... y no podía. Su espíritu se fatigaba en vano; las imágenes que pudieran enternecerla no acudían a su mente; no sabía cómo *se era madre*. Quería figurarse a su hijo, niño, abandonado... sin un regazo para su inocencia... No podía; el hijo que ella veía era un bravo capitán, de pie sobre un reducto, entre fuego y humo..., era la cabeza que el pintor le había regalado. «Esto es —se decía—, como si a mis años me quisiera enamorar... y no pudiera.» Y, sin embargo, su resolución era absoluta. Con ayuda del pintor, o sin ella, buscaría el cuadro, lo vería, ¡oh, sí, verlo antes de morir!, y buscaría al acreedor o a sus herederos, y les pagaría la deuda de su hijo. «Parece que hay dos almas —se decía a veces—; una que se va secando con el cuerpo, y es la que imagina, la que siente con fuerza, pintorescamente; y otra alma más honda, más pura, que llora sin lágrimas, que ama sin memoria y hasta sin latidos... y esta alma es la que Dios se debe de llevar al cielo.»

Transcurridos algunos meses sin que llegara noticia del pintor, doña Berta se decidió a obrar por sí sola; a Sabelona no había para qué enterarla de nada hasta el momento supremo, el de separarse. ¡Adiós, Zaornín, adiós Susacasa; adiós Aren; adiós Posadorio! El ama recibió una visita que sorprendió a Sabel y le dio mala espina.

El señor Pumariega[39], don Casto, notario retirado de la profesión y usurero en activo servicio, ratón del campo, es-

---

[39] *Pumariega:* voz dialectal. Terreno propicio para plantar manzanos. Con un fin claramente humorístico, la *castidad* de la denominación del personaje se contradice con su profesión de usurero.

ponja del concejo, gran coleccionista de fincas de pan llevar[40] y toda clase de bienes raíces, se presentó en Posadorio preguntando por la señorita de Rondaliego con aquella sonrisa eterna que había hecho llorar lágrimas de sangre a todos los desvalidos de la comarca. Este señor vivía en la capital del concejo, a varios kilómetros de Zaornín. Se presentó a caballo; se apeó, encargó, siempre sonriendo, que le echasen hierba a la jaca, pero no de la nueva, y, pensándolo mejor, se fue él mismo a la cuadra, y con sus propias manos llenó el pesebre de heno.

Todavía llevaba algunas hierbas entre las barbas, y otras pegadas en el cristal de las gafas, cuando doña Berta le recibió en el salón, pálida, con la voz temblorosa, pero resuelta al sacrificio. Sin rodeos se fue al asunto, al negocio; hubiera sido absurdo y hasta una vergüenza enterar al señor Pumariega de los motivos sentimentales de aquella extraña resolución. El porqué no lo supo don Casto, pero ello era que doña Berta necesitaba, en dinero que ella se pudiera llevar en el bolsillo, todo lo que valiera, bien vendido, Susacasa con su Aren y con Posadorio inclusive. La casa, sus dependencias, la llosa, el bosque, el prado, todo... pero en dinero. Si se le daban los cuartos en préstamo, con hipoteca de las fincas dichas, bien, ella no pensaba pagar muchos intereses, porque esperaba morirse pronto, y el señor Pumariega podía cargar con todo; si no quería él este negocio, la venta, la venta en redondo.

Cuando el señor Pumariega iba a pasmarse de la resolución casi sobrenatural de la Rondaliego, se acordó de que mucho más útil era pasar desde luego a considerar las ventajas del trato, sin sorpresa de ningún género. La admiración no venía a cuento, sobre todo desde el momento en que se le proponía un buen negocio. Así, pues, como si se tratase de venderle unas cuantas pipas de manzana o la hierba de aquella otoñada, don Casto entró *de lleno* en el asunto, sin manifestar sorpresa ni curiosidad siquiera.

Y siguiendo su costumbre, al exponer sus argumentos para demostrar las ventajas del préstamo con hipoteca llamaba a

---

[40] *fincas de pan llevar:* tierras de sembradura, aquellas fincas o tierras destinadas a la siembra de cereales o adecuadas para dicho cultivo.

los contratantes A y B. «El prestamista B, la hipoteca H, el predio C...» Así hablaba don Casto, que odiaba los personalismos, y no veía en la *parte contraria* jamás un ser vivo, un semejante, sino una *letra*, elemento de una fórmula que había que eliminar. Doña Berta, que a fuerza de administrar muchos años sus intereses había adquirido cierta experiencia y alguna malicia, se veía como una mosca metida en la red de la araña; pero le importaba poco. Don Casto insistía en querer engañarla, en hacerla ver que no perdía a Susacasa necesariamente en las combinaciones que él la proponía; ella fingió que caía en la trampa; comprendió que de aquella aventura salía Pumariega dueño de los dominios de Rondaliego; pero en eso precisamente consistía su sacrificio, a eso iba ella, a que la crucificara aquel sayón[41]. Y decidido esto, lo que la tenía anhelante, pendiente de los labios del judío, obsequioso hasta adulador y servil, era... la cantidad, los miles de duros que había de entregarle el ratón del campo. Al fijar números don Casto, doña Berta sintió que el corazón le saltaba de alegría; el usurero ofrecía mucho más de lo que ella podía esperar; no creía que sus dominios mermados y empobrecidos pudieran responder de tantos miles de duros. Cuando Pumariega salía de Posadorio, Sabelona y el casero, que le ayudaban a montar mirándole de reojo, le vieron sonreír como siempre; pero además los ojuelos le echaban chispas que atravesaban los cristales de las gafas. Poco después, en una altura que dominaba a Zaornín, don Casto se detuvo y dio vuelta al caballo para contemplar el perímetro y el buen aspecto de sus *nuevas posesiones*. Siempre llamaba él *posesión*, por falsa modestia, a lo que sabía hacer suyo con todas las áncoras y garras del dominio quiritario[42] que le facilitaban el papel sellado y los li-

---

[41] *sayón:* verdugo que ejecutaba las penas corporales a que eran condenados los reos. En el paralelismo que se produce entre la aventura personal de doña Berta y la pasión de Cristo, don Casto se nos presenta crucificando a doña Berta.

[42] *dominio quiritario:* derecho de posesión que privilegiaba a los ciudadanos romanos *(quirites)* dentro del Imperio y que abarcaba muebles o inmuebles a condición de que hubieran sido adquiridos por los mecanismos formales establecidos.

bros del Registro. Tres días después estaba Pumariega otra vez en Posadorio acompañado del nuevo notario, obra suya, y de varios testigos y peritos, todos sus deudores. No fue cosa tan sencilla y breve como doña Berta deseaba, y se había figurado, dejar toda la lana a merced de las frías tijeras del señor Pumariega; éste quería seguridades de mil géneros y aturdir a la *parte contraria*, a fuerza de ceremonias y complicaciones legales. A lo único que se opuso con toda energía doña Berta fue a *personarse* en la capital del concejo. Eso no; ella no quería moverse de Susacasa... hasta el día de salir a tomar el tren de Madrid. Todo se arregló, en fin, y doña Berta vio el momento de tener en su cofrecillo de secretos antiguos los miles de duros que le *prestaba* el usurero. Bien comprendía ella que para siempre jamás se despedía de Posadorio, del Aren, de todo... ¿Cómo iba a pagar nunca aquel dineral que le entregaban? ¿Cómo había de pagar siquiera, si vivía algunos años, los intereses? Podría haber un milagro. Sólo así. Si el milagro venía, Susacasa seguiría siendo suyo, y siempre era una ventaja esta esperanza, o por lo menos un consuelo. Sí; todo lo perdía. Pero el caso era pagar las deudas de su hijo, comprar el cuadro... y después morir de hambre si era necesario. ¿Y Sabelona? Don Casto había dado a entender bien claramente que él necesitaba *garantías* para la seguridad de su hipoteca mediante la vigilancia de un diligentísimo padre de familia sobre los bienes en que la dicha hipoteca consistía; él no tenía inconveniente en que el *casero* siguiera en la *casería* por ahora; pero en cuanto a las llaves de Posadorio y al cuidado del *palacio* y sus dependencias... prefería que corriesen de su propia cuenta. De modo que Sabelona no podía quedar en Posadorio. El ama vaciló antes de proponerla llevársela consigo; era cuestión de gastos; había que hacer economías, mermar lo menos posible su caudal, que ella no sabía si podría alcanzar a la deuda y al precio del cuadro; todo gasto de que se pudiese prescindir, había que suprimirlo. Sabelona era una boca más, un huésped más, un viajero más. Doble gasto casi. Con todo, prometiéndose ahorrar este dispendio en el regalo de su propia persona, doña Berta propuso a la criada llevarla a Madrid consigo.

Sabelona no tuvo valor para aceptar. Ella no se había vuelto loca como el ama, y veía el peligro. Demasiadas desgracias le caían encima sin buscar esa otra, la mayor, la muerte segura. ¡Ella a Madrid! Siempre había pensado en esas cosas de tan lejos vagamente, como en la otra vida; no estaba segura de que hubiera países tan distantes de Susacasa... ¡Madrid! El tren... tanta gente... tantos caminos... ¡Imposible! Que dispensara el ama, pero Sabel no llegaba en su cariño y lealtad a ese extremo. Se le pedía una acción heroica, y ahí no llegaba ella.

Sabelona, como San Pedro, negó a su señora, desertó de su locura ideal, la abandonó en el peligro, al pie de la cruz[43]. Así como si doña Berta se estuviera muriendo, Sabelona lo sentiría infinito, pero no la acompañaría a la sepultura, así la abandonaba al borde del camino de Madrid. La criada tenía unos parientes lejanos en un concejo vecino, y allá se iría, bien a su pesar, durante la ausencia del ama, ya que el señor Pumariega quería llevarse las llaves de Posadorio, contra todas las leyes divinas y humanas, según Sabel.

—Pero ¿no es usted el ama? ¿Qué tiene él que mandar aquí?

—Déjame de cuentos, Isabel; manda todo lo que quiere, porque es quien me da el dinero. Esto es ya como suyo.

Doña Berta sintió en el alma que su compañera de tantos años, de toda la vida, la abandonase en el trance supremo a que se arriesgaba; pero perdonó la flaqueza de la criada, porque ella misma necesitaba de todo su valor, de su resolución inquebrantable, para salir de su casa y meterse en aquel laberinto de caminos, de pueblos, de ruido y de gentes extrañas, *enemigas*. Suspiró la pobre señora, y se dijo: «Ya que Sabel no viene... me llevaré el *gato*.» Cuando la criada supo que el *gato* también se iba, le miró asustada, como consultándole. No le parecía justo, valga la verdad, abusar del pobre animal porque no podía decir que no, como ella; pero si supiese en la que le metían, estaba segura de que tampoco el *gato* querría acompañar a su dueña. Sabel no se atrevió, sin embargo, a oponer-

---

[43] San Pedro negó por tres veces a Jesucristo, tal como éste le había avanzado: «Entonces, vuelto el Señor, miró a Pedro, y Pedro se acordó de la palabra del Señor, cuando le dijo: Antes de que el gallo cante hoy me negarás tres veces. Y Pedro saliendo fuera, lloró amargamente» (Lucas, 22, 61-62).

se, por más que el animalito le había traído ella a casa; era, en rigor, suyo. Ella tampoco podría llevarlo a casa de los parientes lejanos; *dos bocas* más eran demasiado. Y en Posadorio no podía quedar solo, y menos con don Casto, que lo mataría de hambre. Se decidió que el gato iría a Madrid con doña Berta.

VII

Una mañana se levantó Sabelona de su casto lecho, se asomó a una ventana de la cocina, miró al cielo, con una mano puesta delante de los ojos a guisa de pantalla, y con gesto avinagrado y voz más agria todavía, exclamó, hablando a solas, contra su costumbre:

—¡Bonito día de viaje! —Y enseguida pensó, pero sin decirlo: «¡El último día!»

Encendió el fuego, barrió un poco, fue a buscar agua fresca, se hizo su café, después el chocolate del ama; y como si allí no fuera a suceder nada extraordinario, dio los golpes de ordenanza a la puerta de la alcoba de doña Berta, modo usual de indicarle que el desayuno la esperaba; y ella, Sabel, como si no se *acabara todo* aquella misma mañana[44], como si lo que iba a pasar dentro de una hora no fuese para ella una especie de fin del mundo, se entregó a la rutinaria marcha de sus faenas domésticas, inútiles en gran parte esta vez, puesto que aquella noche ya no dormiría nadie en Posadorio.

Mientras ella fregaba un cangilón[45], por el postigo de la huerta, que estaba al nivel de la cocina, entró el gato, cubierto de rocío, con la *cierza*[46] de aquella mañana plomiza y húmeda pegada al cuerpo blanco y reluciente. Sabel le miró con cariño, envidia y lástima.

Y se dijo: «¡Pobre animal! No sabe lo que le espera.» El gato positivamente no había hecho ningún preparativo de

---

[44] «Cuando Jesús hubo tomado el vinagre, dijo: Todo está acabado, e inclinando la cabeza, entregó el espíritu» (Juan, 19, 30).

[45] *cangilón:* recipiente grande de barro o metal, principalmente en forma de cántaro, que sirve para transportar, guardar o medir líquidos.

[46] *cierza:* voz dialectal. Neblina suave.

viaje; aquella vida que llevaba, para él desde tiempo inmemorial, seguramente le parecía eterna. La posibilidad de una mudanza no entraba en su metafísica. Se puso a lamer platos de la cena de la víspera, como hubiera hecho en su caso un buen epicurista[47].

Doña Berta entró silenciosa; vio el chocolate sobre la masera[48], y allí, como siempre, se puso a tomarlo. Los preparativos de la marcha estaban hechos, hasta el último pormenor, desde muchos días atrás. No había más que marchar, y, antes, despedirse. Ama y criada apenas hablaron en aquella última escena de su vida común. Pasó una hora, y llegó don Casto Pumariega, que se había *encargado de todo* con una amabilidad que nadie tenía valor para agradecerle. Él llevaría a doña Berta hasta la misma estación, la más próxima de Zaornín, facturaría el equipaje, la metería a ella en un coche de segunda (no había querido doña Berta primera, por ahorrar) y vamos andando. En Madrid la esperaba el dueño de una casa de pupilos barata. Le había escrito don Casto, para que le agradeciese el favor de enviarle un huésped. Allí paraba él cuando iba a Madrid, y eso que era tan rico.

Con don Casto se presentó en la cocina el mozo a quien había alquilado Pumariega un borrico en que había de montar doña Berta para llegar a la estación, a dos leguas de Posadorio. Ama y criada, que habían callado tanto, que hasta parecían hostiles una a otra aquella mañana, como si mutuamente se acusaran en silencio de aquella separación, en presencia de los *que venían a buscarla* sintieron una infinita ternura y gran desfallecimiento[49]; rompieron a llorar, y lloraron largo rato abrazadas.

El gato dejó de lamer platos y las miraba pasmado.

Aquello era nuevo en aquella casa donde el cariño no tenía expresión. Todos se querían, pero no se acariciaban. A él mis-

---

[47] *epicurista* (epicúreo): el que sigue la doctrina de Epicuro, filósofo ateniense del siglo IV a.C., y que se resume en un refinado egoísmo que busca el placer exento de todo dolor.

[48] *masera:* paño de lienzo con que se tapa la masa al objeto de que fermente.

[49] El pasaje está inspirado en el episodio bíblico en que apresan a Jesús, traicionado éste por Judas (Lucas, 22, 47-54; Juan, 18, 1-11).

143

mo se le daba muy buena vida, pero nada de besos ni halagos. Por si acaso se acercó a las faldas de sus viejas y puso mala cara al señor Pumariega.

Doña Berta pidió un momento a don Casto, y salió por el postigo de la huerta. Subió el repecho, llegó a lo más alto, y desde allí contempló sus dominios. La espesura se movía blandamente, reluciendo con la humedad, y parecía quejarse en voz baja. Chillaban algunos gorriones. Doña Berta no tuvo ni el consuelo de poetizar la solemne escena de despedida. La Naturaleza ante su imaginación apagada y preocupada no tuvo esa piedad de personalizarse que tanto alivio suele dar a los soñadores melancólicos. Ni el Aren, ni la llosa, ni el bosque, ni el *palacio* le dijeron nada. Ellos se quedaban allí, indolentes, sin recuerdos de la ausencia; su egoísmo era el mismo de Sabel, aunque más franco; el que el gato hubiera mostrado si hubiesen consultado su voluntad respecto del viaje. No importaba. Doña Berta no se sentía amada por sus tierras, pero en cambio ella las amaba infinito. Sí, sí. En el mundo no se quiere sólo a los hombres, se quiere a las cosas. El Aren, la llosa, la huerta, Posadorio, eran algo de su alma, por sí mismos, sin necesidad de reunirlos a recuerdos de amores humanos. A la Naturaleza hay que saber amarla como los amantes verdaderos aman, a pesar del desdén. Adorar el ídolo, adorar la piedra, lo que no siente ni puede corresponder, es la adoración suprema. El mejor creyente es el que sigue postrado ante el ara sin dios. Chillaban los gorriones. Parecían decir: «A nosotros, ¿qué nos cuenta usted? Usted se va, nosotros nos quedamos; usted es loca, nosotros no; usted va a buscar el retrato de su hijo... que no está usted segura de que sea su hijo. Vaya con Dios.» Pero doña Berta perdonaba a los pájaros, al fin chiquillos, y hasta al mismo Aren verde, que, más cruel aún, callaba. El bosque se quejaba, ése sí; pero poco, como un niño que, cansado de llorar, convierte en ritmo su queja y se divierte con su pena; y doña Berta llegó a notar, con la clarividencia de los instantes supremos ante la naturaleza, llegó a notar que el bosque no se quejaba porque ella se iba; siempre se quejaba así; aquel frío de la mañana plomiza y húmeda era una de las mil formas del hastío que tantas veces se puede leer en la naturaleza. El bosque se quejaba, como siempre, de ese aburrimiento de cuanto vive pegado a la tierra y de cuanto rueda por el espacio en el mundo, sujeto a la gravedad como a una cadena. Todas las cosas que veía se la aparecieron entonces a ella como presidiarios que se lamentan de sus prisiones y sin embargo aman su presidio. Ella, como era libre, podía romper la cadena, y la había roto...; pero agarrada a la cadena se le quedaba la mitad del alma.

«¡Adiós, adiós!», se decía doña Berta, queriendo bajar aprisa; y no se movía. En su corazón había el dolor de muchas generaciones de Rondaliegos que se despedían de su tierra. El padre, los hermanos, los abuelos..., todos allí, en su pecho y en su garganta, ahogándose de pena con ella...

—Pero, doña Berta, ¡que *vamos* a perder el tren! —gritó allá abajo Pumariega; y a ella le sonó como si dijese: «Que va usted a perder la horca.»

En el patio estaban ya don Casto y el espolique[50]; el verdugo y su ayudante, y también el burro en que doña Berta había de montar para ir al *palo*[51]. El gato iba en una cesta.

VIII

Amanecía, y la nieve que caía a montones, con su silencio felino que tiene el aire traidor del andar del gato, iba echando, capa sobre capa, por toda la anchura de la Puerta del Sol, paletadas de armiño, que ya habían borrado desde horas atrás las huellas de los transeúntes trasnochadores. Todas las puertas estaban cerradas. Sólo había una entreabierta, la del Principal[52], una mesa con buñuelos, que alguien había intentado

---

[50] *espolique:* mozo que camina a pie delante de la caballería en que va su amo.

[51] *ir al palo:* encaminarse a la ejecución de la pena de muerte en un instrumento de madera, de *palo* (la horca o el garrote). La pena capital estaba integrada perfectamente en la cotidianeidad durante el siglo XIX; se trataba de un espectáculo público que incluía el desfile, casi en procesión, que acompañaba al reo.

[52] *el Principal:* cuerpo de guardia, *principal* o de prevención, situado ordinariamente en el centro de la población para proporcionar inmediato auxilio de

sacar al aire libre, la habían retirado al portal de Gobernación. Doña Berta, que contemplaba el espectáculo desde una esquina de la calle del Carmen, no comprendía por qué dejaban freír buñuelos, o, por lo menos, venderlos en el portal del Ministerio; pero ello era que por allí había desaparecido la mesa, y tras ella dos guardias y uno que parecía de telégrafos. Y quedó la plaza sola; solas doña Berta y la nieve. Estaba inmóvil la vieja; los pies calzados con chanclos, hundidos en la blandura; el paraguas abierto, cual forrado de tela blanca. «Como allá —pensaba—, así estará el Aren.» Iba a misa de alba. La iglesia era su refugio; sólo allí encontraba algo que se pareciese a lo de allá. Sólo se sentía unida a *sus semejantes* de la corte por el vínculo religioso. «Al fin —se decía—, todos católicos, todos hermanos.» Y esta reflexión le quitaba algo del miedo que le inspiraban todos los desconocidos, más que uno a uno, considerados en conjunto, como multitud, como *gente*. La misa era como la que ella oía en Zaornín en la hijuela[53] de Piedeloro. El cura decía lo mismo y hacía lo mismo. Siempre era un consuelo. El oír todos los días misa era por esto; pero el madrugar tanto era por otra cosa. Contemplar a Madrid desierto la reconciliaba un poco con él. Las calles le parecían menos enemigas, más semejantes a las callejas; los árboles más semejantes a los árboles *de verdad*. Había querido pasear por las afueras..., ¡pero estaban tan lejos! ¡Las piernas suyas eran tan flacas, y los coches tan caros y tan peligrosos!... Por fin, una, dos veces llegó a los límites de aquel caserío que se le antojaba inacabable...; pero renunció a tales descubrimientos, porque el *campo* no era campo, era un desierto; ¡todo pardo!, ¡todo seco! Se le apretaba el corazón, y se tenía una lástima infinita. «¡Yo debía haberme muerto sin ver esto, sin saber que había esta desolación en el mundo; para una pobre vieja de Susacasa, aquel rincón de la verde alegría, es demasiada pena estar tan lejos del verdadero mundo, de la ver-

policía y justicia. El de Madrid estaba en la Puerta del Sol, en el edificio del Ministerio de la Gobernación (antigua Casa de Correos), al que estaba anexada la Dirección de Telégrafos.

[53] *hijuela:* dependencia, derivación o ramificación, cosa aneja o subordinada a otra principal; en el texto, a la parroquia de Piedeloro.

dadera tierra, y estar separada de la frescura, de la h
las ramas, por estas leguas y leguas de piedra y polvo,
do las tristes lontananzas, sentía la impresión de ma
vo y manosear tierra seca, y se le crispaban las mano. Se sen
tía tan extraña a todo lo que la rodeaba, que a veces, en mitad
del arroyo, tenía que contenerse para no pedir socorro, para
no pedir que por caridad la llevasen a su Posadorio. A pesar
de tales tristezas, andaba por la calle sonriendo, sonriendo de
miedo a la multitud, de quien era cortesana, a la que quería
halagar, adular, para que no le hiciesen daño. Dejaba la acera
a todos. Como era sorda, quería adivinar con la mirada si los
transeúntes con quienes tropezaba le decían algo; y por eso
sonreía, y saludaba con cabezadas expresivas, y murmuraba
excusas. La multitud debía de simpatizar con la pobre anciana, pulcra, vivaracha, vestida de seda de color de tabaco; muchos le sonreían también, le dejaban el paso franco; nadie la
había robado ni pretendido estafar. Con todo, ella no perdía
el miedo, y no se sospecharía, al verla detenerse y santiguarse
antes de salir del portal de su casa, que en aquella anciana era
un heroísmo cada día el echarse a la calle.

Temía a la multitud..., pero sobre todo temía el ser atropellada, pisada, triturada por caballos, por ruedas. Cada coche,
cada carro, era una fiera suelta que se le echaba encima. Se
arrojaba a atravesar la Puerta del Sol como una mártir cristiana podía entrar en la arena del circo. El tranvía[54] le parecía un
monstruo cauteloso, una serpiente insidiosa. La guillotina se
la figuraba como una cosa semejante a las ruedas escondidas
resbalando como una cuchilla sobre las dos líneas de hierro.
El rumor de ruedas, pasos, campanas, silbatos y trompetas llegaba a su cerebro confuso, formidable, en su misteriosa penumbra del sonido. Cuando el tranvía llegaba por detrás y
ella advertía su proximidad por señales que eran casi adivinaciones, por una especie de reflejo del peligro próximo en los
demás transeúntes, por un temblor suyo, por el indeciso ru-

---

[54] *tranvía:* vehículo para el transporte de viajeros, movido por caballos que
circula sobre raíles. En Madrid, el primer tranvía se inauguró en 1871, fecha a
partir de la cual fueron creadas sucesivas líneas con destino a los distintos
barrios.

...or, se apartaba doña Berta con ligereza nerviosa, que parecía imposible en una anciana; dejaba paso a la fiera, volviéndole la cara, y también sonreía al tranvía, y hasta le hacía una involuntaria reverencia; pura adulación, porque en el fondo del alma lo aborrecía, sobre todo por traidor y alevoso. ¡Cómo se echaba encima! ¡Qué bárbara y refinada crueldad!... Muchos transeúntes la habían salvado de graves peligros, sacándola de entre los pies de los caballos o las ruedas de los coches; la cogían en brazos, le daban empujones por librarla de un atropello... ¡Qué agradecimiento el suyo! ¡Cómo se volvía hacia su salvador deshaciéndose en gestos y palabras de elogio y reconocimiento! «Le debo a usted la vida. Caballero, si yo pudiera algo... Soy sorda, muy sorda, perdone usted; pero todo lo que yo pudiera...» Y la dejaban con la palabra en la boca aquellas providencias de paso. «¿Por qué tendré yo tanto miedo a la gente, si hay tantas personas buenas que la sacan a una de las garras de la muerte?» No la extrañaría que la muchedumbre indiferente la dejase pisotear por un caballo, partir en dos por una rueda, sin tenderle una mano, sin darle una voz de aviso. ¿Qué tenía ella que ver con todos aquellos desconocidos? ¿Qué importaba ella en el mundo, fuera de Zaornín, mejor, de Susacasa? Por eso agradecía tanto que se le ayudase a huir de un coche, del tranvía... También ella quería servir al prójimo. La vida de la calle era, en su sentir, como una batalla de todos los días, en que entraban descuidados, valerosos, todos los habitantes de Madrid: la batalla de los choques, de los atropellos; pues en esa jornada de peligros sin fin, quería ella también ayudar a sus semejantes, que al fin lo eran, aunque tan extraños, tan desconocidos. Y siempre caminaba ojo avizor, supliendo el oído con la vista, con la atención preocupada con sus pasos y los de los demás. En cada bocacalle, en cada paso de adoquines, en cada plaza había un *tiroteo*, así se lo figuraba, de coches y caballos, los mayores peligros; y al llegar a estos tremendos trances de cruzar la vía pública, redoblaba su atención, y, con miedo y todo, pensaba en los demás como en sí misma; y grande era su satisfacción cuando podía salvar de un percance de aquéllos a un niño, a un anciano, a una pobre vieja, como ella: a quienquiera que fuese. Un día, a la hora de mayor circulación, vio desde la acera del Imperial[55] a un borracho que atravesaba la Puerta del Sol, haciendo grandes eses, con mil circunloquios y perífrasis de los pies; y en tanto, tranvías, ripperts y simones, ómnibus[56] y carros, y caballos y mozos de cordel[57] cargados iban y venían, como saetas que se cruzan en el aire...

Y el borracho *sereno*, a fuerza de no estarlo, tranquilo, caminaba agotando el tratado más completo de curvas, imitando toda clase de órbitas y *eclípticas*[58], sin soñar siquiera con el peligro, con aquel fuego graneado de muertes seguras que iba atravesando con sus traspiés. Doña Berta le veía avanzar, retroceder, librar por milagro de cada tropiezo, perseguido en vano por los gritos desdeñosos de los cocheros y jinetes...; y ella, con las manos unidas por las palmas, rezaba a Dios por aquel hombre desde la acera, como hubiera podido desde la costa orar por la vida de un náufrago que se ahogara a su vista.

Y no respiró hasta que vio al de la *mona* en el puerto seguro de los brazos de un polizonte[59], que se lo llevaba no sabía ella adónde. ¡La Providencia, el Ángel de la Guarda velaba, sin duda alguna, por la suerte y los malos pasos de los borrachos de la corte!

Aquella preocupación constante del ruido, del tránsito, de los choques y los atropellos, había llegado a ser una obsesión,

---

[55] *Imperial:* conocido café madrileño que daba a la calle de Alcalá, la Carrera de San Jerónimo y la Puerta del Sol.

[56] *rippert:* carruaje de transición al tranvía, y que utilizaba carriles en algunos tramos; *simón* (abreviatura de «coche de don Simón», por referencia a un alquilador de coches. También llamado *coche de punto* o *coche de plaza):* se aplicaba en Madrid a los coches de caballos, de alquiler, que tenían un punto fijo de parada en la calle; *ómnibus* (del latín *omnibus*, 'para todos'): coche de servicio público colectivo y de precio económico, para el transporte de viajeros, generalmente dentro de las ciudades.

[57] *mozo de cordel* (o más frecuentemente, *de cuerda*): hombre que se dedica a llevar cosas pesadas de un sitio a otro. Con un cordel al hombro, solían apostarse en determinadas esquinas a donde se acudía a contratarlos, por ejemplo para llevar equipajes a la estación.

[58] *órbitas y elípticas:* términos astronómicos que expresan distintos movimientos circulares y curvilíneos de gran amplitud.

[59] *polizonte:* despectivamente, agente de policía.

una manía, la inmediata impresión material constante, repetida sin cesar, que la apartaba, a pesar suyo, de sus grandes pensamientos, de su vida atormentada de *pretendiente*[60]. Sí, tenía que confesarlo; pensaba mucho más en los peligros de las masas de gente, de los coches y tranvías, que en *su pleito,* en su descomunal combate con aquellos ricachones que se oponían a que ella lograse el anhelo que la había arrastrado hasta Madrid. Sin saber cómo ni por qué, desde que se había visto fuera de Posadorio, sus ideas y su corazón habían padecido un trastorno; pensaba y sentía con más egoísmo; se tenía mucha lástima a sí misma, y se acordaba con horror de la muerte. ¡Qué horrible debía de ser irse nada menos que a *otro* mundo, cuando ya era tan gran tormento dar unos pasos fuera de Susacasa, por esta misma tierra, que, lo que es parecer, ya parecía otra! Desde que se había metido en el tren, le había acometido un ansia loca de volverse atrás, de apearse, de echar a correr en busca de los *suyos,* que eran Sabelona y los árboles, y el prado y el palacio..., todo aquello que dejaba tan lejos. Perdió la noción de las distancias, y se le antojó que había recorrido espacios infinitos; no creía imposible que se pudiera desandar lo andado en menos de siglos... ¡Y qué dolor de cabeza! ¡Y qué *fugitiva* le parecía la existencia de todos los demás, de todos aquellos desconocidos *sin historia,* tan indiferentes, que entraban y salían en el coche de segunda en que iba ella, que le pedían billetes, que le ofrecían servicios, que la llevaban en un cochecillo a una posada! ¡Estaba perdida, perdida en el gran mundo, en el infinito universo, en un universo poblado de fantasmas! Se le figuraba que habiendo tanta gente en la tierra, perdía valor cada cual; la vida de éste, del otro, no importaba nada; y así debían de pensar las demás gentes, a juzgar por la indiferencia con que se veían, se hablaban y se separaban para siempre. Aquel tejemaneje de la vida, aquella confusión de las gentes, se le antojaba como los enjambres de mosquitos de que ella huía en el bosque y junto al río en verano. Pasó algunos días en Madrid sin pensar en mo-

---

[60] El *pretendiente,* el eterno aspirante a desempeñar un cargo público, era uno de los tipos sociales característicos del siglo XIX, producto de la frecuente inestabilidad política.

verse, sin imaginar que fuera posible empezar de algún modo sus diligencias para averiguar lo que necesitaba saber, lo que la llevaba a la corte. Positivamente había sido una locura. Por lo pronto, pensaba en sí misma, en no morirse de asco en la mesa, de tristeza en su cuarto interior con vistas a un callejón sucio que llamaban patio, de frío en la cama estrecha, sórdida, dura, miserable. Cayó enferma. Ocho días de cama le dieron cierto valor; se levantó algo más dispuesta a orientarse en aquel infierno que no había sospechado que existiera en este mundo. El ama de la posada llegó a ser una amiga; tenía ciertos visos de caritativa; la miseria no la dejaba serlo por completo. Doña Berta empezó a preguntar, a inquirir...; salió de casa. Y entonces fue cuando empezó la fiebre del peligro de la calle. Esta fiebre no había de pasar como la otra. Pero en fin, entre sus terrores, entre sus *batallas* llegó a averiguar algo; que el cuadro que buscaba *yacía* depositado en un caserón cerrado al público, donde le tenía el Gobierno hasta que se decidiera si se quedaba con él un Ministro ò se lo llevaba un señorón americano para su palacio de Madrid primero, y después tal vez para su palacio de La Habana. Todo esto sabía, pero no el precio del cuadro, que no había podido ver todavía. Y en esto andaba; en los pasos de sus pretensiones para verlo.

Aquella mañana fría, de nieve, era la de un día que iba a ser solemne para doña Berta; le habían ofrecido, por influencia de un compañero de pupilaje que se le dejaría ver, por favor, el cuadro famoso, que ya no estaba expuesto al público, sino tendido en el suelo, para empaquetarlo, en una sala fría y desierta, allá en las afueras. ¡Pícara casualidad! O aquel día, o tal vez nunca. Había que atravesar mucha nieve... No importaba. Tomaría un simón, por extraordinario, si era que los dejaban circular aquel día. ¡Iba a ver a *su hijo!* Para estar bien preparada, para ganar la voluntad divina a fin de que todo le saliera bien en sus atrevidas pretensiones, primero iba a la iglesia, a misa de alba. La Puerta del Sol, nevada, solitaria, silenciosa, era de buen agüero. «Así estará allá. ¡Qué limpia sábana!, ¡qué blancura sin mancha! Nada de caminitos, nada de sendas de barro y escarcha, nada de huellas... Se parece a la nieve del Aren, que nadie pisa.»

IX

En la iglesia, oscura, fría, solitaria, ocupó un rincón que ya tenía por suyo. Las luces del altar y de las lámparas le llevaban un calorcillo familiar, de hogar querido, al fondo del alma. Los murmullos del latín del cura, mezclados con toses del asma, le sonaban a gloria, a cosa de allá. Las imágenes de los altares, que se perdían vagamente en la penumbra, hablaban con su silencio de la solidaridad del cielo y la tierra, de la constancia de la fe, de la unidad del mundo, que era la idea que perdía doña Berta (sin darse cuenta de ello, es claro) en sus horas de miedo, decaimiento, desesperación. Salió de la iglesia animada, valiente, dispuesta a luchar por su causa. A buscar *al hijo...* y a los acreedores del hijo.

Llegó la hora, después de almorzar mal, de prisa y sin apetito; salió sola con su tarjeta de recomendación, tomó un coche de punto[61], dio las señas del barracón lejano, y al oír al cochero blasfemar y ver que vacilaba, como buscando un pretexto para no ir tan lejos, sonriente y persuasiva dijo doña Berta: «¡Por horas!» y a poco, paso tras paso, un triste animal amarillento y escuálido la arrastraba calle arriba. Doña Berta, con su tarjeta en la mano, venció dificultades de portería, y después de andar de sala en sala, muerta de frío, oyendo apagados los golpes secos de muchos martillos que clavaban cajones, llegó a la presencia de un señor gordo, mal vestido, que parecía dirigir aquel estrépito y confusión de la mudanza del arte. Los cuadros se iban, los más ya se habían ido; en las paredes no quedaba casi ninguno. Había que andar con cuidado para no pisar los lienzos que tapizaban el pavimento; ¡los miles de duros que valdría aquella alfombra! Eran los cuadros grandes, algunos ya famosos, los que yacían tendidos sobre la tarima. El señor gordo leyó la tarjeta de doña Berta, miró a la vieja de hito en hito, y cuando ella le dio a entender

---

[61] *coche de punto (o de plaza):* el matriculado y numerado con destino al servicio público por alquiler y que tiene un punto fijo de parada en plaza o calle. Véase nota 56. La tarifa del alquiler variaba según se usara por una carrera, o *por horas*, este último mucho más caro.

sonriendo y señalando a un oído que estaba sorda, puso mala cara; sin duda le parecía un esfuerzo demasiado grande levantar un poco la voz en obsequio de aquel ser tan insignificante, recomendado por un cualquiera de los que se creen amigos y son *conocidos,* indiferentes.

—¿Conque quiere usted ver el cuadro de Valencia? Pues por poco se queda usted *in albis*[62], abuela. Dentro de media hora ya estará camino de *su casa.*

—¿Dónde está, dónde está?, ¿cuál es? —preguntó ella temblando.

—Ése.

Y el hombre gordo señaló con un dedo una gran sábana de tela gris, como sucia, que tenía a sus pies tendida.

—¡Ése, ése! Pero... ¡Dios mío!, ¡no se ve nada!

El *otro* se encogió de hombros.

—¡No se ve nada!... —repitió doña Berta con terror, implorando compasión con la mirada y el gesto y la voz temblorosa.

—¡Claro! Los lienzos no se han hecho para verlos en el suelo. Pero ¡qué quiere usted que yo le haga! Haber venido antes.

—No tenía recomendación. El público no podía entrar aquí. Estaba cerrado esto...

El hombre gordo y soez volvió a levantar los hombros, y se dirigió a un grupo de obreros para dar órdenes y olvidar la presencia de aquella dama vieja.

Doña Berta se vio sola, completamente sola ante la masa informe de manchas confusas, tristes, que yacía a sus pies.

—¡Y mi hijo está ahí! ¡Es eso..., algo de eso gris, negro, blanco, rojo, azul, todo mezclado, que parece una costra!...

Miró a todos lados como pidiendo socorro.

—¡Ah, es claro! Por mi cara bonita no han de clavarlo de nuevo en la pared... Ni marco tiene...

Cuatro hombres de blusa, sin reparar en la anciana, se acercaron a la tela, y con palabras que doña Berta no podía entender, comenzaron a tratar de la manera mejor de levantar el cuadro y llevarlo a lugar más cómodo para empaquetarlo...

---

[62] *in albis:* en blanco, sin nada.

La pobre setentona los miraba pasmada, queriendo adivinar su propósito... Cuando dos de los mozos se inclinaron para echar mano a la tela, doña Berta dio un grito.

—¡Por Dios, señores! ¡Un momento!... —exclamó agarrándose con dedos que parecían tenazas a la blusa de un joven rubio y de cara alegre—. ¡Un momento!... ¡Quiero verle!... ¡Un instante!... ¡Quién sabe si volveré a tenerle delante de mí!

Los cuatro mozos miraron con asombro a la vieja y soltaron sendas carcajadas.

—Debe de estar loca —dijo uno.

Entonces doña Berta, que no lloraba a menudo a pesar de tantos motivos, sintió, como un consuelo, dos lágrimas que asomaban a sus ojos. Resbalaron claras, solitarias, solemnes, por sus enjutas mejillas.

Los obreros las vieron correr, y cesaron de reír.

No debía de estar loca. Otra cosa sería. El rubio risueño la dio a entender que ellos no mandaban allí, que el cuadro aquel no podía verse ya más tiempo, porque mudaba de casa; lo llevaban a la de su dueño, un señor americano muy rico que lo había comprado.

—Sí, ya sé..., por eso..., yo tengo que ver esa figura que hay en el medio...

—¿El capitán?

—Sí, eso es, el capitán. ¡Dios mío!... Yo he venido de mi pueblo, de mi casa, nada más que por esto, por ver al capitán..., y si se lo llevan, ¿quién me dice a mí que podré entrar en el palacio de ese señorón? Y mientras yo intrigo para que me dejen entrar, ¿quién sabe si se llevarán el cuadro a América?

Los obreros acabaron por encogerse de hombros como el señor gordo, que había desaparecido de la sala.

—Oigan ustedes —dijo doña Berta—; un momento... ¡por caridad! Esta escalera de mano que hay aquí puede servirme... Sí; si ustedes me la acercan un poco... ¡yo no tengo fuerzas!...; si me la acercan aquí, delante de la pintura..., por este lado..., yo... podré subir..., subir tres, cuatro, cinco travesaños... agarrándome bien... ¡Vaya si podré!..., y desde arriba se verá algo...

—Va usted a matarse, abuela.

—No, señor; allá en la huerta, yo me subía así para coger fruta y tender la ropa blanca... No me caeré, no. ¡Por caridad!

Ayúdenme. Desde ahí arriba, volviendo bien la cabeza, debe de verse algo... ¡Por caridad! Ayúdenme.

El mozo rubio tuvo lástima; los otros no. Impacientes, echaron mano a la tela, en tanto que su compañero, con mucha prisa, acercaba la escalera; y mientras la sujetaba por un lado para que no se moviera, daba la mano a doña Berta, que, apresurada y temblorosa, subía con gran trabajo uno a uno aquellos travesaños gastados y resbaladizos. Subió cinco, se agarró con toda la fuerza que tenía a la madera y, doblando el cuello, contempló el lienzo famoso... que se movía, pues los obreros habían comenzado a levantarlo. Como un fantasma ondulante, como un sueño, vio entre humo, sangre, piedras, tierra, colorines de uniformes, una figura que la miró a ella un instante con ojos de sublime espanto, de heroico terror...; la figura de *su capitán*, del que ella había encontrado, manchado de sangre también, a la puerta de Posadorio. Sí, era *su capitán*, mezclado con ella misma, con su hermano mayor; era un Rondaliego injerto en el esposo de su alma: ¡era su hijo! Pero pasó como un relámpago, moviéndose en ziszás, supino como si le llevaran a enterrar... Iba con los brazos abiertos, una espada en la mano, entre piedras que se desmoronan y arena, entre cadáveres y bayonetas. No podía fijar la imagen; apenas había visto más que aquella figura que le llenó el alma de repente, tan pálida, ondulante, desvanecida entre otras manchas y figuras... Pero la expresión de aquel rostro, la virtud mágica de aquella mirada, eran fijas, permanecían en el cerebro... Y al mismo tiempo que el cuadro desaparecía, llevado por los operarios, la vista se le nublaba, a doña Berta, que perdía el sentido, se desplomaba y venía a caer, deslizándose por la escalera, en los brazos del mozo compasivo que la había ayudado en su ascensión penosa.

Aquello también era un cuadro; parecía a su manera, un *Descendimiento*[63].

---

[63] Con la escena bíblica del *Descendimiento* culmina el paralelismo que se ha venido dando en el texto entre doña Berta y Jesucristo: «José, de Arimatea [...] pidió el cuerpo de Jesús. Y quitándolo, lo envolvió en una sábana, y lo puso en un sepulcro abierto en una peña, en el cual aún no se había puesto a nadie» (Lucas, 23, 50-53).

X

En el mismo coche que ella había tomado por horas, y la esperaba a la puerta, fue trasladada a su casa doña Berta, que volvió en sí muy pronto, aunque sin fuerzas para andar apenas. Otros dos días de cama. Después la actividad nerviosa, febril, resucitada; nuevas pesquisas, más olfatear recomendaciones para saber dónde vivía el dueño de *su capitán* y ser admitida en su casa, poder contemplar el cuadro... y abordar la cuestión magna... la de la *compra*.

Doña Berta no hablaba a nadie, ni aun a los que la ayudaban a buscar tarjetas de recomendación, de sus pretensiones enormes de adquirir aquella obra maestra. Tenía miedo de que supieran en la posada que era bastante rica para dar miles de duros por una tela, y temía que la robasen su dinero, que llevaba siempre consigo. Jamás había cedido al consejo de ponerlo en un banco, de depositarlo... No entendía de eso. Podían estafarla; lo más seguro eran sus propias uñas. Cosidos los billetes a la ropa, al corsé; era lo mejor.

Aislada del mundo (a pesar de corretear por las calles más céntricas de Madrid) por la sordera y por sus costumbres, en que no entraban la de saber noticias por los periódicos —no los leía, ni creía en ellos—, ignoraba todavía un triste suceso, que había de influir de modo decisivo en sus propios asuntos. No lo supo hasta que logró, por fin, penetrar en el palacio de su *rival* el dueño del cuadro. Era un señor de su edad, aproximadamente, sano, fuerte, afable, que procuraba hacerse perdonar sus riquezas repartiendo beneficios; socorría a la desgracia, pero sin entenderla; no sentía el dolor ajeno, lo aliviaba; por la lógica llegaba a curar estragos de la miseria, no por revelaciones de su corazón, completamente ocupado con la propia dicha. Doña Berta le hizo gracia. Opinó, como los mozos aquellos del barracón de los cuadros, que estaba loca. Pero su locura era divertida, inofensiva, interesante. «¡Figúrense ustedes —decía en su tertulia de notabilidades de la banca y de la política—, figúrense ustedes que quiere comprarme el *último cuadro de Valencia!*» Carcajadas unánimes respondían siempre a estas palabras.

El *último cuadro de Valencia* se lo había arrancado aquel prócer americano al mismísimo Gobierno a fuerza de dinero y de intrigas diplomáticas. Habían venido hasta recomendaciones del extranjero para que el pobre diablo del Ministro de Fomento[64] tuviera que ceder, reconociendo la prioridad del dinero. Además la justicia, la caridad, estaban de parte del fúcar[65]. Los *herederos* de Valencia, que eran los hospitales, según su testamento, salían ganando mucho más con que el americano se quedara con la joya artística; pues el Gobierno no había podido pasar de la cantidad fijada como precio al cuadro en vida del pintor, y el ricachón ultramarino pagaba su justo precio en consideración a ser venta póstuma. La cantidad a *entregar* había triplicado por el *accidente* de haber muerto el autor del cuadro aquel otoño, allá en Asturias, en un poblachón oscuro de los puertos, a consecuencia de un enfriamiento, de una gran mojadura. En la preferencia dada al más rico había habido algo de irregularidad legal; pero lo justo, en rigor, era que se llevase el cuadro el que había dado más por él.

Doña Berta no supo esto los primeros días que visitó el museo particular del americano. Tardó en conocer y hablar al millonario, que la había dejado entrar en su palacio por una recomendación, sin saber aún quién era, ni sus pretensiones. Los lacayos dejaban pasar a la vieja, que se limpiaba muy bien los zapatos antes de pisar aquellas alfombras, repartía sonrisas y propinas y se quedaba como en misa, recogida, absorta, contemplando siempre el mismo lienzo, *el del pleito,* como lo llamaban en la casa.

El cuadro, metido en su marco dorado, fijo en la pared, en aquella estancia lujosa, entre muchas otras maravillas del arte, le parecía otro a doña Berta. Ahora le contemplaba a su placer; leía en las facciones y en la actitud del héroe que moría sobre aquel montón sangriento y glorioso de tierra y cadáveres, en

---

[64] Del Ministerio de Fomento dependían dos Direcciones Generales y varias Asociaciones y Comisiones, entre ellas la Comisión de Monumentos Históricos y Artísticos.

[65] *fúcar:* alteración de *Fugger,* apellido de la familia alemana de banqueros que, en los siglos XVI y XVII, prestaba dinero a los reyes de España y a los nobles. Se aplica al hombre muy rico y hacendado.

una aureola de fuego y humo; leía todo lo que el pintor había querido expresar; pero... no siempre reconocía a su hijo. Según las luces, según el estado de su propio ánimo, según había comido y bebido, así adivinaba o no en aquel capitán del cuadro famoso al hijo suyo y de *su capitán*. La primera vez que sintió vacilar su fe, que sintió la duda, tuvo escalofríos, y le corrió por el espinazo un sudor helado como de muerte.

Si perdía aquella íntima convicción de que el capitán del cuadro era su hijo, ¿qué iba a ser de ella? ¡Cómo entregar toda su fortuna, cómo abismarse en la miseria por adquirir un pedazo de lienzo que no sabía si era o no el sudario de la *imagen* de su hijo! ¡Cómo consagrarse después a buscar al acreedor o a su familia para pagarles la deuda de aquel héroe, si no era su hijo!

¡Y para dudar, para temer engañarse había entregado a la avaricia y la usura su Posadorio, su verde Aren! ¡Para dudar y temer había ella consentido en venir a Madrid, en arrojarse al infierno de las calles, a la batalla diaria de los coches, caballos y transeúntes!

Repitió sus visitas al palacio del americano, con toda la frecuencia que le consentían. Hubo día de acudir a su puesto, frente al cuadro, por mañana y tarde. Las propinas alentaban la tolerancia de los criados. En cuanto salía de allí, el anhelo de volver se convertía en fiebre. Cuando dudaba, era cuando más deseaba tornar a su contemplación, para fortalecer su creencia, abismándose como una extática en aquel rostro, en aquellos ojos a quien quería arrancar la revelación de su secreto. ¿Era o no era su hijo? «Sí, sí», decía unas veces el alma. «Pero, madre ingrata, ¿ni aun ahora me reconoces?», parecían gritar aquellos labios entreabiertos. Y otras veces los labios callaban y el alma de doña Berta decía: «¡Quién sabe, quién sabe! Puede ser casualidad el parecido, casualidad y aprensión. ¿Y si estoy loca? Por lo menos, ¿no puedo estar chocha? Pero ¿y el tener algo de *mi capitán* y algo mío, de todos los Rondaliegos? ¡Es él... no es él!...»

Se acordó de los santos; de los santos místicos, a quienes también solía tentar el demonio; a quienes olvidaba el Señor de cuando en cuando, para probarlos, dejándolos en la aridez de un desierto espiritual.

Y los santos vencían; y aun oscurecido, nublado el so
su espíritu... creían y amaban... oraban en la ausencia del Señor, para que volviera.

Doña Berta acabó por sentir la sublime y austera alegría de
la *fe en la duda*. Sacrificarse por lo evidente, ¡vaya una gloria!,
¡vaya un triunfo! La valentía estaba en darlo todo, no por su
fe... sino por *su duda*. En la duda amaba lo que tenía de fe,
como las madres aman más y más al hijo cuando está enfermo o cuando se lo roba el pecado. «La fe débil, enferma» llegó a ser a sus ojos más grande que la fe ciega, robusta.

Desde que sintió así, su resolución de mover cielo y tierra
para hacer suyo el cuadro fue más firme que nunca.

Y en esta disposición de ánimo estaba, cuando por primera
vez encontró al rico americano en el salón de su museo. El primer día no se atrevió a comunicarle su pretensión inaudita. Ni
siquiera a preguntarle el precio de la pintura famosa. A la segunda entrevista, solicitada por ella, le habló solemnemente
de su idea, de su ansia infinita de poseer aquel lienzo.

Ella sabía cuánto iba a dar por él, tiempo atrás, el Estado.
Su caudal alcanzaba a tal suma, y aún sobraban miles de pe-
setas para pagar la *deuda de su hijo,* si los acreedores parecían.
Doña Berta aguardó anhelante la respuesta del millonario, sin
parar mientes en el asombro que él mostraba, y que ya tenía
ella previsto. Entonces fue cuando supo por qué el pintor
amigo no había contestado a la carta que le había enviado por
un propio; supo que el compañero de *su hijo,* el artista insigne y simpático que había cambiado la vida de la última Rondaliego al final de su carrera, aquel aparecido del bosque... había muerto allá en *la tierra,* en una de aquellas excursiones suyas en busca de lecciones de la Naturaleza.

¡Y el cuadro de *su capitán,* por causa de aquella muerte, valía ahora tantos miles de duros, que todo Susacasa, aunque
fuese tres veces más grande, no bastaría para pagar aquellas
pocas varas de tela!

La pobre anciana lloró, apoyada en el hombro del fúcar ultramarino, que era muy llano, y sabía tener todas las apparien-
cias de los hombres caritativos... La buena señora estaba loca,
sin duda; pero no por eso su dolor era menos cierto, y menos
interesante la aventura. Estuvo amabilísimo con la abuelita;

añarla como a los niños; todo menos, es claro,
dro, no ya por lo que ella podía ofrecerle, sino por
o que valía. ¡Estaría bien! ¿Qué diría el Gobierno?
s, aun suponiendo que la buena mujer dispusiera del
l que ofrecía, acceder a sus ruegos era perderla, arrui-
narla; caso de prodigalidad, de locura. ¡Imposible!

Doña Berta lloró mucho, suplicó mucho, y llegó a comprender que el dueño de su bien único tenía bastante paciencia aguantándola, aunque no tuviera bastante corazón para
ablandarse. Sin embargo, ella esperaba que Dios la ayudase
con un milagro; se prometió sacar agua de aquella peña, ternura de aquel canto rodado que el millonario llevaba en el pecho. Así, se conformó por lo pronto con que la dejara, mientras el cuadro no fuera trasladado a América, ir a contemplar-
lo todos los días; y de cuando en cuando también habría de
tolerar que le viese a él, al ricachón, y le hablase y le suplicase
de rodillas... A todo accedió el hombre, seguro de no dejarse
vencer, ¡es claro!, porque era absurdo.

Y doña Berta iba y venía, atravesando los peligros de las
ruedas de los coches y de los cascos de los caballos; cada vez
más aturdida, más débil... y más empeñada en su imposible.
Ya era famosa, y por loca reputada en el círculo de las amistades del americano, y muy conocida de los habituales transeúntes de ciertas calles.

Medio Madrid tenía en la cabeza la imagen de aquella vie-
jecilla sonriente, vivaracha, amarillenta, vestida de color de tabaco, con traje de moda atrasadísima, que huía de los ómnibus, que se refugiaba en los portales, y hablaba cariñosa y con
mil gestos a la multitud que no se paraba a oírla.

Una tarde, al saber la de Rondaliego que el de La Habana
se iba y se llevaba su *museo*, pálida como nunca, sin llorar, esto
a duras penas, con la voz firme al principio, pidió la última
conferencia a su *verdugo;* y a solas, frente a *su hijo*, testigo
mudo, muerto..., le declaró su secreto, aquel secreto que andaba por el mundo en la carta perdida al pintor difunto. Ni
por ésas. El dueño del cuadro ni se ablandó ni creyó aquella
nueva locura. Admitiendo que no fuera todo pura fábula, pura
invención de la loca; suponiendo que, en efecto, aquella señora hubiera tenido un hijo natural, ¿cómo podía ella asegu-

rar que tal hijo era el original del supuesto retrato del cuadro? Todo lo que doña Berta pudo conseguir fue que la permitieran asistir al acto solemne y triste de descolgar el cuadro y empaquetarlo para el largo viaje; se la dejaba ir a despedirse para siempre de su capitán, de su *presunto hijo*. Algo más ofreció el millonario; guardar el *secreto,* por de contado[66]; pero sin prejuicio de iniciar pesquisas para la identificación del original de aquella figura, en el supuesto de que no fuera pura fábula lo que la anciana refería. Y doña Berta se despidió hasta el día siguiente, el último, relativamente tranquila, no porque se resignase, sino porque todavía esperaba vencer. Sin duda quería Dios probarla mucho, y reservaba para el último instante el milagro. «¡Oh, pero habría milagro!»

XI

Y aquella noche soñó doña Berta que de un pueblo remoto, allá en los puertos de su tierra, donde había muerto el pintor amigo, llegaba como por encanto, con las alas del viento, un señor notario, pequeño, pequeñísimo, casi enano, que tenía voz de cigarra y gritaba agitando en la mano un papel amarillento: «¡Eh, señores! Deténganse; aquí está el último testamento, el verdadero, el otro no vale; el *cuadro de doña Berta* no lo deja el autor a los hospitales; se lo regala, como es natural, a la madre de *su capitán,* de su amigo... Conque recoja usted los cuadros, señor americano el de los millones, y venga el cuadro...; pase a su dueño legítimo doña Berta Rondaliego.»

Despertó temprano, recordó el sueño y se puso de mal humor, porque aquella solución, que hubiera sido muy a propósito para realizar el milagro que esperaba la víspera, ya había que descartarla. ¡Ay! ¡Demasiado sabía ella, por toda la triste experiencia de su vida, que las cosas soñadas no se cumplen!

---

[66] *por de contado (por descontado):* por supuesto, sin duda alguna.

Salió al comedor a pedir el chocolate, y se encontró allí con un incidente molesto, que era importuno sobre todo, porque haciéndola irritarse, le quitaba aquella unción que necesitaba para ir a dar el último ataque al empedernido Creso[67] y a ver si *había milagro*.

Ello era que la pupilera, doña Petronila, le ponía sobre el tapete (el tapete de la mesa del comedor) la cuestión eterna, única que dividía a aquellas dos pacíficas mujeres, la cuestión del *gato*. No se le podía sufrir, ya se lo tenía dicho; parecía montés; con sus mimos de *gato único* de dos viejas de edad, con sus costumbres de animal campesino, independiente, terco, revoltoso y huraño, salvaje, en suma, no se le podía aguantar. Como no había huerta adonde poder salir, ensuciaba toda la casa, el *salón* inclusive; rompía vasos y platos, rasgaba sillas, cortinas, alfombras, vestidos; se comía las golosinas y la carne. Había que tomar una medida. O salían de casa el gato y su ama, o ésta accedía a una reclusión perpetua del animalucho en lugar seguro, donde no pudiera escaparse. Doña Berta discutió, defendió la libertad de su mejor amigo pero al fin cedió, porque no quería complicaciones domésticas en un día tan solemne para ella. El *gato* de Sabelona fue encerrado en la guardilla, en una trastera, prisión segura, porque los hierros del tragaluz tenían red de alambre. Como nadie habitaba por allí cerca, los gritos del prisionero no podían interrumpir el sueño de los vecinos; nadie lo oiría, aunque se volviera tigre para vociferar su derecho al aire libre.

Salió doña Berta de su posada, triste, alicaída, disgustada y contrariada con el incidente del gato y el recuerdo del sueño, que tan bueno hubiera sido para realidad. Era día de fiesta; la circulación a tales horas producía espanto en el ánimo de la Rondaliego. El piso estaba resbaladizo, seco y pulimentado por la helada... Era temprano; había que hacer tiempo. Entró en la iglesia, oyó dos misas; después fue a una tienda a comprar un collar para el gato, con ánimo de bordarle en él unas

---

[67] *Creso:* último rey lidio a quien se conoce principalmente por las leyendas griegas donde se le considera el hombre más rico de su tiempo. Por alusión a él, se aplica figuradamente al que posee grandes riquezas.

iniciales, por si se perdía, para que pudiera ser reconocido...
Por fin, llegó la hora. Estaba en la Carrera de San Jerónimo;
atravesó la calle; a fuerza de cortesías y codazos discretos, te-
merosos, se hizo paso entre la multitud que ocupaba la entrada del Imperial. Llegó el trance serio, el de cruzar la calle de
Alcalá. Tardó un cuarto de hora en decidirse. Aprovechó una
clara, como ella decía[68], y, levantando un poco el vestido,
echó a correr... y sin novedad, entre la multitud que se la tragaba como una ola, arribó a la calle de la Montera, y la subió
despacio, porque se fatigaba. Se sentía más cansada que nunca. Era la debilidad acaso; el chocolate se le había atragantado
con la *riña del gato*. Atravesó la red de San Luis, pensando:
«Debía haber cruzado por abajo, por donde la calle es más estrecha.» Entró en la calle Fuencarral, que era de las que más
temía; allí los raíles del tranvía le parecían navajas de afeitar al
ras de sus carnes; ¡iban tan pegados a la acera! Al pasar frente
a un caserón antiguo que hay al comenzar la calle, se olvidó
por un momento, contra su costumbre, del peligro y de sus
cuidados para no ser atropellada; y pensó: «Ahí creo que vive
el señor Cánovas... Ése podía hacerme el milagro. Darme...
una Real orden... yo no sé... en fin un *vale* para que el señor
americano tuviera que venderme el cuadro a la fuerza... Dicen
que este don Antonio[69] manda tanto... ¡Dios mío! El mandar
mucho debía servir para esto, para mandar las cosas justas que
no están en las leyes.»

Mientras meditaba así había dado algunos pasos sin sentir
por dónde iba. En aquel momento oyó un ruido confuso
como de voces, vio manos tendidas hacia ella, sintió un gol-
pe en la espalda... que la pisaban el vestido. «El tranvía», pensó. Ya era tarde. Sí, era el tranvía. Un caballo la derribó, la
pisó; una rueda le pasó por medio del cuerpo. El vehículo se

---

[68] *clara (claro):* espacio sin árboles en el interior de un bosque.
[69] Antonio Cánovas del Castillo (1828-1897) era jefe del partido conserva-
dor. Desde 1875, durante el período de la Restauración, fueron sucediéndose
en el poder, por un sistema de turnos, el partido liberal-conservador de Cánovas (quien fue jefe del primer gobierno) y el liberal de Sagasta. Efectivamente,
la residencia de Cánovas en los inicios de la Restauración estaba situada en la
calle Fuencarral.

detuvo antes de dejar atrás a su víctima. Hubo que sacarla con gran cuidado de entre las ruedas. Ya parecía muerta. No tardó diez minutos en estarlo de veras. No habló, ni suspiró, ni nada. Estuvo algunos minutos depositada sobre la acera, hasta que llegara la autoridad. La multitud, en corro, contemplaba el cadáver. Algunos reconocieron a la abuelita que tanto iba y venía y que sonreía a todo el mundo. Un periodista, joven y risueño, vivaracho, se quedó triste de repente, recordando, y lo dijo al concurso, que aquella pobre anciana le había librado a él de una *cogida* por el estilo en la calle Mayor, junto a los Consejos. No repugnaba ni horrorizaba el cadáver. Doña Berta parecía dormida, porque cuando dormía parecía muerta. De color de marfil amarillento el rostro; el pelo, de ceniza, en ondas; lo demás, botinas inclusive, todo tabaco. No había más que una mancha roja, un reguerillo de sangre que salía por la comisura de los labios blanquecinos y estrechos. En el público había más simpatía que lástima. De una manera o de otra, aquella mujercilla endeble no podía durar mucho; tenía que descomponerse pronto. En pocos minutos se borró la huella de aquel dolor; se restableció el tránsito, desapareció el cadáver, desapareció el tranvía, y el *siniestro* pasó de la calle al Juzgado y a los periódicos. Así acabó la última Rondaliego, doña Berta la de Posadorio.

En la calle de Tetuán, en un rincón de una trastera, en un desván, quedaba un gato, que no tenía otro nombre, que había sido feliz en Susacasa, cazador de ratones campesinos, gran botánico, amigo de las mariposas y de las siestas dormidas a la sombra de los árboles seculares. Olvidado por el mundo entero, muerta su ama, el *gato* vivió muchos días tirándose a las paredes, y al cabo pereció como un Ugolino[70], pero sin un mal hueso que roer siquiera; sintiendo los ratones en las soledades de los desvanes próximos, pero sin poder aliviar el hambre con una sola presa. Primero, furioso, rabiando, bufaba, saltaba, arañaba y mordía puertas y paredes y el hierro de

---

[70] La historia del conde Ugolino, quien fue encerrado en una torre hasta morir de hambre, es narrada por Dante en el canto XXXIII perteneciente al *Infierno* de la *Divina Comedia*.

la reja. Después, con la resignación última de la debilidad suprema, se dejó caer en un rincón; y murió tal vez soñando con las mariposas que no podía cazar, pero que alegraban sus días, allá en el Aren, florido por abril, de fresca hierba y deleitable sombra en sus lindes, a la margen del arroyo que llamaban el *río* los señores de Susacasa.

Cuervo

I

Laguna[1] es una ciudad alegre, blanca toda y metida en un cuadro de verdura. Rodéanla anchos prados pantanosos; por Oriente le besa las antiguas murallas un río que describe delante del pueblo una ese, como quien hace una pirueta, y que después, enseguida, se para en un remanso, yo creo que para pintar en un reflejo la ciudad hermosa de quien está enamorado. Bordan el horizonte bosques seculares de encinas y castaños por un lado, y por otro crestas de altísimas montañas muy lejanas y cubiertas de nieve. El paisaje que se contempla desde la torre de la colegiata no tiene más defecto que el de parecer amanerado y casi casi de abanico. El pueblo, por dentro, es también risueño, y como está tan blanco, parece limpio.

De las veinte mil almas que, sin distinguir de clases, atribuye la estadística oficial a Laguna, bien se puede decir que diecinueve mil son alegres como unas sonajas. No se ha visto en España pueblo más bullanguero ni donde se muera más gente.

---

[1] *Laguna:* la presencia de algunos rasgos lingüísticos propios del dialecto bable, y el costumbrismo en torno a la muerte, sitúan este topónimo en la región de Asturias. Su elección por parte de Clarín no es gratuita, pues como nombre común, *laguna* designa una extensión natural de agua, dulce o salada, estancada, y por lo tanto, insalubre. Se hace referencia así al tema de la higiene, problema muy presente en el siglo XIX.

II

Durante mucho tiempo, tiempo inmemorial, los lagunenses o *paludenses*[2], como se empeña en llamarlos el médico higienista y pedante don Torcuato Resma[3], han venido negando, pero negando en absoluto, que su querida ciudad fuese insalubre. Según la mayoría de la población, la gente se moría porque no había más remedio que morirse, y porque no todos habían de quedar para antecristos[4]; pero lo mismo sucedía en todas partes, sólo que «Ojos que no ven, corazón que no siente»; y como allí casi todos eran parientes más o menos lejanos, y mejor o peor avenidos... por eso, es decir, por eso se hablaba tanto de los difuntos y se sabía quiénes eran, y parecían muchos.

¡Claro!, gritaba cualquier vecino; aquí *la entrega*[5] uno, y todos le conocemos, todos lo sentimos, y por eso se abultan tanto las cosas; en Madrid mueren cuarenta... y al hoyo; nadie lo sabe más que *La Correspondencia*[6], que cobra el anuncio.

---

[2] *paludense:* neologismo —también lo es *lagunense*—, utilizado aquí como gentilicio, derivado del latín *palus, -udis,* que significa pantano, laguna, ciénaga, agua estancada.

[3] El apellido Resma (que en su acepción común designa el conjunto de quinientos pliegos de papel) insinúa ya la supuesta cultura del personaje, que expone y defiende sus ideas sobre el papel.

[4] Algunos pasajes de la Biblia hablan de cómo en la *parusía* o advenimiento glorioso de Jesucristo al final de los tiempos, surgirá un adversario decisivo de Cristo, llamado por esta razón el *anticristo,* «el hombre de pecado, el hijo de perdición, el cual se opone y se levanta contra todo lo que se llama Dios o es objeto de culto; tanto que se sienta en el templo de Dios como Dios, haciéndose pasar por Dios» (II Tesalonicenses, 2, 3-4). En el contexto, esta referencia bíblica debe entenderse como «no todos habían de vivir hasta presenciar el fin de los tiempos».

[5] *la entrega:* entregar el alma a Dios, expresión coloquial utilizada como sinónimo de 'morirse'.

[6] *La Correspondencia de España* era una publicación periódica madrileña, fundada (VI-1848) y dirigida por Manuel María de Santa Ana. Constituyó el primer periódico noticiero, de carácter exclusivamente informativo, aparecido en la historia de la prensa española. Entre las innovaciones que introdujo este diario, cabe destacar aquí que fue el primer periódico en incluir regularmente

Después de la revolución fue cuando empezó el pueblo a preocuparse y a creer a ratos en la mortalidad desproporcionada. Según unos, bastaba para explicar el fenómeno la *dichosa revolución*.

—Sí, hay que reconocerlo: desde la *gloriosa*[7] se muere mucha más gente; pero eso se explica por la revolución.

Según otros, había que *especificar* más; cierto, era por culpa de la revolución, pero ¿por qué? Porque con ella había venido la libertad de enseñanza[8], y con la libertad de enseñanza el prurito de dar carrera a todos los muchachos del pueblo y hacerlos médicos de prisa y corriendo y a granel. ¿Qué resultaba? Que en dos años volvían los chicos de la Universidad hechos unos pedantones y empeñados en buscar clientela debajo de las piedras. Y enfermo que cogían en sus manos, muerto seguro. Pero esto no era lo peor, sino la aprensión que metían a los vecinos y las voces que hacían correr y lo que decían en los periódicos de la localidad.

Sobre todo, el doctor Torcuato Resma (que años después tuvo que escapar del pueblo porque se descubrió, tal se dijo, que su título de licenciado era falso); Torcuato Resma, en opinión de muchos, había traído al pueblo todas las plagas de Egipto[9] con su dichosa higiene y sus estadísticas demográficas

---

esquelas de defunción en sus páginas. A partir del 2 de noviembre de 1890 publica un «Suplemento de ciencias, literatura y arte» en el que colaboró Clarín (1890-1898). La primera edición periódica de *Cuervo* vio la luz en sus páginas.

[7] *la gloriosa:* nombre con que también se conoce la revolución liberal de septiembre de 1868, que significó el derrocamiento de Isabel II (28 de septiembre de 1868) y el comienzo del «Sexenio revolucionario».

[8] *libertad de enseñanza:* la revolución liberal de 1868 trajo consigo, entre otras libertades, la *libertad de enseñanza,* que suponía la pérdida por parte de la Iglesia del monopolio que ésta había ejercido hasta el momento sobre la enseñanza. El Estado debía garantizar dicha libertad; sin embargo, a causa de las presiones de la Iglesia, en los primeros años de la Restauración, la libertad de enseñanza fue de difícil aplicación, incluso con la Constitución de 1876, al estar allí contemplada con una redacción ambigua y contradictoria. Es a finales del siglo XIX cuando verdaderamente se puede hablar de manifestaciones de la *libertad de enseñanza* a partir de la Real Orden de Albareda de 3 de marzo de 1881.

[9] Fueron diez las calamidades en forma de plagas (Nilo rojo de sangre, ranas, mosquitos, tábanos, peste, langostas...) con que Dios castigó a Egipto para obligar al faraón a que dejara partir al pueblo de Israel al cual tenía bajo su servidumbre (Éxodo, 7-11).

y observaciones en el cementerio y en el hospital, y en la malatería[10] y en las viviendas pobres, y hasta en la ropa de los vecinos honrados. «¡Qué peste de don Torcuato! ¡Mala bomba
lo parta!»

Publicaba artículos en que siempre se prometía continuar,
y que nunca concluían por lo que ya explicaré, en el eco imparcial de la opinión lagunense, *El Despertador Eléctrico*[11],
diario muy amigo de los intereses locales y de los adelantos
modernos, y de vivir en paz con todos los humanos, en forma de suscriptores. Los artículos de don Torcuato comenzaban y no concluían; primero, porque el mismo Resma no sabía dónde quería ir a parar, y todo lo tomaba desde el principio
de la creación y un poco antes; segundo, porque el director de
El Despertador Eléctrico se le echaba encima con los mejores modos del mundo, diciéndole que se le quejaban los suscriptores y
hasta se le despedían.

—Bueno, comenzaré otra serie —decía Resma—, porque
la ya empezada no admite tergiversaciones (así decía, *tergiversaciones)* ni componendas, y si sigo los caprichos de los lectores de usted, me expongo a contradecirme.

Y don Torcuato comenzaba otra serie, que tenía que sus-
pender también, porque el alcalde, o el capellán del cementerio, o el administrador del hospicio, o el arquitecto
municipal, o el cabo de serenos se daban por aludidos.

—Yo quiero salvar a Laguna de una muerte segura; se están
ustedes dejando diezmar...

—Lo que usted quiere es matarme el periódico.

—Yo no aludo a nadie; yo estoy muy por encima de las
personalidades...

—No, señor; usted tendrá buena intención, pero resulta
que sin querer hiere muchas susceptibilidades...

---

[10] *malatería:* edificio destinado, antiguamente, a hospital de leprosos.
[11] *El Despertador Eléctrico:* el término *despertador* aparece en diversos títulos
de periódicos del siglo XIX caracterizados por un tono claramente combativo,
publicados en períodos de conflictividad política, como *El Despertador Político*
(Cádiz, 1819-1820), *El Despertador Jerezano* (Jerez de la Frontera, 1822-1823), *El
Despertador* (1868). El adjetivo *eléctrico*, que acompaña al sustantivo, otorga al
periódico un ingrediente de modernidad, puesto que por esas fechas la introducción de la electricidad en España es todavía reciente.

—¡Pero entonces aquí no se puede hablar de nadie, no se puede defender la higiene, criticar los abusos y perseguir la ignorancia!...

—No, señor, no se puede... en perjuicio de tercero.

—Lo primero es la vida, la salud, la diosa salud.

—No, señor; lo primero es el alcalde, y lo segundo el primer teniente alcalde. Usted sabrá higiene pública; pero yo sé higiene privada.

—Pero su periódico de usted es de intereses materiales...

—Sí, señor, y morales. Y mi único interés moral es que viva el periódico, porque si usted me lo mata, ya no puedo defender nada, incluso el estómago.

El último artículo que publicó Resma en *El Despertador Eléctrico* comenzaba diciendo:

«Esperamos que esta vez nadie se dé por aludido. Vamos a hablar de la terrible enfermedad que azota en toda la comarca al nunca bastante alabado y bien mantenido ganado de cerda...»

Pues por este artículo, que no iba más que con los cerdos, fue precisamente por el que tuvo que abandonar Resma la colaboración de *El Despertador Eléctrico*. No fueron los cerdos los que se quejaron, sino el encargado de demostrar que ya no había cerdos enfermos en la comarca. Este mismo personaje, que se tenía por gran estadista, excelente zoólogo y agrónomo eminente, fue el que años atrás había sido comisionado para estudiar en una provincia vecina el boliche. Parece ser que el boliche es un hierbato[12] importado de América, que se propaga con una rapidez asoladora y que deja la tierra en que arraiga, estéril por completo. Pues nuestro hombre, el de los cerdos, fue a la provincia limítrofe con unas dietas que no se merecía; gastó allí alegremente su dinero, llamémosle así, y no vio el boliche ni se acordó de él siquiera hasta que, poco antes de dar la vuelta para Laguna, un amigo suyo, a quien ha-

---

[12] La acepción del término *boliche* más apropiada al contexto en que se utiliza parece ser la que lo define como un tabaco de clase inferior que se produce en Puerto Rico, aunque podría tratarse asimismo de un neologismo semántico. *Hierbato* es neologismo posiblemente derivado de *hierba* o incluso de *hierbatero*, americanismo que significa 'curandero que cura con hierbas'.

bía encargado que estudiara «aquello del boliche, o San Boliche»[13], se le presentó con una *Memoria* acerca de la planta y una caja bien cerrada, donde había ejemplares de ella. El hombre de los cerdos guardó la caja en un bolsillo de su cazadora, metió en la maleta la *Memoria*, y se volvió a Laguna. Y allí se estuvo meses y meses sin acordarse del boliche para nada y sin que nadie le preguntase por él, porque entonces todavía no estaba Resma en el pueblo, sino en Madrid, estudiando o falsificando su título. Al fin, en un periódico de oposición al Ayuntamiento se publicó una terrible gacetilla, que se titulaba *¿Y el boliche?* El de los cerdos se dio una palmada en la frente y buscó la *Memoria* del amigo, que no pareció. No estaba en la maleta ni en parte alguna, a no ser los dos primeros folios, que se encontraron envolviendo los restos grasientos de una empanada fría. *¡El boliche!* ¿El boliche de la caja? Ése pareció también... en la huerta de la casa. La caja se había perdido; pero el boliche, no se sabe cómo, había ido a dar a la huerta, y allí hacía de las suyas; pasó pronto a la heredad del vecino, y de una a otra saltó a las afueras, se extendió por los campos, y toda la comarca supo a los pocos meses lo que era el boliche y en qué consistían sus estragos. Este hombre de los cerdos sanos y del boliche fue el que hizo a don Torcuato dejar *El Despertador Eléctrico*, porque amenazó con incendiar la imprenta y la redacción y matar al director y a cuantos se le pusieran por delante.

Afortunadamente, por aquellos días, apareció *Juan Claridades*, periódico jocoserio que venía al estadio de la prensa a desenmascarar a Lucrecia Borgia[14], o sea a la descarada inmoralidad, que lo invade todo, etc., etc. ¿Qué más quería don Torcuato? Allí continuó su campaña higiénica, en letras de

---

[13] *San Boliche:* el uso de santos inventados y de carácter burlesco es un recurso muy habitual en géneros como el teatro primitivo y clásico, la novela picaresca, el romancero de burlas y también, en general, en el folklore.

[14] La visión de Lucrecia Borgia como mujer de costumbres disolutas, personificación de la inmoralidad, especialmente a ojos de los literatos del romanticismo, quienes la llegaron a considerar una especie de Mesalina, sirvió de inspiración para ciertas obras literarias y musicales en el siglo XIX, como la *Lucrecia Borgia* (1833) de Victor Hugo, obra teatral en que se basó Felice Romani para escribir la ópera homónima en 1834.

molde. Pero tenía un formidable enemigo. ¿Quién? Don Ángel Cuervo; es decir, nuestro héroe.

III

Don Ángel Cuervo no tenía familia, ni le hacía falta, como decía él, porque en todas las casas de Laguna veía la propia; entraba y salía con la mayor confianza, así en el palacio del magnate como en la cabaña más humilde.

«Yo soy —decía— el paño de lágrimas de toda la población» (y solía limpiarse las narices, al hablar así, con un inmenso pañuelo de hierbas)[15]; tal vez hubiera en esto una asociación de ideas, o por lo menos de pañuelos. Era alto y fornido, no se sabe de qué edad, probablemente de cincuenta años, aunque no se puede jurar que pasaran de cuarenta, o que no fuesen cincuenta y cinco. Era su rostro grande, largo, pero no desproporcionadamente, porque también de pómulo a pómulo había su distancia. En toda aquella extensión de carne, pálida a trechos y a trechos tirando a cárdena, no había más vegetación que monte bajo; es decir, barbas que todo lo invadían, pero afeitadas siempre, y siempre tarde y mal afeitadas. Parecía aquello un milagro; o las barbas le crecían a razón de milímetro por hora, o no se podía explicar cómo don Ángel, jamás barbudo, jamás tenía la cara limpia. ¿Se afeitaba... con tijeras? No se sabe. En fin, no importa; basta figurársele siempre con una barba de tres o cuatro días.

Tenía cuello de toro, y alrededor del cuello un corbatín negro con broches por detrás, que le tapaba la tirilla de la camisa, no muy limpia tampoco ordinariamente. Con esto, y vestir siempre de negro y usar sombrero de copa de forma anticuada y algo grasiento, largo levitón, cuyos faldones, muy sueltos y movedizos tenían aires de manteo, parecía un cura de la montaña, sano, pobre, fuerte y con-

---

[15] *pañuelo de hierbas:* el de tela basta, de tamaño algo mayor que el ordinario y con dibujos estampados en colores comúnmente oscuros.

tento. Disfrutaba un destino muy humilde en el palacio episcopal; pero lo despreciaba, y pocos días asistía a la hora debida, porque su vocación le llamaba a otra parte; a los entierros.

Aludiendo a Cuervo en un artículo, le había llamado Resma «el parásito de la muerte, el bufón de la funeraria».

Aparte del mal gusto de estas frases rebuscadas, semejantes epítetos tenían cierta aplicación exacta a nuestro Cuervo, si se distinguía de tiempos. Era verdad que Cuervo había comenzado por ser un cortesano de la desgracia; es decir, por vivir como podía de la muerte. Era pobre, muy pobre; no tenía hombre[16], y tuvo que ingeniarse para encontrar su cubierto alguna vez en el llamado banquete de la vida. Y para esto acudía al banquete de la muerte[17]; acudía a las casas donde se moría alguien y comía allí con motivo de «no tener ánimo para otra cosa». Después, las relaciones de amistad, que se estrechaban más y más en tan solemnes momentos, le sirvieron para ganar aquel pedazo de pan que le daban en palacio, y también para tener alguna influencia en todas las clases sociales, y explotarla modestamente. Pero esto no le hizo rico, ni poderoso, ni lo que empezó siendo en parte necesidad e industria lícita, y en parte afición ingénita, dejó de convertirse muy pronto en pasión viva, en vocación irresistible. Así es que cuando don Torcuato Resma se atrevió a llamarle en *Juan Claridades* «parásito de la muerte, bufón de la funeraria», ya era nuestro hombre muy otra cosa. «Esta afición mía a los difuntos, a los duelos y a las misas de *Réquiem*, no la puede comprender el espíritu mezquino de ese bachiller pedantón, que pretende sanar a los cristianos con artículos de fondo, siendo él digno de que le asista un veterinario.» Esto decía Cuervo a los numerosos amigos que le venían con cuentos y con artículos del otro.

---

[16] *no tener hombre:* era entonces una frase hecha con la que se designaba a aquel que no tenía protector o favorecedor.

[17] El banquete fúnebre, es decir, la comida a la que se invitaba a los asistentes a la misa de Réquiem por el fallecido, es un uso social o costumbre generalizada en el siglo XIX en muchas zonas del norte de España.

IV

En Laguna se formaron dos partidos, el de Cuervo y el de don Torcuato. El del doctor tenía su órgano en la prensa, *Juan Claridades;* el de Cuervo, no; ni lo quería ni lo necesitaba. «¡Puf! ¡Papeluchos!», decía don Ángel, que despreciaba la prensa local con todo su corazón. Cuervo no escribía, hablaba; pero como él era bienquisto[18] (frase favorita suya) de toda la población, y estaba en todas partes, sus palabras tenían mucha mayor publicidad que los artículos del otro. Hablaba y recitaba letrillas, único género literario que él creía digno de ocupar su ingenio. De noche, en la cama, o tal vez mientras velaba a un moribundo, o cuando después seguía su cadáver camino del cementerio, se entretenía en componer aquellas «cuchufletas», según las llamaba siempre; las aprendía de memoria, daba enseguida la noticia del hallazgo a un amigo íntimo, diciéndole al oído: «Cayó una», y el amigo, delante de otros pocos íntimos, le decía: «Vamos, don Ángel, venga eso...; ya sabemos que cayó otra»; y después de hacerse rogar, sonriendo y rascándose la cabeza someramente, comenzaba con voz muy baja y mirando a las puertas y ventanas, como si temiese que por allí pudiese entrar el *otro:* «¿Quién...? etc., etc.»

Casi todas las letrillas de Cuervo comenzaban así: preguntando quién era esto o lo otro, o quién hacía tal o cual cosa; y resultaba, allá en el estribillo, que era don Torcuato. Podía Cuervo prescindir del *quien;* pero de los interrogantes, difícilmente; y de los estribillos de pie quebrado, de ninguna manera. Tenía el ingenio satírico muy en su punto, y la conciencia de él; pero no creía posible que la sátira pudiese tener otra forma que la letrilla; ni la letrilla podía en rigor prescindir del pie quebrado[19]. En cuanto a los ripios, no le arredraban, y

---

[18] *bienquisto:* estimado y querido por todos, de buena fama.
[19] *letrilla:* composición poética, amorosa, festiva o satírica, que se divide en estrofas, al fin de cada una de las cuales se repite ordinariamente como estribillo el pensamiento o concepto general de la composición, expresado con bre-

con un candor que los legitimaba hasta cierto punto, empleábalos sin miedo, y aun en dar con los más rebuscados fundaba el *quid* del arte, por lo que toca a la expresión. Así, por ejemplo, si para insultar al *otro* le llamaba por el apellido, ya se sabía que había que decir: «¿Quién con cara de Cuaresma?...», etc. Y después venía infaliblemente en un verso de dos sílabas, con punto y aparte, como decía don Ángel; venía, digo, *Resma.* Y si le preguntaban: «Pero, don Ángel; ¿qué pito toca ahí la Cuaresma?», se encogía de hombros y solía decir: «Sic vos non vobis.» Latín que, según él, no pasaba de ahí, y significaba: «Esto no es para vosotros»[20]. Porque es de notar, siquiera sea de paso, que aunque Cuervo había estudiado en el Seminario hasta el segundo año de Filosofía, y no había sido mal estudiante, desde el punto y hora en que se decidió a ahorcar los hábitos, se propuso olvidar la *traducción y el orden* (frase suya)[21], y lo consiguió a poco tiempo. A pesar de esto, su excelente memoria conservaba casi todo el Nebrija[22] sin entender palabra, muchos versos y cerca de medio misal romano[23]. La misa de difuntos y casi todos los cantos relativos al entierro y demás ceremonias fúnebres, es claro que los sabía con las notas correspondientes del sonsonete religioso, y tampoco paraba mientes en la traducción que pudieran tener.

---

vedad; *pie quebrado:* verso corto, de cinco sílabas como máximo, y de cuatro generalmente, que alterna con otros más largos en ciertas combinaciones métricas.

[20] *Sic vos non vobis:* 'Así vosotros, no para vosotros'. Según una leyenda transmitida por Donato, un poeta insignificante llamado Batilo hizo pasar por suyos unos dísticos que Virgilio había escrito sobre la puerta del palacio de Augusto, obteniendo por ello dinero y gloria. Virgilio, dolido, escribió esa famosa frase a la que añadió unos versos que encabezó con la siguiente crítica: «Yo hice estos versos, otro se llevó los honores», que explicaba el sentido y origen del *sic vos non vobis* que Cuervo traduce a su manera del latín.

[21] *traducción y orden* eran dos niveles propios de la enseñanza del latín, griego y hebreo. Además, el concepto de orden guarda posiblemente relación con el *orden sacerdotal* y la disciplina que lo caracteriza.

[22] Se trata seguramente de las *Introductiones Latinae,* todavía libro de texto de muchos centros de enseñanza a finales del siglo XIX, que contó con numerosas ediciones en latín y castellano durante todo el siglo.

[23] *misal romano:* se dice del libro en que se contiene el orden y modo de celebrar la misa, según el rito latino.

V

Antes que Resma anduviese por el mundo, o por lo menos antes que fuese médico, si lo era, que eso ya se averiguaría, estaba cansado Cuervo de saber que en Laguna se moría mucha gente. ¿Y qué? ¡Vaya una novedad! Él, que iba de aldea en aldea por todas las de la comarca, y comía en casa de todos los curas del contorno, estaba cansado de oír que no había en toda la diócesis parroquias como aquellas parroquias del ayuntamiento de Laguna, así las del casco de la ciudad como las de fuera, en materia de pitanzas[24]. ¿Por qué? Pues, claro, por eso; porque había muchos entierros y muchas misas de funeral. ¿Qué clérigo de cuantos concursaban no sabía eso? ¿Qué sacristán ni acólito lo ignoraba? ¿Quién no envidiaba a los acólitos, sacristanes, coadjutores, ecónomos y párrocos de Laguna?[25]. Pero esto era bueno para sabido por los de la *clase*[26], y para callado. La alegría de los lagunenses era proverbial en toda la provincia; ¿por qué turbarles el ánimo con tristes enseñanzas? Ni ellos querían ver el mal, ni mostrárselo era más que una crueldad inútil, porque no tenía remedio. No; no lo tenía, en opinión de Cuervo y los suyos. La higiene..., la estadística, las tablas de la mortalidad... Quetelet...[27], el tér-

---

[24] *pitanzas:* precio o estipendio que se da por una cosa. En este caso, los honorarios que reciben los clérigos por el entierro y las misas que dicen por el difunto.

[25] *acólito:* en la jerarquía eclesiástica, seglar cuyo oficio es servir al altar durante las celebraciones litúrgicas; *coadjutor:* eclesiástico que tiene título y disfruta dotación para ayudar al cura párroco en la cura de almas; *ecónomo:* clérigo que sirve un oficio eclesiástico cuando está vacante, o cuando, por razones legales, no puede el propietario desempeñarlo.

[26] Con el término *clase* se alude al estado eclesiástico, al clero.

[27] *Adolphe Quetelet* (1796-1874) subrayó la regularidad en el campo de los acontecimientos sociales, y observó, además, que dicha regularidad suele ajustarse a una curva de distribución. De ahí el concepto de hombre medio, que ocupa un lugar central en su teoría, según la cual existe un arquetipo común que sería el paradigma de todos los hombres; y que es consecuencia de las semejanzas físicas y morales entre ellos. Él fue el primero en revelar la posibilidad de usar la estadística como instrumento de medición de los fenómenos sociales.

mino medio..., conversación. Los antiguos no sabían de términos medios, ni de Quetelet, ni de estadísticas, ni de higiene, y vivían más que los modernos.

A don Ángel le ponía furioso la cuenta que Resma echaba para demostrar que «hoy vivimos más que nuestros antepasados».

—¡Es un majadero! —gritaba Cuervo—; figúrense ustedes que dice que vivimos hoy más..., por término medio, ¿Qué es eso de vivir por término medio? Yo, sí, pienso vivir mucho, tanto como el más pintado de nuestros ilustres ascendientes; pero no pienso vivir por término medio, sino todo entero, como salí del vientre de mi madre. Mediante una cuenta de dividir, o de quebrados, o no sé qué engañifa, ese señor Resma saca la cuenta de lo que nos toca a cada quisque estar en este mundo; y, según esa cuenta, resulta que yo estoy de sobra hace muchos años. Y a eso le llaman higiene, o geografía, o democracia, y dicen que lo dijo San Quetelé o San Tararira. ¿Y lo del agua? De todo le echa la culpa al río, y dice que por el río puede venir la peste, y que se filtran por las capas de la tierra no sé qué diablos de animalejos que nos envenenan; y cita ejemplos de cosas que pasaron allá en tierras de franchutes, tal como el haber echado entre el estiércol de un corral no sé qué sustancias que solitas pian, pianito, vinieron por debajo de tierra para envenenar el río y después hacer que reventaran los vecinos de no sé qué ciudad ribereña... ¿Habrá embustero? —Y entusiasmándose, añadía Cuervo—: Por algo se dijo aquello de:

¿Quién con cara de Cuaresma,
renegando del bautismo,
puso al agua en ostracismo?
Resma.
¿Quién hace pagar el pato
a Perico el fontanero
diciendo que hay un regato[28]

---

[28] *regato:* charco que se forma de un arroyuelo o el arroyuelo mismo. No es casual que en el capítulo XI Regatos sea el nombre que reciba la aldea a la que se dirigen Antón y Cuervo para un entierro.

que envenena al pueblo entero?
Don Torcuato,
¡Don Torcuato el embustero!

VI

Don Ángel no perdonaba medio de desacreditar al otro. Para ello mentía si era preciso. De él salió la sospecha de que el título de Resma pudiera ser falso. Aquel rumor, que él fue alimentando, se convirtió en una intriga de partido más adelante; y combinadas las fuerzas de los *cuervistas* o antehigienistas con las del bando político contrario *al en que militaba* don Torcuato, se fue condensando la nube que al fin estalló sobre la cabeza del pobre médico, que tuvo que escapar del pueblo, acusado, no se sabe si con razón, de falsario.

Respiró todo Laguna; respiró el alcalde; respiró el director del hospital; respiró Perico el fontanero; respiraron también el capellán del cementerio, los matarifes, las pescaderas, el señor del boliche, y respiró Cuervo, que si era cruel con su enemigo, tenía la disculpa de que él también defendía su reino.

Sí, su reino, que no era de este mundo ni del otro, sino un *término medio* (dicho sea con su permiso)[29]. Su reino estaba con un pie en la sepultura.

Y, sin embargo, nada menos fúnebre y ajeno al imperio pavoroso de las larvas que la vida y obras, ingenio y ánimo, gustos y tendencias de don Ángel.

Así como pudo decirse con razón, de Leopardi[30], que en su poesía desesperada, a pesar de que la inspira la musa de la

---

[29] Juego verbal en que se ponen en relación las palabras de Cristo en Juan 18, 36: «Mi reino no es de este mundo» y la teoría del «hombre medio» de Adolphe Quetelet.

[30] La poesía de Giacomo Leopardi (1798-1837), escritor italiano nacido en Recanati, aparece imbuida de un gran pesimismo, justificado por los sufrimientos físicos y las circunstancias de su vida errabunda. Además de los *Idilli* y las *Canzoni* destacan sus *Canti*, que representan la lucha entre el pesimismo del poeta y sus ideales perdidos. En sus *Diálogos filosóficos*, Leopardi deja constancia de su concepción de la muerte. Clarín se sintió atraído por el pensamiento encerrado en la poesía del escritor italiano y, en más de una ocasión, mostró su admiración hacia él.

muerte, no hay nada que repugne a los sentidos, porque allí no se ve el aparato tétrico y repulsivo del osario, ni se huele la podredumbre, ni se ve la tarea asquerosa de los gusanos, ni se oyen los chasquidos de los esqueletos, del propio modo en la persona de Cuervo y en su ambiente se notaba una especie de pulcritud moral, en que la limpieza consistía en la ausencia de todo signo de muerte, de toda idea o sensación de descomposición, podredumbre o aniquilamiento.

Justamente las grandes y arraigadas simpatías que don Ángel se había ganado en toda Laguna y sus parroquias rurales nacían de esta atmósfera de vida, robustez, apetito y sosiego que rodeaba a nuestro hombre. Había quien aseguraba que con verle se les abrían las ganas de comer a las personas afligidas por un duelo. Si algún lector supone que esto es inverosímil, recordando que don Ángel vestía de negro y enseñaba apenas un centímetro de cuello de camisa, y esto poco no muy blanco, a ese lector le diré con buenos modos que por culpa de su indiscreta advertencia tengo que declarar lo siguiente: que la limpieza material no había sido una de las virtudes cívicas por las cuales había ganado la ciudad años atrás el título de heroica y muy leal; los lagunenses, que cuando eran alcaldes o barrenderos no barrían bien las calles, y que fuesen lo que fuesen las ensuciaban sin escrúpulo, no tenían clara conciencia de que Mahoma había obrado como un sabio imponiendo a sus creyentes el deber de lavarse tantas veces[31]. Ciudadano había que se estimaba limpio de una vez para siempre, después de recibir el agua bautismal. Pero dejo este incidente enojoso e importuno.

Sí, lo repito; Cuervo, sea lo que quiera de su limpieza material, era la alegría de los duelos. Me explicaré. Pero antes, y por no faltar al orden, considerémosle en sus relaciones con los moribundos y su familia.

---

[31] Según dicta su religión, los musulmanes deben rezar su oración cinco veces al día, la cual debe ir precedida de la ablución, la acción de purificarse por medio del agua; un rito que consiste en lavarse el rostro, las manos, los antebrazos y los pies, y humedecer la cabeza, con el fin de realizar la oración en estado de pureza.

No visitaba a los enfermos mientras ofrecían esperanzas de vida. No era su vocación. Él entraba en la casa cuando el portal olía a cera y en las escaleras había dos filas de gotas amarillentas, lágrimas de los cirios. Entraba cuando salía el *Señor*[32]. Llegaba siempre como sofocado.

«¡No sabía nada, no sabía que la cosa apuraba tanto!»... Hablaba más alto que los demás; pisaba con menos precaución y respeto; no temía hacer ruido; traía de la calle un aire de frescura y de esperanza. Ante los extraños, merced a signos discretísimos, casi imperceptibles, pero muy significativos, daba a entender que se hacía el tonto para animar a la familia.

A ésta le hablaba de la vida, de la salud del moribundo, como cosa que volvería probablemente. «Los médicos se equivocan muy a menudo.»

Y en tanto iba y venía y tomaba sus determinaciones, preparándolo todo, metiéndose en todo, con la maestría de la experiencia y de la vocación del arte. Entraba en la alcoba del moribundo, sin miedo, ni aspavientos, ni escrúpulos de monja, como él decía. Si el paciente *no daba pie ni mano*[33], mejor; pero si no había perdido el conocimiento, había que atenderle y mimarle. Las manos de Cuervo, blandas y grandes, movían el cuerpo de plomo con habilidad de enfermera, sin lastimarle y con la eficacia precisa. Nadie como él para engañar al moribundo con las esperanzas de la vida, si eran oportunas, dado el carácter del enfermo. Era también muy discreto cortesano del delirio, como hubiera dicho Resma; los disparates de la imaginación que se despedía de la vida con una orgía de ensueños, los comprendía Cuervo a medias palabras; por una seña, por un gesto; casi los adivinaba; y con la misma serenidad con que daba vueltas al pesado tronco, se atemperaba al absurdo, y veía las visiones de que el enfermo hablaba, *si-*

---

[32] Jesucristo en la Eucaristía.
[33] *no daba pie ni mano:* permanecía inmóvil, sin fuerza alguna.

guiéndole el humor a la fiebre con santa cachaza[34], con una habilidad caritativa que las Hermanitas de los Pobres[35] admiraban, como obra maestra del arte delicado que cultivaban ellas también.

Ni el ojo avizor de la más refinada malicia podría notar en aquel trato de don Ángel con los moribundos un asomo de impaciencia contenida. Había sin embargo, esa impaciencia; pero ¡qué recóndita, o, mejor, qué bien disimulada!

Sí, don Ángel tenía *prisa;* no era aquélla su verdadera especialidad; sabía tratar bien a los desahuciados, porque este trato era como una ciencia auxiliar que servía de introducción a las artes de su vocación verdadera.

—Si yo manejo tan bien a los moribundos —decía él en el seno de la confianza—, es por la gran experiencia que he adquirido zarandeando cadáveres al ponerles la mortaja y demás. El secreto está en moverlos como si fueran cuerpo muerto, en cuanto a lo de no contar con su ayuda, y en cuanto a lo de moverlos con cierto respetillo que inspira la muerte.

Por fortuna, si así puede decirse, los que estaban muriendo no podían adivinar en el contacto de don Ángel lo que él pensaba al tocarlos.

Era muy partidario de *darle al enfermo lo que pidiera,* sobre todo comida fuerte, si lo pedía el cuerpo. Parecía querer alimentar al que agonizaba, para un viaje largo. Había en este afán suyo tal vez reminiscencias de las religiones antiquísimas que rodeaban los cadáveres de provisiones, allá para la vida subterránea. Pero lo que había de seguro en esto, como en todo lo que se refería a don Ángel, era la ausencia completa de toda idea fúnebre, de todo sentimiento tétrico enfrente de la muerte del prójimo.

---

[34] *siguiéndole el humor a la fiebre con santa cachaza:* aparentando conformidad con los delirios del enfermo provocados por la fiebre y haciéndolo con admirable paciencia.

[35] *Hermanitas de los pobres:* congregación católica fundada en Saint-Servan (Francia) por Jeanne Jugan en 1839; su fundación en España data de 1863 cuando se estableció en Barcelona. Se dedica a la asistencia de hombres y mujeres ancianos e indigentes que tengan por lo menos sesenta años de edad. Para las necesidades de sus asilados y de la institución cuentan sólo con la caridad, no teniendo renta alguna, y los recursos los obtienen mendigando.

VIII

Las tristes escenas y lances que precedían a la *defunción* eran menos interesantes para Cuervo que los lances y escenas que venían después. No obstante, algo había a veces, anterior a la consumación de la desgracia, que le parecía de perlas; era lo que él llamaba *la noche del aguardiente*[36]. Con el ojo certero que todos le reconocían, anunciaba siempre cuál sería la *última noche*, y aquélla la pasaba él en vela en casa del paciente. Dos condiciones exigía: que se acostasen los de la familia, y aguardiente y pitillos a discreción. Si alguna persona muy allegada al enfermo se empeñaba en velar también, don Ángel, o se marchaba, o dividía a la gente en dos secciones, y él se iba con los que *se quedaban, por si ocurría algo,* a una habitación lejana, que cerraba por dentro. Lo mejor era que aquella noche no velasen ni esposo, ni padre, ni hijos, ni demás parientes cercanos. Entonces sí que gozaba de veras don Ángel, sin malicia alguna y sin algazara, que sería monstruosa profanación; gozaba sin darse cuenta de ello, saboreando el placer recóndito, que era el alma, la más profunda médula de toda esta pasión invencible de nuestro hombre; un placer de que no podía acusarse, porque lo sentía sin reconocer su naturaleza, y consistía en saborear la vida, la salud, el aguardiente, el tabaco, la buena conversación.

Jamás había comunicado a nadie la idea de esta sensación, de una voluptuosidad intensa, perezosa, profundamente animal, arraigada en la carne con garras de egoísmo; jamás tampoco los demás le habían hablado a él de sensación parecida. Y, sin embargo, Cuervo conocía por mil señales que todos sentían cosa semejante a lo que pasaba por él. Ello era allá, a las altas horas de la noche; el moribundo algo lejos; por medio, puertas y pasillos; la habitación donde se velaba, más caliente, gracias al fuego de la estufa o del

---

[36] *la noche del aguardiente:* este rito, junto a otros presentes a lo largo del cuento, relacionados con los usos sociales en torno a la muerte, aparece documentado en Asturias.

brasero y a la transpiración de los cuerpos; el humo de los cigarros se cortaba en la atmósfera; se hablaba en voz baja, pero algunos, por ejemplo, Cuervo, roncaban al hablar, dejaban escapar gruñidos y silbidos, válvulas por donde se iba el aire, la fuerza de la salud rebosando en los fornidos hombrachones. La conversación se animaba a impulsos del aguardiente, por inspiraciones del humo. Si asomos de hipocresía cortés o piadosa había al principio, íbanse al diablo luego, y todos, seguros de hacer una buena obra velando, dejaban al cabo asomar la fresca sonrisa del egoísmo satisfecho de la salud fortificante. Pronto se dejaban a un lado las alusiones al enfermo; se convertía todo lo que a él se refiriese en lugar común ya insoportable; llegaba a ser así, como de mal gusto, hablar de él, ni para compadecerle ni para envidiarle si acababa pronto de padecer, etc., etc.; se hablaba de otra cosa, de cosas de fuera, de lejos: de la vida, del sol, de la luz, de la nieve, de la caza.

Tal vez se había comenzado por cuentos de miedo, por chascos de fantasmas; pero pronto se pasaba a los sustos reales, a los que daban ladrones de carne y hueso; del ladrón se iba al héroe o al vencedor; la fuerza, el peligro frente a la fuerza, ésta triunfando, y la reposada narración y descripción plasmante de los buenos bocados tras los momentos de apuro, recuerdos suculentos, que hacían deglutir imaginarios manjares, abrían el apetito, poniendo en movimiento otra vez el queso, el pan, el aguardiente. Solía entrar alguna mujer, una criada, una amiga de los amos, una monja de buen color, con ojos frescos. Cosa rara; sin pensarlo ellos, sin quererlo nadie, por el contraste, por la hora, por el frío soñoliento del alba, por lo que fuese, como en los viajes, como en las campañas, aquella mujer era el símbolo de todo el sexo; sus ojos equivalían a una desnudez, pinchaban; si se recataban, peor, pinchaban más. Los contactos eran eléctricos, y cuanto más calladas, disimuladas y rápidas estas sensaciones extrañas, inverosímiles, más íntimo el placer, en que la reflexión no sabía o no quería pararse.

Pero el placer no necesitaba de nadie para tener conciencia de sí mismo, a su modo, y así era más feliz. Esto que sentía así, pero sin pensarlo y menos describirlo, don Ángel Cuervo, creía él que era ley natural en igualdad de circunstancias. Sólo exceptuaba al enfermo y a los que tenían sangre de su sangre, o por amor, raro en el mundo, le amaban de veras, por su sangre también. En los tales notaba Cuervo signos de impresiones un poco extrañas, pero de otra índole, egoístas también, de otro modo. A los nerviosos los veía huir del dolor, sin conocer la huida, como recluta que recibe el bautismo de fuego, y sin pensarlo dobla la cabeza al silbar de las balas... Oía a veces carcajadas inoportunas, que no tomaba a mal porque nada malo revelaban, sino juegos extravagantes de nuestro misterioso organismo... Pero en estas y otras honduras no le agradaba entrar; él era de *los de fuera,* y así como prefería el trato del cadáver ya en el féretro, al trato del moribundo, también escogía, a poder, la compañía de los amigos y parientes lejanos. Los *del dolor físico,* los que se separaban a la fuerza del muerto, eran pedazos de las entrañas arrancados recientemente al difunto; padres, hijos, esposos, llevaban todavía en el cuerpo señales de la *fractura,* parecían cachos del *otro,* daban tristeza; no, no era ésta, todavía, ocasión de estar a su lado, tranquilo.

Más adelante... lo más pronto al volver del entierro; entonces ya les encontraba otro aspecto; ya empezaban a vivir por sí mismos. Antes no; eran pedazos animados del difunto. Después, a la vuelta, la viuda ya se había recogido el pelo, se había echado un pañuelo sobre los hombros; el hijo se había puesto una levita. Y la levita y el chal por esta parte, y las paletadas de cal y tierra por la parte del muerto, los iban separando, separando...

IX

Creo haber dicho ya, que la frase *bien quisto* era muy del agrado de don Ángel; y no sólo amaba la frase, sino lo que significa; le encantaba el aprecio general, y no porque de esto venía a vivir, pues sus rentas consistían principalmente en lo que se guisaba en las cocinas amigas; sino por el aprecio mismo, por entrar y salir como Pedro por su casa en todos los hogares. No, no era un parásito en el sentido de que explotase sus relaciones con reflexión y cálculo; no pensaba en eso; era un idealista, un artista a su modo; comía donde le cogía la hora de comer, pero sin fijarse, como la cosa más natural del mundo, cual si el tener un sitio suyo en todos los comedores de la ciudad, fuese una ley social que no podía menos de cumplirse.

Dejemos cuanto antes este aspecto mezquino, prosaico, ruin, de la vocación de Cuervo, aspecto a que él no daba importancia; despreciemos a los mal pensados, como él los despreciaba. Cuervo, además de tener asegurado el pan de cada día, *se sentía* hombre de influencia; muchos personajes de provincias, y algunos de la corte que tenían en Laguna residencia de verano, estimaban a Cuervo en lo mucho que valía, y a una recomendación suya atendían muchas veces antes que a la de un elector con docenas de votos. Pero él no solía sacar partido de esta ventaja; a lo que estaba, estaba; se contentaba con ser admitido y agasajado en la más escogida sociedad, lo mismo que en la casa más humilde.

Gracias a este trato continuo con los altos y los bajos, había adquirido cierta soltura y equitativa independencia de maneras sociales que le hacían semejarse en este punto a esos grandes señores de verdad que saben ser *aristocráticamente democráticos,* y, sin dejar de apreciar los *matices* de la clase y de la educación, estimar como la primera y la más respetable la condición humana, y dentro de ésta, los grados de la debilidad y la desgracia.

Además, no era un adulador. Era un corruptor, pero sin echarlo de ver él, ni los que experimentaban su disolvente influencia. Ayudaba a olvidar; era un colaborador del tiempo. Como el tiempo por sí no es nada, como es sólo la forma de los sucesos, un hilo, Cuervo era para el olvido de eficacia más inmediata, pues presentaba de una vez, como un acumulador[37], la fuerza olvidadiza que los años van destilando gota a gota. Don Ángel vertía a cántaros el agua del Leteo[38].

---

[37] *acumulador:* aparato o dispositivo que almacena energía con el fin de tenerla dispuesta para un posterior consumo en el caso de que falte.
[38] *el agua del Leteo:* la del olvido. En la mitología griega, el Leteo era uno de los ríos de los Infiernos. Sus tranquilas aguas hacía olvidar su pasado terreno a los muertos que de allí bebían.

Al volver de un entierro a la casa *mortuoria*, por la puerta que a él se le abría parecía entrar el aire fresco de la vida, la alegría de la naturaleza inconsciente, el cándido egoísmo de las fuerzas fatales. Era el primero que hacía sonreír a la viuda, al huérfano. Los padres solían ser refractarios..., pero al fin sucumbían; sonreían también. Llenaba la sala oscura y las fantasías de cosas del mundo; discretamente, con medida, pero sin miedo ni hipocresías de rodeos, se convertía en un periódico noticiero del día de la fecha, y tenía el instinto seguro de los acontecimientos más a propósito para recordar la vida, la actividad, la salud, la fuerza, el movimiento, todo lo contrario de la muerte.

También aludía a la ceremonia reciente, al entierro, a los funerales, pero sin citar al protagonista; hablaba del *coro*, de lo lucido que había estado. Y sin insistir, se refería de pasada a las buenas relaciones de la familia. Sembrada esta primera semilla, vertido este primer chorro de agua del olvido, Cuervo dejaba a las *visitas* prodigar sus consuelos vulgares, y se metía por la casa adentro. Iba a la cocina; si allí había desorden, rastros de la enfermedad, descuidos consiguientes a los días de apuro, él procuraba que desapareciesen tales huellas; la cocina era para los vivos; ¡todo en su sitio! Había que alimentar bien a la *señorita* o al *señorito* para que no sucumbiera al dolor. Y comenzaba a sonar la maquinaria de aquella fábrica de conserva humana; gruñía el vapor, saltaba la chispa, chisporroteaba la lumbre, chillaba el aceite y era el conjunto animado de tal orquesta un *ergo vivamus*, que sustituía al *ergo bibamus*[39], que no sería allí oportuno, aunque viniese a decir lo mismo.

De la cocina don Ángel pasaba al comedor; preparaba, o retocaba al menos, la mesa, y hasta no tenía inconveniente en aclarar un vaso o pasarle el rodillo[40] a un plato; porque él que-

---

[39] El *ergo bibamus*: 'bebamos, pues' podría tener su origen en una antigua canción goliardesca de carácter estudiantil. *Ergo vivamus*: 'vivamos, pues', es una invitación a la vida que podría proceder de unos versos de Catulo.

[40] *rodillo:* voz dialectal asturiana *(rodiellu)*, aunque en castellano existe con el mismo significado la palabra *rodilla*. Paño ordinario y basto, comúnmente de lienzo, que se utiliza para limpiar, en especial en la cocina, y específicamente, para secar platos, limpiar cristales, etc.

ría el servicio como los caños del agua, como la plata; y si bien no tenía nada de particular que los criados, con la pena... de los amos, olvidasen el fregoteo, allí estaba él para suplir faltas. Y seguía su inspección por la casa adelante, vertiendo vida por todas partes, borrando vestigios del *otro*, del difunto, como desinfectando el aire con el ácido fénico[41] de su espíritu incorruptible, al que no podía atacar la acción corrosiva de la idea de la muerte.

Por fin, llegaba a la *jaula vacía*, a la alcoba del *enemigo*, porque en adelante ya lo era el difunto. Comenzaba la guerra sorda, irreflexiva. ¡Abrir ventanas! Venga aire, fuera colchones; todo patas arriba, aquí no ha pasado nada. Como no hubiera orden expresa en contrario, y a veces aunque la hubiera, Cuervo transformaba el escenario de repente como el mejor tramoyista; y a los pocos momentos nadie reconocía la habitación en que había resonado un estertor[42] horas antes.

No se podría decir si al que de allí había salido le estaban bautizando en la iglesia o enterrando en el cementerio. Pero faltaba lo principal, la escena, o serie de escenas, a solas con el *que quedaba*, con la *viuda*, con el hijo...

X

La viuda joven y de buen ver era el *caso* que Cuervo prefería para ir presentando la guerra al muerto. Sin pesimismo de ningún género, sin filosofía misantrópica, don Ángel veía en los ojos llenos de lágrimas una hipocresía inocente. Entraba desde luego en el terreno de las confidencias y daba por sabido que el dolor tiene sus límites, y que, no siendo hacedero moralmente acompañar al difunto, pues el suicidio está prohibido, no había más remedio que seguir viviendo; y ya de vivir, ¡qué caramba!, debía ser de la mejor manera posible. «Tome usted este espejo.» «Hay que arreglar ese peinado.»

---

[41] *ácido fénico:* sustancia cáustica y de olor fuerte, que se emplea normalmente como desinfectante muy enérgico.

[42] *estertor:* respiración anhelosa, generalmente ronca o silbante, propia de la agonía y del coma.

«¡Qué tristeza! ¡Quedar tan joven en el mundo sin compañero que ayude a llevar la carga de la vida!» «Pero el tiempo es largo.» Y todo lo que hacía Cuervo era una especie de seducción que ayudaba, con rodeos y disimulos, eufemismos y elipsis, a seguir las tendencias del egoísmo que busca el placer, que huye del dolor por instinto, y que en la vecindad de la muerte siente con nueva fuerza, picante, irresistible, el ansia de querer vivir a toda costa y siempre. Vivir para gozar. Cuervo se daba arte para irritar en la viuda el sentido íntimo de la salud, del bienestar que busca expansión; las esperanzas lejanas que se ofrecían por diabólica influencia a la imaginación de la enlutada, Cuervo las adivinaba y las traía a la actividad para darles fuerza plasmante, despojándolas de todo aspecto de remordimiento. No lograba tales resultados con discursos, con disertaciones, sino con frases hechas, tomadas de la que suele llamarse sabiduría popular, y sobre todo, con hechos, con asociaciones de imágenes y de citas que llevaban, como por una pendiente irremediable, al amor de la vida y al olvido de la muerte.

Su convicción instintiva, fuerte, aunque sin reflexionarlo, la iba comunicando Cuervo, sin darse cuenta de ello, a la mujer hermosa, robusta, que quedaba en el mundo sola y libre. En adelante, Cuervo, a pesar de su aspecto poco pulcro, casi fúnebre, representaba la vida, el placer futuro, la efectividad de la dicha saboreada poco a poco, con deleite. Se establecía un pacto tácito; don Ángel venía a ser *la Celestina* de estas relaciones ilícitas entre la viuda y la infidelidad futura, el amor repuesto, la voluptuosidad aplazada.

Los hijos que heredaban algo eran otro *caso* que agradaba también a Cuervo. Pero aquí se luchaba menos; se iba con más franqueza a la seriedad del negocio, a la importancia de la vida llena de faenas, de actividad interesada; y sin escrúpulos y paráfrasis, se iba dejando en la sombra lo que estaba destinado al olvido. Para Cuervo, debía considerarse que el alma del difunto, por una rara manera de *avatar*[43], pasaba a la herencia; hablar del testamento, ¿no era hablar del muerto? El espíritu, al eva-

---

[43] *avatar:* reencarnación, transformación.

porarse, se incorporaba a los *bienes* de la sucesión, como su perfume. Pensaba Cuervo: si la ley se hubiera andado con sentimentalismos, no tendríamos una tan rica y variada legislación relativa a las sucesiones testadas y abintestato[44]. El derecho, la justicia, se quedan con los vivos; para ellos hablan. La vida es todo, por eso se atiende a ella en los Códigos; la muerte no es nada, no es más que una aprensión de los vivos. Estar muerto no *es estar*, es *no estar...* vivo. Y esta filosofía espontánea llevaba a don Ángel a los testamentos y a los codicilos[45] como a un teatro. Legados, particiones, curatelas... mejoras, legítimas[46]... todo esto era un emporio de vida, de animación de interés, de pasiones, que brotaban, por enjambres, de la muerte.

No sólo de los humores del cuerpo que cubría la tierra brotaban flores y frutos; también había *frutos civiles*, que brotaban del simple *fallecimiento...* Primero el entierro, las pitanzas, los derechos de la parroquia, los funerales, la música..., después los derechos de la Hacienda por transmisión de dominio, la liquidación, las hijuelas, el notario, probablemente la curia, los peritos...[47]. ¡Todo un mundo bullicioso, interesado, ardiente en la lucha, surgiendo de aquel hecho puramente negativo: la muerte!

---

[44] *sucesión testada:* la que se regula por la voluntad del causante, declarada con las solemnidades que exige la ley; *sucesión abintestato:* 'sin testamento', la de quien muere sin testar, sin haberlo hecho legalmente o habiéndose anulado el testamento que hizo.

[45] *codicilo:* toda disposición de última voluntad que no contiene la institución de heredero y que puede otorgarse en ausencia de testamento o como complemento de él.

[46] *legado:* disposición que en su testamento o codicilo hace un testador a favor de una o varias personas naturales o jurídicas; *partición:* división o repartimiento que se hace entre algunas personas, de hacienda, herencia o semejante; *curatela* (sufijo por analogía con *tutela*), *curaduría:* cargo de *curador:* persona elegida o nombrada para cuidar de los bienes o negocios de un menor, o de quien no está en estado de administrarlos por sí mismo; *mejora:* porción que de sus bienes deja el testador a alguno o algunos de sus hijos o nietos, además de la legítima estricta; *legítima:* porción de la herencia de que el testador no puede disponer libremente, por asignarla la ley a cada uno de los hijos legítimos a la muerte de los padres.

[47] *hijuela:* documento donde se reseñan los bienes que tocan en una partición a cada uno de los partícipes en el caudal que dejó un difunto; *curia:* conjunto de abogados, escribanos, procuradores y empleados en la Administración de Justicia.

La muerte no era nada; pero la vida, al atribuirle una forma, la poetizaba, y esta poesía de la *estética de la muerte*, que él no llamaba así, por supuesto, era lo que mejor comprendía y sentía Cuervo, el cual, si al manejar con esmero los cuerpos moribundos, y al asistir a la visita de duelo y consolar a los *que quedaban*, trabajaba por los demás, y cumplía con las hipocresías sociales, lo que es, al seguir al *cadáver* al cementerio, al presenciar los funerales, vivía para sí, satisfacía, ya tranquila la conciencia, los propios apetitos, su pasión inconsciente del contraste de la muerte *ajena* y de la salud *propia*. En tales deliquios tenía su confidente; *Antón el bobo*.

XI

Antón el bobo y Cuervo se habían conocido en un entierro, al borde de una sepultura. El duelo, aunque se despedía en el cementerio, según rezaban las esquelas, se había quedado atrás, muy atrás, por no atreverse con el lodo de la carretera; y como en Laguna no iban coches a los entierros, sólo los valientes, los verdaderos aficionados, habían osado llegar a la lejana necrópolis, como llamaba *El Despertador Eléctrico* al camposanto. Los curas que se despedían siempre del difunto en la *casilla del resguardo*[48], habían vuelto la espalda al que dejaban entregado a la Justicia ultratelúrica; y el carro fúnebre con la gente de servicio y un criado del difunto habían emprendido cuesta arriba el fin de la jornada.

Antón el bobo se detuvo para doblar los pantalones, que no quería manchar de barro; y al levantar, sonriendo, la cabeza, vio que un señor que parecía clérigo vestido de paisano, le imitaba y sonreía también. Y los dos, sin hablarse todavía, con los pantalones remangados, siguieron al muerto. Poco después, cuando el capellán del cementerio rezaba las últimas oraciones al que había bajado al hoyo, atado con sogas de esparto, Cuervo y Antón volvieron a reunirse, sonriendo otra

---

[48] *casilla del resguardo:* albergue destinado al cuerpo de empleados que custodian un paraje, litoral o frontera, con el fin de evitar que se introduzcan géneros de contrabando o que entren sin pagar los derechos.

193

vez los dos al decir *Amén* a los latines del clérigo. Y al mismo tiempo, Cuervo y Antón se inclinaron hacia la tierra para recoger terrones amarillentos y pegajosos, que besaron y solemnemente dejaron caer sobre la tapa del féretro.

—Retumba, ¿eh? —dijo Antón el bobo, acercándose familiarmente a Cuervo, riéndose francamente y tocando en el hombro a nuestro protagonista.

—Sí, retumba —contestó Cuervo, que acogió con simpatía la familiaridad y la observación de aquel desconocido.

El bobo repitió la experiencia; arrojó otro pedazo de tierra húmeda y pegajosa sobre la caja, y volvió a decir:

—¡Retumba!

Salieron juntos del cementerio, y cuesta abajo, camino de Laguna, se hicieron amigos.

Les parecía imposible no haberse encontrado antes. Recordaban entierros famosos a que los dos habían asistido. Y nunca se habían visto. Tenían los mismos conocimientos en la sociedad de curas y sacristanes, enterradores y demás personal de la administración de la muerte.

El tonto *discurría* perfectamente en materia de servicios fúnebres. Cuervo apoyaba con sinceridad todas sus afirmaciones. Sin duda hablaba de memoria; repetía lo que había oído. Ello era que en la absoluta indiferencia con que Antón miraba el doloroso aparato de la muerte, y en el placer con que saboreaba los elementos pintorescos y dramáticos de los entierros, Cuervo veía un espejo de sus aficiones, ideas y sentimientos.

Era Antón un mozo de treinta años, pálido, afeitado, como Cuervo, de ojos apagados, y llevaba el hongo negro, flexible, metido hasta las orejas; sobre los hombros encorvados, había siempre colgada una esclavina[49] azul, muy larga, con broches de metal blanco. Supo don Ángel que su amigo vivía de sus rentas, que le administraba un tío curador, y que todo el tiempo hábil lo invertía en contemplar ceremonias religiosas, prefiriendo siempre las de carácter fúnebre.

---

[49] *hongo negro:* el sombrero de hongo (de copa baja, rígida y aproximadamente semiesférica) estuvo de moda en torno a 1880; *esclavina:* pieza sobrepuesta que suele llevar la capa unida al cuello y que cubre los hombros.

Desde aquel día casi todos se dieron cita para el *entierro de mañana*. Antón, más desocupado, era el que solía avisar dónde había difunto. La delicia de ambos era un buen funeral en la aldea.

—Don Ángel —decía Antón, acercándose a su compañero con misterio—; mañana uno de primera en Regatos; ¿voy a buscarle?

—Bien, ¿a qué hora?

—A las cinco; hay legua y media...[50].

—Corriente[51], llevaré liga.

Y poco después del alba, al día siguiente, salían al campo, por trochas y senderos, pisando la hierba mojada, alegres como los pájaros que cantaban en los árboles, y como las flores que, al tropezar con ellas, sacudían las faldas de la levita de Cuervo y la eterna esclavina de Antón. Como tenían tiempo de sobra, no iban derechos a Regatos, sino dando los rodeos que determinaban los azares de la caza con liga[52], una de las aficiones secundarias de don Ángel. Por hacer algo, iban preparando varas; las dejaban sobre los setos, entre las ramas de los árboles, y se retiraban a esperar el resultado de sus asechanzas; si los pájaros tardaban en caer... mejor para ellos. Cuervo y Antón seguían adelante. Lo primero era lo primero. Los dos mostraban impaciencia, y abandonaban las varas a la suerte. El caso era llegar al entierro.

Siempre eran bien recibidos; casi siempre esperados.

Cuervo veía en la sencillez de las costumbres aldeanas una franqueza y sinceridad muy conformes con su manera de entender las cosas relativas a la muerte. Por de pronto, el aspecto de la *casa mortuoria* era muy semejante al que la misma podía ofrecer el día de fiesta de la parroquia, si el amo era factor[53], o esperaba convidados de categoría.

---

[50] *legua:* véase nota 15 de *Doña Berta.*

[51] *corriente:* conforme.

[52] La *caza con liga* se realiza untando —con una masa viscosa hecha con muérdago— varas de esparto, mimbre o juncos, para que al posarse los pájaros en ellas, se queden pegados.

[53] *factor:* probablemente, el uso de este término en el texto viene usado conforme a la definición que tiene en el dialecto bable la voz *fautor,* y que designa al encargado de hacer fiesta en alguna solemnidad religiosa. En este sentido lo emplea en *La Regenta.*

En la cocina, en *quintana*[54], en el huerto, señales alegres del próximo festín; mucho hervor de pucheros, la gran olla en medio del hogar, como dirigiendo el concierto de bajos profundos de los respetables cacharros, cuyas tapas palpitaban a la lumbre; la cocinera de encargo, la especialista, *Pepa la tuerta*, del color de un tizón, arrogante, malhumorada, sin contestar a los saludos, activa y enérgica, dirigiendo a los improvisados marmitones y a las maritornes de por vida[55], postrimeros ayes de algún volátil, víctima propiciatoria, que habría de estar guisado a la hora de la cena; espectáculo suculento, aunque trágico, de patos y gallinas sumidos en crueles calderos, asomando picos y patas, como en son de protesta, entre las llamas, o bien dignos, solemnes, en su silencio de muerte, atravesados por instrumentos que recuerdan la tiranía romana y la Inquisición; supinos sobre aparatos de hierro que son símbolos del martirio, capones y perdices más tostados que otra cosa, que parecen testigos de una fe que los hombres somos incapaces de explicarnos; allá fuera, restos de la res descuartizada, las pieles de los conejos, el testuz del carnero, las escamas de los pescados, las plumas de las aves, las conchas de los mariscos, los desperdicios de las legumbres; y por todas partes buen olor, un ruido de cucharas y vajilla que es una esperanza del estómago; cristal que se lava, plata que se friega, platos que se limpian... ¡y todo por el muerto! Por el muerto, en quien no piensa nadie sino como en una abstracción, como se piensa en el *santo* el día de la fiesta.

Verdad es que allá dentro lloran. Son las mujeres. «¡Ay mío Pachu del alma!... ¡Por qué me *dexaste*, Pachín del corazón!...»[56]. «Bueno, bueno; no hay que hacer caso —piensa Cuervo—. Así es la aldea; mucho estrépito. También gritan cuando están en la *llosa* arrendando, y *corren el cabritu*, con una alegría que en el fon-

---

[54] *quintana:* véase nota 7 de *Doña Berta*.
[55] *marmitón:* hombre que hace los más humildes oficios en la cocina; *maritornes:* (de *Maritornes*, personaje del *Quijote*, I, XVI) coloquialmente moza de servicio, ordinaria, fea y hombruna.
[56] Se hacen patentes en el discurso algunas marcas lingüísticas propias del dialecto bable hablado en la región de Asturias: el posesivo de primera persona *mío*, el hipocorístico *Pachu*, procedente de Francisco (con la característica cerrazón de la vocal *o* en *u*) y la presencia del fonema prepalatal en *dexaste* y del diminutivo *-in* en *Pachín* propio del dialecto astur.

do no tienen. Esto es como el *ijujú* de las romerías[57]; ni aquello es tanto placer como parece, ni estos lamentos, que atruenan el espacio, son tanto dolor como quieren indicar. Restos de costumbres paganas; ya no se usan las plañideras[58], y hacen sus veces las mujeres de la familia. No hay que hacer caso.» «¡A la sala, Antón, a la sala! Allí están los señores curas.»

¡Cómo respeta y admira Antón al clero parroquial! Casi tanto como a los señores del cabildo.

Cuervo es acogido por los párrocos y coadjutores, capellanes sueltos y sacristanes, como un compañero; Antón como un sainete muy oportuno.

Blancas sobrepellices[59], manzanas en las mejillas[60], dentaduras formidables, risas homéricas[61], salud, espontaneidad, un hermoso egoísmo sin disfraz, comunicativo, simpático a los demás egoísmos.

—¡Vaya! ¡Vaya! El señor Cuervo. ¡Tome una copiquina![62] —grita Sebades[63] (cada cura se llama como su parroquia). Y allá va el Jerez al gaznate.

Se pregunta mucho por la salud de todos, y por la prosperidad y trances de la fortuna.

—No se siente junto a la puerta, que viene sudando.

«¡Valiente pedantón y majadero y *framasón*[64] sería —piensa Cuervo—, el que censurase a estos benditos varones porque

---

[57] *llosa:* véase nota 5 de *Doña Berta; arrendar (arriendar):* voz dialectal. Acollar, calzar las plantas, arrimando tierra a su pie cuando tienen ya una cierta altura; *ijujú:* interjección usada para expresar júbilo, alegría, contento. Se trata de un antiguo grito de guerra de los astures.

[58] *plañidera:* mujer llamada y pagada que iba a llorar a los entierros.

[59] *sobrepelliz:* vestidura blanca de lienzo fino, con mangas perdidas o muy anchas, que llevan sobre la sotana los eclesiásticos y aun los legos que sirven en las funciones de iglesia, y que llega desde el hombro hasta la cintura poco más o menos.

[60] de mejillas sonrosadas; se usa para ponderar la buena salud de una persona.

[61] magníficas y especialmente sonoras.

[62] *copiquina:* copita. El diminutivo *-iquino/-a* es propio del dialecto bable.

[63] *Sebades:* lugar situado en la parroquia de Santa María la Real de Logrezana, perteneciente al concejo de Carreño, Asturias.

[64] *francmasonería:* asociación de personas *(francmasones)* que profesan principios de fraternidad mutua, usan emblemas y signos especiales, y se agrupan en entidades llamadas logias. La masonería se introduce realmente en España

197

ríen y beben, y están contentos cuando van a cantarle el *gori gori*[65] a un difunto! ¿Y qué? ¿Cuándo pueden ellos verse en otra? La mayor parte del año viven aislados en su parroquia, sin ver una persona decente durante semanas, llenos de trabajos, asistiendo a los moribundos de noche, haya nieve, hielo, ladrones y fieras, o no; a leguas y leguas de distancia... ¿Por qué no han de alegrarse, cómo no han de alegrarse cuando se muere un *Pachu* de éstos, que deja mandado un entierro de verdad, como una boda? Van a comer bien, como no suelen; van a tener conversación de amigos y compañeros, que casi siempre les falta; van a *echar* un tresillejo[66], que constituye sus delicias; van a cobrar una buena pitanza, que les viene de perlas; ¿y han de estar tristes? ¡Porque se ha muerto uno! ¿Pues no se han de morir todos? Usted, señor *framasón*, que censura, ¿no lee todos los días en los periódicos noticias de grandes desgracias, de horrendas catástrofes? ¿Y cómo se queda usted? ¡Tan fresco! Ayer, que el río Colorado, en China[67], se llevó de calle más de cien pueblos con millares de millares de chinitos. ¿Y qué? Usted, *framasón*, al teatro. Hoy estalló el gas de una mina y ahogó a quinientos trabajadores que dejan quinientos mil huérfanos; ¿y qué? Usted, a paseo. Y porque esos millones de muertos estén lejos, no se vean, ¿dejarán de ser prójimos?... ¿Sabe usted, señor ateo, por qué estos señores curas

---

de una forma organizada a principios del siglo XIX, aunque ya desde el siglo XVIII se habían ido constituyendo logias en determinadas ciudades españolas. A lo largo del siglo XIX se desarrolló una corriente antimasónica con períodos de auténtica y enconada persecución de los masones, lo cual dio origen a toda una literatura antimasónica, en la que la masonería quedó identificada con el liberalismo y las sociedades secretas y patrióticas de la época. También el Vaticano, en especial durante los pontificados de Pío IX y Leó XIII, pronunció numerosas condenas contra la masonería.

[65] *gori gori:* voz con que vulgarmente se designa el canto lúgubre con que se acompañan los entierros.

[66] *tresillejo (tresillo):* juego de naipes que se juega entre tres personas, cada una de las cuales recibe nueve cartas, y gana en cada lance la que hace mayor número de bazas.

[67] Ningún río de nombre *Colorado* existe en China. Sí, en cambio, de nombre *Amarillo*, al este, causa de repetidas y desastrosas inundaciones, llamado por ello «la calamidad de China». Existe asimismo un *Río Rojo* que nace en China y desemboca en Vietnam, pero su caudal no es peligroso.

no sienten ya el olor a difunto? Porque su sagrado ministerio les obliga a vivir siempre pegados a la muerte; demasiado saben ellos que morir no es un arco de iglesia[68], y además no hay dolor que resista al uso, no hay pena que no se desgaste, como se gasta el placer. ¡Hipócritas! ¡Fariseos! Nosotros, los que manoseamos la muerte, los que enterramos vuestros difuntos, hacemos algo útil, sin sentirlo; y vosotros, que sentís tanto, no hacéis nada de provecho. Los muertos quedarían insepultos, y habría pestes sin fin, y se acabaría el mundo si todos fuésemos sensitivas como vosotros. *Vade retro!*[69]. Venga otra copa, señor arcipreste.»

Y al cementerio. Delante la cruz y los ciriales; detrás la caja, y luego, en dos filas, el coro de la muerte, el coro trágico, que calla a ratos, mientras habla el misterio de ultratumba allí dentro, en la caja, sin que lo oigan los del *coro;* como, en el palacio de Agamenón, mientras Orestes asesina a Egisto no se oye nada[70]... Y vuelve el coro a cantar, a cantar los terrores de la muerte; terrores de que no habla la letra, a que nadie atiende, pero de que hablan las voces cavernosas, el canto llano[71], el aparato fúnebre.

Y dicen los amigos de Cuervo:

«Benedictus Dominus Deus Israel, quia visitavit et fecit redemptionem plebis suae.

»Et erexit cornu salutis nobis in domo David, pueri sui.

---

[68] *no es arco de iglesia:* frase hecha que se aplica a una cosa que no es fácil de ejecutar.

[69] *Vade retro, Satana:* 'retrocede, Satanás'. Son palabras que Cristo dirige a Pedro (al que reprende «porque tus pensamientos no son los de Dios, sino los de los hombres») cuando éste se atreve a increparle por anunciar su pasión. (Marcos, 8, 33)

[70] Agamenón, personaje de la *Ilíada*, fue asesinado, al volver a su patria tras diez años de ausencia, por su esposa Clitemnestra y Egisto, el amante de ésta. Posteriormente, su muerte fue vengada por su hijo Orestes. Probablemente, la versión de la tragedia a la que se alude es la de Esquilo, quien en la primera parte de la trilogía la *Orestíada* (458 a.C.) recrea el episodio en que acabada la guerra de Troya, Agamenón entra en el palacio de Clitemnestra, donde su mujer le acoge con falsas muestras de cariño. Allí, ella y Egisto le dan muerte, mientras el coro de ancianos oye, impotente, los gritos del rey al ser asesinado.

[71] *canto llano:* véase nota 30 de *Doña Berta*.

»Sicut locutus est per os Sanctorum...»[72].

Y en tanto, los pájaros en los setos de la calleja y en los árboles de la huerta, trinan, gorjean, silban y pían; las nubes corren silenciosas, solemnes, por el azul del cielo; la brisa cuchichea y retoza con las mismísimas ropas talares[73] del acompañamiento de la muerte; y Antón y Cuervo, en el colmo de un deliquio, oyen como extáticos, como en ensueños, el *run run* del *Benedictus,* los sonidos dulces y misteriosos de la naturaleza, que, como ellos, ve pasar la muerte, sin comprenderla, sin profanarla, sin insultarla, sin temerla, como albergándola en su seno, y haciéndola desaparecer cual una hoja seca en un torrente, entre las olas de vida que derrama el sol, que esparce el viento y de que se empapa la tierra.

---

[72] Procedente de las palabras de alegría con que Zacarías agradece a Dios el nacimiento de su hijo, el futuro San Juan Bautista (Lucas, I, 68-70), este fragmento inconcluso (termina *qui a saeculo sunt, prophetarum eius)* pertenece al *Benedictus* de la misa de Réquiem, canto que acompaña al acto de enterrar al cadáver: «Bendito el Señor Dios de Israel, que ha visitado y redimido a su pueblo, y nos levantó un poderoso Salvador en la casa de David su siervo, como habló por boca de sus santos profetas.»

[73] *ropas talares:* ropas largas que llegan hasta los talones.

Superchería

I

Nicolás Serrano, un filósofo de treinta inviernos, víctima de la bilis y de los nervios, viajaba por consejo de la medicina, representada en un doctor, cansado de discutir con su enfermo. No estaba el médico seguro de que sanara Nicolás viajando; pero sí de verse libre, con tal receta, de un cliente que todo lo ponía en tela de juicio, y no quería reconocer otros males y peligros propios que aquellos de que tenía él clara conciencia. En fin, viajó Serrano, lo vio todo sin verlo, y regresaba a España, después de tres años de correr mundo, preocupado con los mismos problemas metafísicos y psicológicos, y con idénticas aprensiones nerviosas.

Era rico; no necesitaba trabajar para comer; y, aunque tenía el proyecto, ya muy antiguo en él, de dejarlo todo para los pobres y coger su cruz, esperaba, para poner en planta su propósito, a tener la convicción absoluta, científica, es decir, una, universal, verdadera y evidente de que semejante rasgo de abnegación estaba conforme con la justicia, y era lo que le tocaba hacer. Pero esta convicción no acababa de llegar; dependía de todo un sistema, suponía multitud de verdades evidentes, metafísicas, físicas, antropológicas, sociológicas, religiosas y morales, averiguadas previamente; de modo que mientras no resolviera tantas dudas y dificultades, continuaba siendo rico, desocupado, pero con poca resignación. Para él, las dudas y los dolores de cabeza y estómago, y aun de vientre, ya venían a ser una misma cosa; y veces había, sobre todo a la hora de dormirse, en que no sabía si su dolor era jaqueca o una cuestión *psico-física* atravesada en el cerebro. No era pedante ni miraba la filosofía desde el punto de vista de la cátedra o de las letras de molde, sino con el interés con que un buen creyente atiende a su salvación o un comerciante a sus negocios. Así que, a pesar de ser tan filósofo, casi nadie lo sabía en el mundo, fuera de él y su médico, a quien había tenido que confesar aquella preocupación dominante, para poder entenderse ambos.

Volvía a España en el expreso de París. Era medianoche. Venía solo en un coche de primera, donde no se fumaba. Acurrucado en su gabán de pieles, casi embutido en un rincón, los pies envueltos en una manta de Teruel, negra y roja, calado hasta las cejas un gorro moscovita, meditaba; y de tarde en tarde, en un libro de memorias de piel negra, apuntaba con lápiz automático unos pocos renglones de letra enrevesada, con caracteres alemanes, según se emplean en los manuscritos, mezclados con otros del alfabeto griego. Lo muy incorrecto de la letra, amén de las abreviaturas de esta mezcolanza de caracteres exóticos aplicados al castellano, daban al conjunto un aspecto de extraña taquigrafía, muy difícil de descifrar. Así escribía sus *Memorias* íntimas Serrano. Era lo único que pensaba escribir en este mundo, y no quería que se publicase hasta después de su muerte. En tales *Memorias* no había recuerdos de la infancia, ni aventuras amorosas, y apenas nada de la historia del corazón; todo se refería a la vida del pensamiento y a los efectos anímicos, así estéticos como de la voluntad y de la inteligencia, que las ideas propias y ajenas producían en el que escribía. Abundaban las máximas sueltas, las fórmulas sugeridas por repentinas inspiraciones; aquí un rasgo de mal humor filosófico; luego la expresión lacónica de una antipatía filosófica también; más adelante la fecha de un desengaño intelectual, o la de una duda que le había dado una mala noche. Así, se leía hacia mitad del volumen:

«*13 de junio* (caracteres griegos y de alemán manuscrito, mezclados, por supuesto). He oído esta noche a don Torcuato, autor de *El Sentido Común*. Es una acémila[1]. ¡Y yo que le había admirado y leído con atención pitagórica![2]. ¡Avestruz!

---

[1] *acémila:* asno. Se emplea como insulto significando muy bruto o torpe.
[2] Con mucha atención, detenidamente.

Ahora resulta darwinista[3] porque ha viajado, porque ha vivido tres meses en Oxford y tiene acciones en una sociedad minera de Cornualles. ¡Siempre igual! Hoy don Torcuato; ayer Martínez, que resulta un boticario vulgar. ¡Qué vida!

»*15 de mayo.* El cura Murder es un pastor protestante, digno de ser cabrero. Le hablo del Evangelio, y me contesta diciendo pestes del padre Sánchez[4] y de la Inquisición...

»*16 de septiembre.* Creo que he estado tocando el violón; mi sistema de composición armónica[5] entre la inmortalidad y la muerte del espíritu es una necedad, según voy sospechando.

»*20 de octubre.* ¡Dios mío! ¡Si seré yo el Estrada[6] de la filosofía! ¡Ahora miro mi sistema de la muerte inmortal, y me pongo rojo de vergüenza! Por un lado, plagio de Schopenhauer y de Guyau[7], y por otro, sueños de enfermo. ¡Oh! Todos somos despreciables; yo el primero. No hay modo de *componer* nada.

---

[3] *darwinista:* seguidor de las teorías evolucionistas de Charles Darwin (1809-1882), plasmadas en su libro *El origen de las especies* (1859) y *El origen del hombre* (1871). El texto apunta, sin embargo, hacia los que interpretan dichas teorías de forma estrecha.

[4] *el padre Sánchez:* Miguel Sánchez López (1833-1889), escritor y sacerdote español, conocido como un orador polémico por sus intervenciones en el Ateneo madrileño. Clarín le atacó en varios artículos.

[5] *composición armónica:* la *composición armónica* es un concepto fundamental del pensamiento krausista o del racionalismo armónico, que es *racionalista* porque defiende la razón como única fuente de conocimiento científico y es *armónico* porque establece una síntesis superadora de las tendencias opuestas.

[6] *Estrada:* se trata posiblemente de alguno de los poetastros a los que frecuentemente atacó Clarín: «El simbolismo ha llegado, en poder de algunos de sus más ardientes defensores, a lo mismo que llegó entre nosotros el famoso Estrada, el del *Pistón* y los pentacrósticos, y adonde llegó Pasanante en Italia, y adonde acaso llegue también el señor Carulla si insisto en disolver el universo en pareados de arte menor y mayor» (Clarín, «Baudelaire», *Mezclilla*, pág. 101).

[7] El filósofo alemán Arthur Schopenhauer (1788-1860), poskantiano para quien el mundo no es más que una obra de teatro macabro, sostiene la inmortalidad de la esencia del hombre, la cual continúa existiendo en la Naturaleza tras la muerte física. Por otra parte, en el filósofo francés Jean Marie Guyau (1854-1888) se lee asimismo la posibilidad de la inmortalidad. La vida, como impulso, es el fundamento de sus teorías. Ambos son filósofos leídos con atención por Clarín.

»*21 de noviembre.* No hay más filósofos, admirados de veras, que los temidos. Todos los que no han servido para destruir, me parecen algo tontos en el fondo.

»*30 de noviembre.* Hay momentos en que Platón me parece un prestidigitador.

»*4 de enero.* Hoy he sentido en el alma que Aristóteles no viviera... para poder ir a desafiarle. ¡Qué antipático!...»

Todos estos apuntes eran antiguos. Después había otros muchos en el mismo libro de memorias, cuya última página era la que tenía abierta ante los ojos Serrano aquella noche. Nunca leía aquellos renglones de fecha remota (cinco meses). ¿Qué tenía él que ver con el que había escrito todo aquello? Ya era otro. El pensamiento había cambiado, y él era su pensamiento. No se avergonzaba de lo escrito en otro tiempo; no hacía más que despreciarlo. No pensaba, sin embargo, borrar una sola letra, porque justamente la mejor utilidad que aquellas *Memorias* podían tener algún día, consistiría en ser la historia sincera de una conciencia dedicada a la meditación.

Dejó un momento el cuaderno sobre el asiento, y acercándose a la ventanilla, apoyó la frente sobre el cristal. La noche estaba serena; el cielo estrellado[8]. Corría el tren por tierra de Ávila, sobre una meseta ancha y desierta. La tierra, representada por la región de sombra compacta, parecía desvanecerse allá a lo lejos, cuesta abajo. Las estrellas caían como una cascada sobre el horizonte, que parecía haberse hundido. Siempre que pasaba por allí Nicolás, se complacía en figurarse que volaba por el espacio, lejos de la tierra, y que veía estrellas del hemisferio austral a sus pies, allá abajo, allá abajo. «Ésta es la tierra de Santa Teresa»[9], pensó. Y sintió el escalofrío que sentía siempre al pensar en algún santo místico. Millares de estrellas titilaban.

Un gran astro cuya luz palpitaba, se le antojaba paloma de fuego que batía muy lejos las luminosas alas, y del infinito ve-

---

[8] La devoción de Clarín hacia Fray Luis de León es patente en muchos otros pasajes de su obra. En el texto, resuenan los versos de la oda a la Noche serena.

[9] Ya en *La Regenta* (caps. XVII y XXI) se hace patente el interés que despierta en Clarín la obra de la escritora abulense, que fue haciéndose más presente en sus últimos años.

nía hacia él, navegando por el negro espacio entre tantas islas brillantes. Miraba a veces hacia el suelo y veía a la llama de los carbones encendidos que iba vomitando la locomotora, como huellas del diablo; veía una mancha *brusca* de una peña pelada y parda que pasaba rápida, cual arrojada al aire por la honda de algún gigante.

La emoción extraña que sentía ante aquel espectáculo de tinieblas bordadas de puntos luminosos de estrellas y brasas tenía más melancólico encanto porque se juntaba al recuerdo de muchas emociones semejantes, que sin falta despertaban, siempre iguales, al pasar por aquellos campos desiertos, a tales horas y en noches como aquélla. Nunca había visto de día aquellos lugares ni quería tener idea de cómo podían ser; bastábale ver el cielo tan grande, tan puro, tan lleno de mundos lejanos y luminosos; la tierra tan humillada, desvaneciéndose en su sombra y sin más adorno que bruscas apariciones de tristes rocas esparcidas por el polvo acá y allá, como restos de una batalla de dioses, monumentos taciturnos de la melancólica misteriosa antigüedad del planeta. En la emoción que sentía, había la dulzura del dolor mitigado y espiritual, la impresión del destierro, el dejo picante de la austeridad del sentimiento religioso indeciso, pero profundo.

—¡Tierra de Ávila, tierra para santos! —dijo en voz alta, estirando los brazos y bostezando con el tono más prosaico que pudo.

Quería «llamarse al orden», volver a la realidad, espantar las aprensiones místicas, como él se decía, que en otro tiempo le habían hecho gozar tanto y le habían tenido tan orgulloso. Y abrió la boca dos o tres veces, provocando nuevos bostezos para despreciar ostensiblemente aquella invasión de ideas religiosas, que en otra época habría acogido con entusiasmo, y que ahora rechazaba por mil argumentos que a él le parecían razones y que constaban en sus libros de memorias, en aquellos apuntes, historia de su conciencia.

—¡Pura voluptuosidad imaginativa! —dijo también en alta voz, para oírse él mismo, poniéndose por testigo de que no sucumbía a la tentación de aquel *cielo de Ávila,* que había recogido las miradas y las meditaciones de Santa Teresa, y que ahora era pabellón tendido sobre su humilde sepultura.

Volvió a estirar los brazos, con las manos muy abiertas, y abrió la boca de nuevo, y en vez de suspirar, como le pedía el cuerpo, hizo con los labios un ruido mate, afectando prosaica resignación vulgar; y como si esto fuera poco, concluyó con dos resoplidos y subiéndose un poco los pantalones y apretándose la fajacinto que usaba siempre, después de ciertas insurrecciones del hígado.

II

En esto estaba cuando el tren se detuvo porque había llegado a una estación, y a pocos segundos se abrió la portezuela del lado opuesto al que ocupaba Nicolás, dejando paso a un bulto negro.

Era una monja. Nicolás, al ver que alguien subía, se había sentado en su rincón, sumido en la sombra, porque la oscura luz del techo agonizaba y no tenía fuerza para alumbrar los extremos del coche.

—Aquí, que no hay nadie, en este reservado —le habían dicho a la monja; y allí había entrado. Ya había emprendido la marcha el tren, cuando ella notó, acostumbrada a aquella media oscuridad, que en el rincón opuesto había un bulto humano. «Será una mujer», pensó, porque creía ir en un reservado de señoras[10]. Llevaba la cara descubierta; era joven, blanca, con grandes rosas en las mejillas, los ojos pardos, rasgados, de pestañas largas en onda, de mirada quieta y sincera. Miraba con fijeza a la oscuridad para descubrir las facciones de la que suponía mujer. Sin saberlo ella, sus ojos se clavaban en los de Serrano, otra vez acurrucado, encogido. Comprendía él que aquella religiosa, no sabía de qué profesión, se creía o sola o en compañía de otra hembra. Le pareció lo más adecuado, al filósofo, hacerse invisible hasta cuando pudiera, y

---

[10] *reservado de señoras:* los trenes solían llevar departamentos reservados para aquellas señoras que viajaban solas o iban acompañadas de niños menores de tres años. Igualmente, existían reservados para fumadores, en los que también podían viajar mujeres solas. De ahí el equívoco que protagoniza la monja.

además fingirse dormido. Cerró los ojos, pero no tanto que no siguiera viendo entre pestañas a la monja. Ésta, a cada momento más preocupada, tenía constantemente la cabeza vuelta hacia el rincón oscuro de Serrano, y fijos en él los ojos muy abiertos. «Sí —iba pensando—; de seguro es una señora. Pero, no importa; no debí, de todas maneras, consentir en venir sola, aunque sea por tan pocos minutos y en un reservado. Por algo no nos dejan viajar solas. El lance, sin embargo, es apurado. En fin, no será un ladrón ni un libertino disfrazado de señora. Si la hubiera visto al entrar, la hubiera dado las buenas noches, y por su voz, al contestarme, hubiese conocido lo que era. Ahora ya no es tiempo.»

Serrano permanecía inmóvil. La delicadeza consistía, en aquella ocasión, en imitar lo mejor posible la ausencia. «Si me ve, esa buena mujer se va a asustar, debe de creerse en un reservado; la han metido aquí por equivocación.» El caso era que en aquella inmovilidad del cuerpo había una especie de influjo magnético que le paraba el pensamiento en una idea fija e insignificante: la presencia de aquella mujer. También la mirada se le paró, clavándose en la estrella que parecía volar; y, como ya le había pasado muchas veces, aquella fijeza de la vista en un solo astro le produjo un efecto que sólo le había asustado la primera vez que lo experimentara; las demás estrellas se fueron borrando, todo se convirtió, cielo, tierra, y hasta el coche de primera en que iba, en un círculo de negras tinieblas alrededor del astro luminoso; la estrella volandera, ahora quieta, fue enrojeciendo; después se turbó su luz, palideció y desapareció también. Al llegar a este punto otras veces, Nicolás solía sacudir la cabeza, un poco temeroso de accidentes nerviosos desconocidos; pero ahora, en vez de moverse por volver a la visión plena, se dejó abismar en aquella especie de hipnotismo visual provocado por él mismo; se dejó alucinar, y se quedó dormido.

Al despertar, el sueño le pareció breve, pero muy profundo. De repente se acordó de la monja, y como si mientras dormía hubiera trabajado su cerebro sobre un pensamiento que le llevara a una terminante conclusión, esta idea estalló en su cabeza: «Esa monja no era real; era una visión, era Santa Teresa... y no está ahí.» Poco dueño de su valor todavía, con la voluntad medio dormida, Serrano volvió los ojos con terror al rincón de la monja... *En efecto,* había desaparecido.

Sintió debajo de la piel el latigazo de un escalofrío de que le dio vergüenza. Se frotó los ojos, se puso en pie apoyándose en la vara de hierro de la red, y pensó un momento en pedir socorro, no sabía cómo. No tenía miedo a lo sobrenatural, sino a su cerebro. «¿Estaré malo? ¿Habrá sido una alucinación? Pero eso sería... terrible, porque la fuerza de la realidad con que vi a esa monja... ¡Será así la alucinación; tan viva, tan fuerte, tan engañadora! De lo que estoy seguro es de que no hemos parado en ninguna estación. Ni ha habido tiempo, ni yo habría dejado de sentir, como siempre siento, que el tren se detenía.» Rara vez por muy dormido que estuviera, dejaba de notar, entre sueños, que el movimiento del tren había cesado; sobre todo, ahora tenía la conciencia clara, evidente, no sabía por qué, de que no había parado el tren en estación alguna mientras él dormía. Consultó el reloj, y, en efecto, eran muy pocos minutos los transcurridos desde la última vez que le había mirado, poco antes, al entrar la monja.

En aquel instante cesó la marcha. La estación era aquélla. ¡Absurdo parece que en tan poco tiempo hubieran pasado dos estaciones!

El demonio del miedo le sugirió otra idea. Acordóse del nombre de la última estación que él había oído anunciar. Lo recordó, consultó la *Guía...* y aquella a que ahora llegaba era la siguiente.

Como en lo sobrenatural no había que creer, era preciso admitir que había tenido una visión, es decir, que él, que creía los nervios tan calmados con la vida medio animal que había hecho durante gran parte de sus viajes, se encontraba peor que nunca, con la revelación instantánea de un síntoma de muy mal género.

Pero... también le avergonzaba el miedo a la enfermedad. Además, ¿no podía haber estado allí, en efecto, aquella monja y haberse marchado? ¿Cómo? ¿Cuándo? Cuando yo dormía. Pero ¿cómo? El tren volaba. Fue una alucinación... no cabe duda.

Como en los tiempos, de triste recordación, de sus aprensiones de locura, clase de manía tan dolorosa como cualquiera, sintió con espanto, dentro de la cabeza, una cascada de ideas extrañas, como engendradas por el pánico, y recurrió, para librarse del tormento, a lo que él llamaba la fuga de la razón y el sálvese quien pueda de las ideas. Abrió una ventanilla, miró a la oscuridad y al cielo estrellado, pero tembló de frío y de miedo mezclados; temió ver vagar en el aire la imagen que antes se había sentado en aquel rincón del coche. Volvió a cerrar, y como viese su libro de apuntes abierto a su lado, a él recurrió, y se puso a escribir con ansia febril, huyendo, huyendo de las aprensiones. Y resultó lo apuntado una serie de diatribas en estilo conciso, nervioso, contra el milagro, la superstición, las ciencias ocultas, el misterio y las pretensiones científicas del hipnotismo moderno. «Tal vez —decía uno de los últimos párrafos— las conquistas de la moderna fisiología y de las ciencias afines son una superstición más.» «Comte —decía más adelante— habló de la edad teológica, de la edad metafísica y de la edad positiva. Lo que debió decir fue: primero hubo la superchería teológica, después la superchería metafísica y después la superchería científica[11]. Todo lo maravilloso es obra de un Simón Mago[12]. En tiempo de Cristo, el milagro era la patente del profeta; hoy, en vez de resucitar a Lázaro[13], le revolvemos las

---

[11] Una de las aportaciones más significativas del filósofo positivista francés Auguste Comte (1798-1857) fue su «ley de los tres estados», según la cual el desarrollo histórico de la cultura humana ha atravesado por tres fases o estados sucesivos: en la primera fase o *mitológico-teológica,* el hombre hizo depender los fenómenos naturales de la voluntad de poderes personales superiores; en la segunda o *metafísica,* los seres se convierten en esencias abstractas, es decir, el antropomorfismo anterior es sustituido por ideas abstractas; en la tercera o *positiva,* conoce el hombre, finalmente, cuál es su misión y la esencia del saber humano, descubriendo así la ciencia.

[12] *Simón Mago:* encantador de Samaria, que creyó por la predicación de Felipe y trató luego de comprar por dinero a los apóstoles el poder de comunicar el Espíritu Santo por la imposición de las manos. «[...] Hacía tiempo que un tal Simón practicaba la magia en aquella ciudad y tenía sorprendidos a los samaritanos. Se hacía pasar por un hombre con muchos poderes y todos, desde el más pequeño hasta el más grande, estaban pendiente de él» (Hechos de los Apóstoles, 8, 4-25).

[13] El texto evoca uno de los pasajes evangélicos más conocidos, narrado en el Nuevo Testamento: «"¡Lázaro, ven fuera!" Y el que había muerto salió, atadas las manos y los pies con vendas y el rostro envuelto en un sudario» (Juan, 11, 39-44).

entrañas para asegurar nuevas supercherías.» Nicolás Serrano se enfrascó en sus desahogos de lápiz sin creer él mismo en lo que escribía, como con entusiasmo de enfermo que toma una ducha. Un cuarto de hora después estaba algo más tranquilo. El sueño volvió a invadirle como las sombras la noche, y la última sensación de que se dio cuenta fue que el libro de memorias se le caía de las manos sobre el calorífero[14]. Pero no; también sintió, al dormirse, que volvía a pararse el tren.

Lo que ya no pudo notar fue que la portezuela por donde había entrado poco antes una monja, se abría para dar paso a una dama vestida de negro y cubierta con manto largo.

III

Nicolás el filósofo pasó el verano de aquel año sin moverse de Madrid. El calor le mataba; el mal humor, complicado en él con tantos pensamientos de hastío y desconsuelo, aumentaba con aquella temperatura bochornosa. Podía irse adonde quisiera; tenía libertad y dinero... y no se movía. Los viajes no le habían curado, y había tomado horror a los ferrocarriles, a las estaciones, a los baúles, a todo lo que le recordaba su infructuosa Odisea[15] por el mundo civilizado. Padecía quedándose en Madrid... y se quedaba. Vivía como en un desierto en medio de todo el mundo. De las pocas relaciones, ninguna íntima, que había conservado, no quería acordarse. Los más de sus amigos estaban veraneando; pero,

---

[14] *calorífero:* aparato con el que, directamente o por medio de tubos, se calentaban las calefacciones. En los trenes de viajeros, con un recorrido superior a hora y media, los coches de primera clase estaban provistos de caloríferos.

[15] *Odisea:* alusión metafórica al recorrido vital de Ulises, protagonista del poema épico de Homero, uno de los referentes clásicos más frecuentemente evocados por Clarín. Lo volvemos a encontrar en *Su único hijo*, donde el autor recrea la vuelta a las raíces de Bonifacio Reyes en un viaje con claras referencias al retorno de Ulises a Ítaca: «Se acordó de Ulises volviendo a Ítaca... pero él no era Ulises, sino un pobre retoño de remota generación... El Ulises de Raíces, el Reyes que había emigrado, no había vuelto... a él no podían reconocerle en el lugar de que era oriundo... ¡Qué habría sido de Ulises-Reyes! ¿Por qué habría salido de allí? ¡Quién sabe!»

de los contados que quedaban achicharrándose con él, no quería ver ni la sombra.

No se levantaba hasta el mediodía; no salía de casa hasta caer el sol; se iba al Prado, se sentaba en una silla, se quedaba medio dormido como borracho de calor, sudaba, y respiraba fuego, y no gozaba más placer que el de conseguir no pensar en nada más que en lo que tenía delante: un barquillero[16], un farol, un polizonte[17], una niñera con un chiquillo arrastrado por la arena, una manga de riego, sarcasmo de frescura, y el aire vestido de polvo... De noche, al Retiro a dar una vuelta, una sola; porque el aburrimiento era tan fuerte y tan inmediato, que no podía pasar allí más tiempo del necesario para volver a encontrar la salida.

Se le había puesto en la cabeza que él era un hombre sedentario que había hecho una serie de tonterías metiéndose en tantos coches de tantos trenes. Querer ver mundo, tal como el mundo está ahora, el que se puede visitar sin grandes molestias, no era más que una ridícula manía de *burgués*, de *snob*, etc., etc.

Hasta fines de octubre no salió del casco de Madrid ni un solo día. Y su viaje de octubre duró poco más de una hora. Fue a Guadalajara. Tenía un sobrino en la Academia de Ingenieros[18]; una hermana de la madre de Serrano suplicaba a éste, en una carta llena de cariño, que por Dios fuera a visitar a su Antoñito, que estaba arrestado por meses, y escribía hablando de suicidio y de emigración, de las Peñas de San Pedro[19], de la tremenda disciplina y otros tópicos trágicos. «Ve a consolarle, a consultar con los profesores, a reducir hasta donde se pueda el horrible castigo...; y, si no se ablandan aquellos

---

[16] *barquillero:* persona que fabrica o vende barquillos (hojas delgadas de pasta hechas con harina, azúcar o miel y, por lo común, canela; que suelen tener forma de canuto).

[17] *polizonte:* véase nota 59 de *Doña Berta*.

[18] En 1838, por Real Orden, el edificio que había sido en el siglo XVII palacio de los marqueses de Monteclaro, pasó a convertirse en la Academia de Ingenieros de Guadalajara.

[19] *Peñas de San Pedro:* municipio de la provincia de Albacete, cercano a la sierra de Alcaraz. Próxima a la ciudad se halla asimismo la fortaleza que en otro tiempo fue su sede, considerada inexpugnable, erigida sobre un monte.

Nerones, sácamelo de allí: que pida la absoluta[20]. En ti confío; tú me dirás si es tan insoportable como él jura su vida en aquellos calabozos...»

Serrano tal vez no hubiera accedido a los ruegos de su tía si le hubiera propuesto un viaje más divertido; pero aquello de volver a Guadalajara, donde él había vivido seis meses a la edad de doce a trece años, le seducía, porque estaba seguro de encontrar motivos de tristeza, de meditaciones negras, o, mejor, grises, de las que le ocupaban ya casi siempre después de haber dado tantas vueltas en su cabeza a toda clase de *soluciones* optimistas y pesimistas.

Llegó a la triste ciudad del Henares al empezar la noche, entre los pliegues de una nube que descargaba en hilos muy delgados y fríos el agua que parecía caer ya sucia, que sucia corría sobre la tierra pegajosa. Un ómnibus[21] con los cristales de las ventanillas rotos le llevó a trompicones, por una cuesta arriba, a la puerta de un mesón que había que tomar por fonda. Estaba frente al edificio de la Academia Vieja, a la entrada del pueblo. La oscuridad y la cerrazón no permitían distinguir bien el hermoso palacio del *Infantado*[22] que estaba allí cerca, a la izquierda; pero Serrano se acordó enseguida de su fachada suntuosa que adornan, en simétricas filas, pirámides que parecen descomunales cabezas de clavos de piedra. En el ancho y destartalado portal de la fonda no le recibió más personaje que un enorme mastín, que le enseñaba los dientes gruñendo. El ómnibus le dejó allí solo, y se fue a llevar otros viajeros a otra casa. La luz de petróleo de un farol colgado del techo dibujaba, en la pared desnuda, la sombra del perro.

Serrano se acordó de repente de aquel portal y de aquel farol que había visto veinte años antes. Cosas de tan poca importancia para él, las tenía grabadas en el fondo del cerebro, y sin manchas, no desteñidas ni desdibujadas; la imagen de la

---

[20] *la absoluta:* véase nota 26 de *Doña Berta.*

[21] *ómnibus:* véase nota 56 de *Doña Berta.*

[22] *Palacio de los Duques del Infantado de Guadalajara:* construido en la última década del siglo XV para la familia de los Mendoza, este edificio, cuya fachada principal es obra de Juan Guas, pertenece al estilo mudéjar y gótico flamígero, pero evoca ya la elegancia renacentista.

memoria vino a sobreponerse realmente a la realidad que tenía delante. Sintió, con una fuerza que no suele acompañar a la contemplación ordinaria y frecuente de la vanidad de la vida, el soplo frío y el rumor misterioso de las alas del tiempo, la sensación penosa de los fenómenos que huyen a nuestra vista como en un vértigo y nos hacen muecas, alejándose y confundiéndose, como si enseñaran, abriendo miembros y vestiduras, el vacío de sus entrañas.

Allí, a las diez o doce leguas[23] de Madrid, estaba aquella Guadalajara donde él había tenido doce años, y apenas había vuelto a pensar en ella, y ella le guardaba, como guarda el fósil el molde de tantas cosas muertas, sus recuerdos petrificados. Se puso a pensar en el alma que él había tenido a los doce años. Recordó, de pronto, unos versos sáficos, imitación de los famosos de Villegas al «huésped eterno del abril florido»[24], que había escrito a orillas del Henares, que estaba helado. Él hacía sáficos, y sus amigos resbalaban sobre el río. ¡Qué universo el de sus ensueños de entonces! Y recordaba que sus poesías eran tristes y hablaban de desengaños y de ilusiones perdidas. Guadalajara no era su patria; en Guadalajara sólo había vivido seis meses. No le había pasado allí nada de particular. Él, que había *amado* desde los ocho años en todos los parajes que había recorrido, no había alimentado en Guadalajara ninguna *pasión;* no había hecho allí sus primeros versos, ni los que después le parecieron inmortales; allí había estudiado aritmética, y álgebra y griego, y se había visto en el cuadro de honor, y... nada más. Pero allí había tenido los doce o trece años de un espíritu precoz; allí había vivido siglos en pocos días, mundos en breve espacio, con un alma nueva, un cuerpo puro, una curiosidad carnal, todavía no peligrosa. ¡Cómo era la vida, y cómo se la figuraba cuando él habitaba aquel pueblo triste! *Caracae*[25]: así fechaba las composiciones latinas que había que

---

[23] *legua:* véase nota 15 de *Doña Berta.*

[24] El sáfico es un tipo de verso de la poesía griega y latina, de once sílabas distribuidas en cinco pies, según un criterio de cantidad. El verso sáfico citado pertenece a uno de los poemas que el clasicista Esteban Manuel Villegas incluye en su libro *Las Eróticas* (1618).

[25] *Caracae (Caraca):* antigua ciudad romana, perteneciente a la provincia tarraconense según Ptolomeo, quien la incluye entre los centros de población

llevar a cátedra. ¡Cuánta poesía inefable en el recuerdo de aquel *Caracae,* tantas veces escrito con sublime pedantería! ¡Lo que eran la literatura, la *ciencia,* y lo que él había pensado de ellas! Parecíale mentira que un lugar en que no había recuerdos amorosos, ya de amor de niño, que en él había sido vehemente e idealísimo, ya de adolescente o de joven, pudiera haber reminiscencias melancólicas con tal perspectiva poética. La emoción dominante era amarga, un dolor positivo; pero no importaba; aquello valía la *pena* de sentirlo. Se acordaba de sí mismo, de aquel niño que había sido él, como de un hijo muerto: se tenía una lástima infinita. El verse en aquel tiempo le hacía pensar en el efecto de mirarse de espaldas en los espejos paralelos.

Acostumbrado a despreciar todo enternecimiento que se fundara en el sentimentalismo egoísta de lamentar una decepción personal, tenía para él una novedad encantadora, y era un descanso del corazón, siempre cohibido, el abandonarse a aquella tristeza de pensar en el niño despierto, todo alma, con vida de pájaro espiritual, que iba a ser un sabio, un santo, un héroe, un poeta, todo junto, y que se había desvanecido, rozándose con las cosas, diluyéndose en la vida, como desaparecía la nube que estaba deshaciéndose en hilos de agua helada. ¿Qué le quedaba a él de aquel niño? Hasta él mismo había sido ingrato con él olvidándole. ¡Quién le dijera, cuando pocos días antes se aburría en el Prado, meciéndose en una silla de paja, con la cabeza vacía, con el corazón ausente, que allí tan cerca, a la hora y media de tren, tenía aquel antiquísimo *yo,* aquel pobre *huérfano* de sus recuerdos (así pensaba) tan superior a él, al que él era ahora! ¡Cuántas veces, huyendo del mundo actual, se había ido a refrescar el alma en la lectura de antiguos poemas, en las locuras panteísticas del Mahabarata[26], en las divinas niñe-

---

habitados por los carpetanos. Es identificada por algunos autores con la localidad de Taracena (Guadalajara) y por otros con la de Carabaña (Madrid).

[26] *Mahabbarata:* una de las más antiguas epopeyas sánscritas, atribuida al compilador y poeta Vyasa. En un total de dieciocho cantos (ciento veinte mil estrofas) se narran diversas leyendas indias y se incluyen dos largos tratados filosófico-morales, donde se expone el panteísmo, el sistema teológico de los brahmanes (miembros de la casta sacerdotal hindú).

rías de Aquiles[27], en las *filosofías blancas*[28] de Platón o de San Agustín! ¡Y tenía tan cerca su epopeya primitiva, el despertar de aquel espíritu que había sido suyo!

Aunque por sistema huía Serrano, mucho tiempo hacía, de toda clase de exaltaciones ideales, por miedo a sus efectos fisiológicos y por el rencor que guardaba a la inutilidad final de todas estas *orgías místicas,* por esta vez se alegró de verse preocupado seria y profundamente, y bendijo, en medio de su tristeza, su viaje a Guadalajara. Esta bendición le hizo acordarse, por agradecimiento, de su señora tía, y a seguida de Antoñito, su primo, *preso* allí enfrente; y, por último, vino el fijarse en que estaba en el portal de la fonda, frente a un perro que ya no gruñía, sino que meneaba la cola en silencio, dejándose acariciar por un niño rubio de cinco o seis años, palidillo, delgado, de una hermosura irreprochable, que daba tristeza. Aquella cabecita de guedejas lánguidas, alrededor de una garganta de seda, muy delicada, tenía como un símbolo algo de las flores y tules del ataúd de un inocente. Él también parecía vestido para la muerte; su trajecillo blanco, de tela demasiado fresca para la estación, con muchas cintas, en bandas de colores, algo ajadas, tenía tanto de teatral como de fúnebre: parecía lucir el *luto blanco* de los niños que llevan al cementerio; color de alegría mística para el transeúnte distraído e indiferente, color de helada tristeza para los padres.

El niño, dulce, hermoso y enfermizo de seguro, hablaba al perro en italiano, y le invitaba a pasar al comedor, donde una campana chillona estaba ofreciendo la sopa a los huéspedes.

Serrano, que había dejado arrimado a la pared su saco de noche[29], único equipaje que traía, acarició la barba del niño y le preguntó con la voz más suave que pudo:

—¿No hay criados en esta fonda?

---

[27] *Aquiles:* héroe del poema épico la *Ilíada,* de Homero, texto bien conocido por Clarín. Hijo de Tetis y Peleo, Aquiles fue instruido en su niñez por Fénix y por el centauro Quirón. Se dice que, por haberle sumergido su madre en el río Éstige, era invulnerable, excepto por el talón que sirviera para sostenerle en la inmersión. Paris aprovechó el punto débil y le dio muerte.

[28] *filosofías blancas:* filosofías idealistas.

[29] *saco de noche:* el que solía llevarse en la mano en los viajes, a manera de maleta.

—Sí, señor, ¡oh sí! —contestó el chiquillo en español de una pronunciación dulcísimamente incorrecta—; hay tres criados y una doncella. A mi mamá y a mí nos sirve la doncella, que se llama Lucía. —Mientras hablaba movía suavemente la cabeza para acariciar, a su vez, con la barba, la mano de Nicolás, que había sujetado con las dos suyas. Se conocía que se agarraba a los halagos como a una golosina—. Mi mamá se llama Caterina Porena, y papá es el doctor Vincenzo Foligno. Yo soy Tomasuccio Foligno. *Il babbo è morto!*[30].

Lo que dijo en italiano lo dijo después, al separar su cabeza de la mano del nuevo amigo, más inteligente, sin duda, que el perro. Se apartaba para ver los ojos de Nicolás, a los que imploraba con los suyos una gran compasión por la muerte del abuelito, que éste era el *babbo*.

—¡Ah! —dijo Serrano—. ¡Un muerto en la fonda! Tal vez por eso no veo por aquí a nadie.

—*Ma non... Il babbo è morto...* en Sevilla... *Ci sonno...* hace... *due...* años... dos años. Yo tengo siete.

IV

La muerte de su abuelo era para aquel inocente el suceso supremo, una tristeza grande que, en su sentir, debían conocer todos los seres inteligentes a quien él encontrara por el mundo en la muy asendereada vida que llevaba con sus padres el doctor Foligno y la *somnámbula* Caterina Porena. *Il babbo* era el padre de Catalina. Iba con ellos de pueblo en pueblo, enfermo, prefiriendo el traqueo[31] perpetuo de los viajes a la pena de la soledad y al terror de la ausencia. Era el *babbo* para todos: para su hija, para su nieto, que le llamaba así también; hasta para el doctor, que, en efecto, le quería como a padre. Y en una de estas idas y venidas había muerto, hacía dos años, lejos de la patria, en Sevilla. Tomasuccio recordaba, después de tanto tiempo, más que la desgracia, el duelo que

---

[30] 'iPapá ha muerto!'
[31] *traqueo:* traqueteo; movimiento de alguien o algo que se golpea al transportarlo de un punto a otro.

había dejado tras de sí, la tristeza de sus padres y la falta de ciertas caricias y de ciertos juegos; pero, en cuanto al *babbo* mismo, poco a poco su imagen se había ido borrando de la memoria del niño, y el abuelito y Papá-Dios empezaban a confundirse en las nieblas de su teogonía infantil. De lo que él estaba seguro era de que Dios también se había muerto, ni más ni menos que el *babbo;* pero hacía menos tiempo, porque todavía recordaba haberlo visto en una iglesia, tendido en tierra, envuelto en tela negra y entre muchas luces, cadáver. Pero le decían que Papá-Dios había resucitado, *vuelto a vivir,* y del *babbo* también podía creerse algo por el estilo; pero cuando hablaba Tomasuccio, a sus compatriotas, de su *desgracia,* todos le decían que el *babbo* no había muerto, que el *babbo* era su padre, el doctor Foligno. Pero no; él nunca le había llamado así; le llamaba *papá,* y esto era otra cosa. Su tristeza de niño débil y nervioso, soñador y precoz le aconsejaba no creer en aquellas resurrecciones: ni a Papá-Dios ni al *otro* los había vuelto él a ver; cuando se quedaba solo en casa, en las fondas, en las posadas, porque sus padres iban a ganar el dinero a los salones, a los teatros, ya no tenía aquel compañero, del que vagamente se acordaba; recordaba que antiguamente, mucho tiempo hacía, no tenía miedo de noche y oía muchos cuentos y se reía mucho, montado en unas rodillas.

La locuacidad de Tomasuccio daba la misma clase de tristeza que el aspecto de su hermosura delicada; las ideas de muerte, de cielo y de infierno, de cementerio y de vida subterránea en el ataúd, venían a mezclarse por relaciones extrañas y sutiles que encontraba en su imaginación, en aquella historia que él siempre estaba narrando, mitad inventada, mitad nacida de sus recuerdos.

Todo esto lo había notado ya Nicolás Serrano cuando, media hora después, comían juntos, los dos solos, en el comedor de la fonda. No había, en aquellos días, más huéspedes en el triste albergue, que dos comisionistas que habían comido antes, y los *cómicos,* los Foligno; pero Catalina y su esposo estaban aquella noche convidados fuera; sentábanse a la mesa del señor alcalde, un famoso médico, especialista en partos y alcaldadas, que creía que el teodolito era un aparato de batir cataratas[32], y que tenía dos grandes vanidades: la gran cruz de Isabel la Católica[33] que poseía, y un *fluido magnético*[34] de mucha fuerza que había conservado desde la florida juventud, aunque ahora apenas podía usarlo, porque la sociedad era incrédula. La moda del hipnotismo le pareció al señor Mijares, el alcalde, una resurrección de sus diabluras de espiritista y magnetizador. Le pasó con el hipnotismo lo mismo que con el sombrero de copa: él usaba siempre la copa baja y el ala ancha; la moda le dejaba en ridículo a lo mejor; pero volvía, como una marea, y su sombrero parecía por algún tiempo de última novedad. El hipnotismo era, pensaba él, ni más ni menos que aquello del fluido magnético y de las mesas giratorias[35] y demás diversiones de su retozona juventud. El historiador, que tanto puede penetrar en el espíritu de los personajes que estudia, unas veces viendo y otras adivinando, no puede menos de detenerse ante ciertos arcanos, ante ciertas profundidades y encrucijadas psicológicas; así, por ejemplo, no hubo nunca modo de averiguar si el alcalde médico creía sinceramente en el fluido magnético que le tenía tan ufano. Él se ponía furioso si se lo negaban; enseñaba los puños, muy robustos, en efecto, y los sacudía en el aire, con fuerza, como despidiendo magnetismo a chorros. Hablaba del tal fluido suyo, que él llamaba superior, como el dueño de una bodega habla de la calidad de su vino añejo. «Hay fluidos y fluidos

---

[32] *teodolito:* instrumento topográfico utilizado para medir ángulos en distintos planos; *batir la catarata:* hacerla bajar a la parte inferior de la cámara posterior del globo del ojo.

[33] *la gran cruz de Isabel la Católica:* una de las condecoraciones de mayor categoría instaurada en 1815.

[34] *Franz Anton Mesmer* (1734-1815), médico alemán, introdujo en Viena un sistema propio de curación de las enfermedades a base de métodos que él denominaba magnéticos, y que en realidad eran sugestivos. Elaboró así su doctrina del magnetismo animal o mesmerismo, basada en la hipótesis de que cada organismo poseía un *fluido* o *influjo magnético* que podía ser transmitido a los demás. Una comisión real nombrada para el estudio de sus teorías falló que éstas carecían de fundamento y que sus pretendidas curaciones se debían a la imaginación de los enfermos y no al magnetismo. El poder de sugestión de Mesmer fue base para el desarrollo ulterior del hipnotismo.

[35] El alcalde nos ofrece nuevamente otro ejemplo de su falta de ciencia al confundir el hipnotismo con el espiritismo; de esta última corriente es propio el fenómeno de las *mesas giratorias*.

—decía Mijares—; el mío es de primera clase. ¡Ya lo creo! ¡Superior! ¡Si ustedes me hubieran visto bracear allá, en las tertulias de mis buenos tiempos!... ¡Las señoritas y señoras que yo dejé dormidas como marmotas! ¡Qué sueños! ¡Qué pellizcos, es decir, qué pases de fluido!...» Ello fue que cuando el doctor Vincenzo Foligno se le presentó en la alcaldía a solicitar el teatro para dar funciones de hipnotismo con su esposa, la famosa sonámbula Caterina Porena, Mijares vio el cielo abierto y dio un abrazo al italiano, llamándole compañero, querido compañero. Foligno, que era hombre listo y acostumbrado a conocer a los imbéciles y a los locos con una sola mirada a veces (no necesitaba menos para las trazas que había de emplear en los espectáculos que dirigía), Foligno comprendió enseguida que con Mijares no se jugaba, que había que tomarle en serio lo del magnetismo o exponerse a cualquier arbitrariedad. Se trataba de un majadero que era alcalde y disponía del teatro. La oposición de Mijares hubiera sido un contratiempo para los pobres mágicos, cuyo presupuesto no consentía viajes perdidos, inútiles. Había que ganar algo en Guadalajara, por poco que fuera. Así, pues, Foligno se volvió a la fonda, después de su primera visita al alcalde, decidido a cumplir la voluntad del médico caracense, que consistía en que había de presentársele en persona Caterina Porena para dejarse magnetizar por la primera autoridad popular de la capital. «Primero —había dicho Mijares—, dormirá usted a su mujer, y después la dormiré yo; y los amigos verán qué fluido es superior, el de usted o el mío. Nada, nada; mañana mismo, mientras se limpia el teatro y los periódicos anuncian la llegada de ustedes, por vía de propaganda y reclamo dan ustedes, es decir, damos una función en mi casa. Vengan ustedes a eso de las siete, porque tengo gusto en que coman conmigo; después del café vendrán el Gobernador civil y el militar, y varios profesores de la Academia de Ingenieros, con más el chantre de Sigüenza, que está aquí de paso; y más tarde, a la hora de la función, se llenarán mis salones con lo mejor de Guadalajara: muchas señoras, mucha *pillería*[36], un público dis-

---

[36] *pillería:* cualidad de pillo o conjunto de pillos. Por el contexto, poco adecuado para el uso de este término, cabe deducir que el alcalde probablemente desconoce su significado.

tinguido que hará atmósfera, que decidirá del éxito que al día siguiente tengan ustedes en el teatro.»

Caterina Porena, venciendo la natural repugnancia, se redujo a seguir a su marido a casa del alcalde, comprendiendo que no había más remedio que aceptar el estrambótico convite, cuya utilidad para los propios intereses comprendía. Triste, como estaba casi siempre, dio un beso a Tomasuccio en la boca; encargó a la camarera, que en dos días se había hecho gran amiga del niño delicado, que le cuidara mucho y que bajara con él al comedor si él quería comer en la mesa redonda. Y se fueron los padres a casa del alcalde y quedó Tomasuccio solo, como tantas veces. La doncella de la fonda estaba en pie a su lado, sonriendo, rubia y joven, mientras él, con grandes aspavientos, enteraba a su nuevo amigo, Nicolás Serrano, de todas las cosas que había visto en el mundo y de las infinitas que había soñado.

Serrano se sentía en una atmósfera espiritual extraña en presencia de aquel niño; observaba en él algo desconocido, una de esas novedades que sólo puede ofrecer la experiencia, que no cabe prever, adivinar o suponer. Era algo así como una imagen de la debilidad, de la enfermedad, de la tristeza última, de la muerte, en un ser lleno de gracia, expresión, viveza; casi nada carne, hecho de nervios, tules, cintas de seda; todo fúnebre, marchito, pero impregnado de luz, amor, inteligencia. No sabía cómo explicarse la fascinación que en él producían aquellos ojos inocentes, fijos en los suyos, y aquella charla inagotable, preñada de visiones de ultratumba, mezcladas con las cosas más triviales de la tierra. De repente pensó Serrano: «¿Qué impresión me causaría una mujer que se pareciera a este niño... en estas cosas raras?»

—Dime —preguntó, sin pensar en contener el impulso de la curiosidad—: ¿a quién te pareces tú, a tu papá o a tu mamá?

—A mamá.

—A la mamá, mucho: es el retrato de su madre —confirmó la doméstica.

Serrano sintió un estremecimiento frío. Nunca había pensado en la mujer como en un consuelo, como en un regazo para los desencantos del alma solitaria, incomunicable; sin saber por qué, esta idea le llenó la mente, mientras sus ojos se clavaban en aquel niño, como aspirando, en fuerza de imaginación y voluntad, a producir en él la absurda metamorfosis de convertirlo en su madre. ¿Cómo sería aquella madre? El deseo ardiente de verla fue para el filósofo de treinta años una voluptuosidad intensa, como un día de verano al fin del otoño; la presencia de la juventud en el alma, cuando ya se la había despedido entre lágrimas disimuladas. «Caterina Porena», pensó, hablándose en voz alta para sus adentros. Y estas dos palabras, que poco antes no le habían sonado más que a italiano, ahora tenían una extraña música sugestiva, algo de cifra babilónica[37]; eran como el *sésamo*[38] de nuevos misterios de la sensibilidad que no semejaban al misticismo, impersonal, anafrodita[39]. También se acordó de repente de unos versos suyos, allá, de la adolescencia, que se titulaban *El amante de la bruja*. No recordaba la poesía al pie de la letra, pero el pensamiento era éste: «Un joven, casi niño todavía, tímido, de pasiones ardientes, siempre ocultas, estudioso, gran humanista a los quince años, había pedido a la musa de Horacio[40], cuyas odas lúbricas y epístolas nada castas había devorado con el doble placer de la voluptuosidad literaria, una visión a quien amar, una querida fiel en el sueño, la mágica Canidia[41] aun-

---

[37] *cifra:* escritura en que se usan signos, guarismos o letras convencionales, y que sólo puede comprenderse conociendo la clave. En la *babilónica*, concretamente, descifrada en la primera mitad del siglo XIX, los signos representaban primero objetos y posteriormente conceptos o sílabas.

[38] *Sésamo:* procedente de la fórmula mágica «¡Ábrete, Sésamo!», del cuento *Alí Babá y los cuarenta ladrones*, de *Las mil y una noches*, se emplea para referirse a un medio que produce o es capaz de producir maravillosamente cierto resultado.

[39] *anafrodita:* el que padece falta o disminución del apetito sexual.

[40] *Horacio* (65-8 a.C.): en sus odas, sátiras y algunas de sus epístolas —en algunos pasajes de las cuales surge con fuerza su gran amor de juventud— Horacio se nos muestra heredero de un epicureísmo delicado, que en su caso se satisface por igual con los placeres mundanos y con la paz del campo y la soledad. Su moral fue la de un hombre enamorado del justo medio, y su filosofía, resumida un poco sumariamente en el verso *carpe diem, carpe horam*, permite considerarlo como un adepto al hedonismo, para quien, sin embargo, la moral del placer está sometida al control de la razón.

[41] *Canidia:* este personaje aparece como hechicera en los Epodos V y XVII y en la Sátira VIII de Horacio.

que fuera, y el *súcubo*[42] había acudido a su conjuro; mas, en vez de los torpes placeres del misterioso Cocytto[43], el adolescente había saboreado en los besos de la Canidia romántica el amor triste y profundo, ideal, caballeresco; y la bruja, que era de nuevos tiempos, no iba a celebrar los sortilegios al monte Esquilino[44], sino al aquelarre de Sevilla, todos los sábados; era la bruja de la *Valpurgis*[45] y no cualquiera de las Pelignas[46]; era una bruja que montaba en la escoba por *neurosismo*[47]; que padecía la brujería como una epilepsia, pero que en las horas del descanso, pálida, descarnada, palpitando aún con los últimos latidos de las eclampsias[48] infernales del aquelarre mágico, besaba y abrazaba, llevada de amor puro, casto, ideal, a su pobre adolescente, que por aquellos besos sufría el tormento de su vergüenza de ser esposo de la bruja, y de su vergüenza de partir su ventura con el diablo.»

Mientras Serrano pensaba y recordaba tantas y tan extrañas cosas, no pasó más tiempo del que tardó en temblar de frío. La doncella rubia, que cuidaba de Tomasuccio, preguntó al filósofo:

—¿Quiere usted que cierre la puerta?

—¿Por qué?

---

[42] *súcubo:* demonio o espíritu con apariencia de mujer que, según la tradición, seduce a los hombres durante su sueño.

[43] *Cocytto:* divinidad tracia a quien se vincula a la orgía. Es citada por Horacio en el Epodo XVII.

[44] *Esquilino:* se trata de una de las siete colinas de Roma, situada al Este de la ciudad; también citada por Horacio.

[45] *Valpurgis:* documentada desde el siglo XVI, se trata de una importante noche de Aquelarre para las brujas, que se reúnen en la montaña del Brocken cada primero de mayo, en honor a Santa Walpurgis (santa de origen inglés fallecida en Alemania en el 777), considerada protectora de la hechicería. Goethe hizo célebres las noches de Walpurgis en su *Fausto.*

[46] *pelignas:* los *pelignos,* originarios del norte de Italia, eran expertos brujos; también ellas, las cuales son nombradas por Horacio.

[47] *neurosismo, neurosis:* nombre genérico aplicado a un grupo de enfermedades (epilepsia, histerismo, neurastenia) en que se acusa un trastorno del sistema nervioso, sin que exista lesión apreciable en él.

[48] *eclampsia:* crisis convulsiva que sobreviene a veces a las mujeres embarazadas o recién paridas y a los niños. La brujería es interpretada aquí en términos modernos al ser contemplada en el texto como una enfermedad nerviosa.

—Porque parece que tiene usted frío; se ha puesto pálido y le he visto temblar. Este comedor es húmedo y demasiado fresco. Por esa puerta entra la muerte.

—Sí, cierra —dijo Tomasuccio—; yo también tiemblo de frío.

Serrano reparó entonces en la estancia triste y desnuda en que comía; a la prosaica desilusión de toda mesa de fonda pobre y desierta, se añadían en aquélla los horrores de una escasez y sordidez no disimulada en vajilla y manjares y en todos los pormenores del servicio. Sobre el extremo de la mesa, adonde no llegaba el mantel, se destacaban dos botijos de barro, *ánforas de octubre,* que daban escalofríos en aquella noche húmeda y fría de un invierno anticipado.

—Aquí no se come más que perdices —dijo Tomasuccio—. Pero no se crea usted... es que están muy baratas.

Serrano, con profundísima tristeza, se quedó pensando en los botijos, en las manchas del mantel, en el piso de ladrillo resquebrajado, en las perdices eternas por lo baratas; y era acompañamiento de esta súbita melancolía disparatada el silencio repentino del niño, que se quedó en su silla de brazos, alta, cabizbajo, pálido, ojeroso, sin hacer más que acariciar paulatinamente una mano de la camarera, que él mismo se había puesto debajo de la barba.

—¿Te sientes mal? —le preguntó su nuevo amigo.

Tomasuccio respondió que no con la cabeza.

—Tendrá sueño.

—¡Ca! —dijo la sirvienta rubia—. Ahora le acuesto y se está las horas muertas acurrucado, con los ojos muy abiertos, contándole historias raras a la almohada. A veces llama a su madre y llora un poco. Pero lo primero que hace al meterse en la cama es rezar por el *babbo,* que es su abuelito, el padre de su mamá, que llama también *babbo* al difunto. Si no fuera que pronto se encariña con las personas, este nene daría lástima, porque casi todas las noches tienen que dejarle solo sus papás y él necesita muchos mimos. ¿Verdad, *Suchio?* Pero a mí ya me quieres mucho, ¿verdad, Tomasito?

El niño no contestó; pero tendió los brazos hacia su amiga con pereza cariñosa, sonrió entre dos bostezos, y, después que se vio agarrado al cuello de la doncella, se apretó a ella como una hiedra, inclinó sobre su hombro la cabeza y dijo con voz soñolienta y mimosa:

—Un beso a este caballero.

Serrano besó la frente de Tomasuccio, y cuando se vio solo en el comedor frío y desierto, se sintió mucho más triste que cuando llegaba a la fonda acordándose de sus trece años. ¡Qué soledad la suya en aquella Guadalajara oscura, mojada, helada, sorda y muda! De repente se acordó de su primo el alumno de ingenieros, el prisionero; y fue para él un consuelo inesperado el pensar que a lo menos tenía allí uno de la propia familia.

Bien mirado, a pesar de sus treinta años, él necesitaba, no menos que Tomasuccio, los brazos de una madre...; y no la tenía.

Pero hermana de su madre era su tía, y aquella tía tenía aquel hijo encerrado en un calabozo, allí cerca, y él, su primo, se había olvidado de que debía ir a verle, a consolarle, a libertarle, si podía, cuanto antes. Tomó de prisa café, y salió de la fonda. La noche estaba oscurísima; seguía lloviendo; los pocos faroles de petróleo hacían oficio de faros en aquellas tinieblas húmedas, pero no de alumbrado público.

La Academia estaba cerca; la Nueva a la derecha, a cuatro pasos, hacia la estación; *la Vieja,* enfrente, en atravesando un paseo con árboles. ¡Bien se acordaba él de todo! A tientas llegó a la puerta de la Academia Vieja, que era donde debía de estar arrestado el primo. Unos soldados muy finos le dijeron que ellos no podían saber si estaba allí el alumno Alcázar, por quien preguntaba. Le hicieron andar por atrios y escaleras y galerías oscuras y resonantes con los pasos de Serrano y de quien le guiaba. Por fin topó con un oficial, muy amable también, que con asombro oyó hablar del arresto del *pollo* Alcázar. Alcázar no había estado en el calabozo más que ocho días; meses hacía que campaba por sus respetos. Con algún trabajo, previa consulta a los porteros y conserjes de la casa, se pudo averiguar que vivía en la calle Alvar Fáñez de Minaya[49], no se recordaba en qué número. Más de media hora tardó Se-

---

[49] Se trata de una de las calles principales de Guadalajara.

rrano en dar con el domicilio de su *dichoso primo.* El amor a sus colaterales se le había enfriado mucho con aquellas pesquisas, a oscuras, entre chaparrones, con el barro hasta las rodillas por aquellas tristes calles sin empedrado.

Al fin, en una posada de doce reales con principio[50], pareció el perseguido militar que hablaba a su madre en elegías familiares, de las Peñas de San Pedro. Estaba de pie, sobre una mesa de juego, con un gorro frigio[51] en la cabeza y una copa de champaña llena de vino tinto, en la mano derecha; con la izquierda accionaba, imitando el vuelo de un águila, según se deducía del contexto, pues estaba pronunciando un discurso, en mangas de camisa, ante una docena de compañeros, no más circunspectos, que le interrumpían a gritos. Ello fue que una hora después Nicolás Serrano, quieras que no quieras, era presentado en la *recepción* del *alcalde prodigioso,* como le llamaba Alcázar, gran amigo del presidente del Ayuntamiento.

VI[52]

Mientras iban Serrano, Antoñito su primo y algunos amigos y colegas de éste desde la fonda (adonde había vuelto Nicolás a mudar de ropa) a casa del señor Mijares, el filósofo pensaba: «¡Qué pariente tan *lejano* es este pariente mío!» Quería decirse: «¡Cuán lejos está su carácter del mío, su pensamiento del mío!»

En efecto; Antonio Alcázar había tomado el mundo en una síntesis de alegría. No lo pensaba él en estos términos, pero así era. No por ser propio de la edad, sino porque él era, había sido y sería siempre así; consideraba la vida como una cosa que se chupa, se chupa, hasta que ya no tiene más jugo. Cuando por un lado ya no había más que chupar, a otra cosa.

---

[50] *principio:* plato que se sirve en la comida entre el primero y los postres.

[51] *gorro frigio:* tocado semejante al usado por los libertos de la Roma antigua, que fue el emblema de la libertad durante la Revolución Francesa.

[52] En todas las ediciones del texto, incluida la aparecida en prensa, hay un salto en la numeración de los capítulos del relato; de manera que el V no aparece.

Lo que se llamaba *románticamente* la ingratitud, no era más que el quedarse una *cosa* seca, sin pizca de jugo, y el ir a aplicar los labios a otra, sin pensar más en la agotada. ¡Era esto tan natural! Sobre todo, él lo hacía sin malicia. Su madre, a quien pensaba querer ciegamente, adorar, era la víctima constante y principal del egoísmo de Antonio. ¡Quién se lo hubiera dicho a él! Engañar a su madre para sacarle dinero, o lograr el cumplimiento de cualquier capricho, le parecía una obra de caridad, porque era ahorrarle el disgusto de hacerla consentir en una cosa mala, a sabiendas de que era malo.

Antoñico había sido ya artillero, dos años nada más, y pensaba ser marino otros dos, y por fin abogado en su tierra, y después paseante en Madrid.

Todo esto había que ir dándoselo a su madre en píldoras.

Si su madre servía para *aquello*, el resto de los mortales, no se diga. Antonio Alcázar tenía fama de cariñoso, simpático; se metía por los corazones, *sobaba* a los amigos, y a las amigas cuando podía, repartía abrazos y hasta besos en las grandes circunstancias, y los seres humanos eran para él juguetes de movimiento, formas vivientes del placer suyo, el de Antonio. Pensaba y sentía y obraba con tan feroz egoísmo sin ningún género de hipocresía; y, sin embargo, no había en el mundo muchacho más corriente, tan bienquisto[53] en cualquier parte. El misterio estaba, aparte de su figura, voz y gestos llenos de atractivo, de alegría comunicativa, en la misma inocencia de su instinto. Era un parásito de toda la vida, caro a quien tenía que alimentar alguno de sus placeres; casi siempre fumaba, montaba a caballo, y *amaba* de balde.

Además, nadie podía asociar al recuerdo de Alcázar ninguna idea triste, ningún suceso desagradable. Él lo decía: fuese casualidad o lo que fuese, nunca había visto un enfermo, lo que se llama enfermo de verdad, ni había asistido a ningún entierro; nunca había dado el pésame de nada a nadie, ni había transmitido una mala noticia, ni *filosofado* con la gente acerca de la brevedad de la vida, los desengaños del mundo, etc. Lejos de los negocios complicados que despiertan los

---

[53] *bienquisto:* véase nota 18 de *Cuervo.*

odios de la lucha por la existencia, pues su egoísmo de *parásito universal* le permitía tomar los *intereses materiales* a lo artista, como cosa de juego, y decir cuando iban mal dadas: *allá mi madre*, o en su caso: *allá mi inglés*[54], a nadie estorbaba, nadie ambicionaba nada de lo suyo.

Olvidaba los agravios (lo que él llamaba así, sin que lo fueran), lo mismo que los favores, no por nada, sino por el gran desprecio que le inspiraba lo pasado; lo pasado era el símbolo de las *cosas chupadas* ya y arrojadas naturalmente. Despreciaba la historia, pero no tanto como la filosofía. Si aquélla era lo que ya no valía nada, la otra era la que no había valido ni podía valer nunca. Porque había algo más inútil que lo que ya no era: el *porqué* del ser. El placer no tiene por qué. La causa de lo que es, no le importa más que al que tiene ganas de calentarse la cabeza, de averiguar *vidas ajenas*. Por todo lo cual su primo Nicolás Serrano y Alcázar era en opinión de Antoñito, un chiflado muy simpático, que a pesar de sus viajes y sus libros gastaba poco y tenía siempre el bolsillo abierto para los apuros de los primos.

Todavía despreciaba otra cosa Antonio más que la historia y la filosofía; era la verdad misma, el asunto de ambas.

¿Qué importaba que las cosas hubieran sucedido o no? ¡Tenía gracia! ¿Servía para divertirse la mentira? Pues ¡viva la mentira! Él nunca refería suceso alguno tal como había pasado, sino tal como se le iba ocurriendo que a él le gustaría más que hubiera sido. Como no la necesitaba, había perdido casi por completo la memoria.

Por este concepto de la verdad *con gracia*, admitía una clase de filosofía: la maravillosa, la que ofrecía el atractivo de lo extraordinario y de lo nuevo. Era un gran defensor de todas las paradojas y de todos los imposibles. Por eso era tan buen amigo del alcalde. El señor Mijares, que era un payaso de la política municipal, y *otro* payaso de la medicina, y el gran payaso de las ciencias *misteriosas*, del magnetismo *animal*, tenía en Alcázar un admirador, un apóstol; y es claro que Antoñito se

---

[54] *allá mi madre... allá mi inglés:* ambas expresiones se utilizan para mostrar el desinterés por los problemas ajenos. *Inglés* se utiliza en su acepción figurada de 'acreedor'.

disponía a divertirse mucho con la *gran guasa* de Caterina Porena y su marido. Lo menos que se figuraba era que entre él y el alcalde iban a regalarle al doctor Foligno unas *astas magnéticas* que llegaran al techo.

Poco antes de llegar a casa del señor Mijares, se le ocurrió a Serrano decir:

—Tiene un niño muy hermoso y muy inteligente. Ha comido conmigo en la fonda.

—¿Un niño —preguntó Antoñito—, la Porena? ¡Bah! Esa gente no tiene niños: no será de ellos; lo habrán robado como los roban los titiriteros; le estarán dislocando el cuerpo y el alma para *enseñarle la catalepsia*[55].

«¡Demonio con el *parientel*», pensó Nicolás con cierto asco. Y en voz alta dijo:

—¿Conoces tú a Catalina?

—Sí, la he visto esta tarde; me presentó a ella el alcalde. Chico, le fui muy simpático, me apretó la mano y se rió mucho con mis cosas. Es guapa y no es guapa. No; lo que se llama guapa... Pero tiene un no sé qué... y una elegancia... y debe de estar muy... vamos, muy... cuando esté dormida. ¡La gran guasa! Ya veréis al alcalde haciendo *fluido* en mangas de camisa, como un horchatero trabajando con la garapiñera[56]. Él me dijo que se sudaba mucho. Nosotros vamos a sudar de risa.

Llegaron. El salón del alcalde estaba lleno de lo mejor de Guadalajara. Ya había empezado *la función*. Las damas, sentadas en cuadro, cerca de las paredes, dejaban libre grande espacio en el medio. Los hombres se amontonaban en las puertas y en los huecos de los balcones; otros procuraban ver y oír desde los gabinetes contiguos. Había silencio como en un templo. En medio de la estancia vio Serrano una mujer vesti-

---

[55] *catalepsia:* pérdida de la contractilidad voluntaria de los músculos y de la sensibilidad, que se observa en diversas psicosis, en la histeria, en algunos tipos de esquizofrenia y en el sueño hipnótico.

[56] *garapiñera:* utensilio para hacer helados o garapiñar líquidos consistente en un depósito cilíndrico en que se coloca lo que se va a helar y al que se hace girar dentro de otro recipiente más grande, también cilíndrico, de madera, rellenando el espacio entre los dos con trozos de hielo mezclados con sal.

da de blanco, muy pálida, rubia —tendida más que sentada en una silla—, larga, rígida, con los ojos cerrados. Parecía muerta y vestida para la caja, como aquel Tomasuccio que quedaba en la fonda. Las mismas telas, las mismas cintas de seda ajadas, de los mismos colores. Nicolás vio a Tomasillo *muerto al fin* y hecho mujer; pero lo que sintió al verlo así fue algo de novedad más inesperada, más interesante que lo que había experimentado en la fonda observando al hijo de la Porena. ¡Oh, sí! La madre era cosa más nueva todavía. Aquella mujer de cara pequeña, casi redonda, de cabello de color de oro, cubierto de ceniza, de frente ancha, pura y llena de dolor, que fingía dormir, por lo visto, y afectaba, de seguro, un padecimiento nervioso, sintiendo, de fijo, la pena de la vergüenza de su papel grotesco en aquella sociedad de pobres necios; aquella mujer era... tenía que confesárselo a sí propio, una emoción fuerte, llena de angustia deliciosa, algo serio, algo que le arrancaba a sus cavilaciones de alma desocupada y de pasiones apagadas. Era el amor... sin ojos. ¿Cómo los tendría? Tal vez como los de su hijo; pero *¿con qué* más?

VII

Caterina Porena abrió, por fin, los ojos, que eran pardos; y Serrano, con el ansia de un enamorado entre una multitud, llamaba a sí, con la intensidad de la propia, la mirada de la Porena. Catalina no acababa de verle. Si andaba por allí el magnetismo ciertamente no salía de los ojos del filósofo, que, sin embargo, estaba sintiendo cosas nuevas y fuertes que debían valer mucho más que el fluido formidable del señor alcalde, y aún más que el fluido sutil y tramposo de Foligno.

No era aquel momento para presentaciones, y Antoñito no se cuidó de poner a su primo cara a cara con el alcalde. Serrano se lo agradeció, y, como Pedro por su casa, se fue acercando, entre codazos discretos, al grupo de hombres más próximo a la sonámbula. Cuando creyó poder verla a su sabor y de frente, con la esperanza no confesada y confusa de que le mirase aquella mujer extraña, aquella cómica de lo maravilloso, histrionisa de las nuevas ciencias ocultas, sólo consiguió contem-

plar de cerca y frente a frente al doctor Vincenzo Foligno, que
sintió su presencia, se volvió un poco, le miró a las niñas de los
ojos, le midió de alto a bajo, y apartó enseguida de él la vista con
esa rapidez discreta y experimentada que se observa en los reyes
ante la multitud hostil o indiferente, y en general en los cómicos, los oradores y cuantos tienen costumbre de ostentar en público su persona. Foligno hablaba, apoyada una mano en la silla en que aún descansaba, jadeante, su mujer; y su discurso en
incorrecto español, lleno de italianismos y galicismos, padeció
casi un tropiezo con la rapidísima mirada dirigida al filósofo.
Estuvo a punto, el orador, de perder el hilo; pero un esfuerzo
de atención le bastó para proseguir su relato *científico* de los pro-
gresos maravillosos del hipnotismo.

Era el doctor un hombre muy blanco, de cutis de dama, de
mediana estatura, muy airoso y bien formado. Su frac, de corte perfecto, era mucho más nuevo que el vestido de su mujer.
El atavío de ella era modesto y cursi en sus blancuras ajadas. Foligno parecía todo un caballero. Su pelo negro, corto, atusado;
su bigote fino y estrecho y su mirada melosa y no sin fuego, re-
cordaron, con todo lo demás de su aspecto, al filósofo Nicolás,
la presencia elegante y simpática del galán joven de cierta compañía italiana que el invierno anterior había él visto en Roma.
En efecto: Foligno parecía un galán de comedia fina, el amante de *El Demi-monde, El hijo de Coralia*[57], o cosa por el estilo.

Interesaba como un actor discreto y que finge ocultar
bajo su frialdad y circunspección *mundanas* un alma de fuego, etc., etc. Por todo lo cual, a Serrano, a quien apestaban
los galanes de Delpit y los *pensadores de por medio*[58] de Dumas, le fue desde luego antipático el doctor; pero con una de
esas antipatías que *atraen,* como una sensación amarga que
provoca la insistencia. El atractivo de aquella antipatía estaba

---

[57] *El Demi-monde* (1855) y *El hijo de Coralia* (1879) son, ambas, piezas tea-
trales; sus autores son, respectivamente, Alejandro Dumas (hijo) y Alberto
Delpit.
[58] *pensadores de por medio:* pensadores mediocres, de bajos vuelos. La expresión utilizada por Clarín es una adaptación de la utilizada en el ámbito teatral,
partes de por medio, que apunta a aquellos actores que representan papeles de
ínfima importancia.

en las relaciones de aquel histrión con aquella mujer. Era su marido... o su querido... o su amo: de todos modos era ella cosa de él. El filósofo atendió al discurso del doctor. Lo que decía Foligno estaba muy por encima de la inteligencia del público y muy por debajo de la inteligencia y de la ciencia de Serrano. «Razón por la cual —pensaba el filósofo—, si yo discutiera con éste, si me pusiese a convencerle aquí de falsario, de charlatán ilustrado, saldría yo perdiendo. A estas gentes tiene que sonarles todo esto a sabiduría.»

La voz de Foligno era de timbre suave, algo opaco. El tono, sencillo, afectaba naturalidad y modestia, como lo que iba diciendo con facilidad agradable. Si hablaba de memoria, lo disimulaba bien, porque parecía que se *le veía* discurrir. Hablaba sin aspavientos, sin calor, de las falsificaciones de su *industria*. Ya sabía él que había muchísimos charlatanes que convertían en granjería el fruto de la ciencia, etc., etc. Pero fácil era distinguir de gente y gente... Su mujer no hacía milagros; era una enferma, y él un estudiante humilde de la nueva ciencia. Si se presentaba en público, hasta en teatros, como en espectáculo, era por una triste necesidad, cuyos pormenores no interesaban al auditorio. Además, la misma propaganda científica aconsejaba estas exhibiciones, por dolorosas que fuesen en algunas circunstancias, no en las presentes, en que él se consideraba en un círculo aristocrático, de personas ilustradas, discretísimas y de la más esmerada educación. Allí no se le pedirían imposibles, etc., etc. Las experiencias que acababan de hacer eran de las más sencillas (Caterina había *adivinado* el olor de un pañuelo a diez metros de distancia, había visto la hora que era en un reloj parado que estaba en el bolsillo de un médico, enemigo no disimulado del alcalde y que no *creía en brujas,* etc., etc.). En cuanto descansara algunos minutos Caterina, se entraría en una serie de *experimentos* algo más complicados. Con este motivo, otra digresión histórica en que Foligno probaba conocer, más o menos superficialmente, los últimos tratados de este orden de maravillas, llegando a la reciente obra de Gibier[59], donde se habla de lapi-

---

[59] *Gibier:* P. Gibier publicó en 1889 una obra titulada *Le spiritisme.*

ceros que escriben solos, etc., etc. Aquella semierudición del *charlatán* le picó un tantico el amor propio a Nicolás, sin que éste se diera cuenta de ello; y con esto y lo *otro* de ser aquel guapo mozo, marido, amante o *dueño* de Catalina, bastó para hacerle sentir un prurito de contradicción tan extemporáneo como ridículo, si bien se miraba. Esto mismo de comprender y sentir que era ridícula allí toda oposición a la farsa discreta del italiano, le incitaba, a su pesar, a una protesta, y conoció que si se le presentaba ocasión, haría cualquier tontería para dejar corrido al sacamuelas elegante y sabihondo.

Terminado el discurso, acogido por la ignorancia ambiente con murmullos de aprobación, Foligno se sentó al lado de la Porena, las rodillas tocando en las rodillas. Cogió las manos de su mujer y permanecieron, clavados los ojos en los ojos, algunos minutos, como olvidados del concurso, absortos en aquella contemplación muda.

A Nicolás le parecieron, en aquellos momentos, dos amantes que se lo han dicho todo, pero que se quieren todavía. En la mirada de él, más fuerte, con cierto imperio de fascinación, no todo le pareció al filósofo fingido. Pensaba él: «Ahora esto acaso no sea más que farsa. El marido y la mujer deben de saber a qué atenerse respecto al magnetismo animal y... respecto al magnetismo del amor; pero hay, en esa actitud sumisa y como de vencida de la Porena, y en la arrogante y cómicamente misteriosa de Foligno, como huellas de antigua pasión verdadera; la *postura*, conservada como en una fotografía gastada y borrosa, de horas muy lejanas de verdadera fascinación. Esta mujer debe de haber amado mucho a ese hombre; sus deliquios hipnóticos tal vez fueron algún día una broma pesada para el público estúpido, que fue como *eunuco* de esta delectación amorosa; acaso hoy mismo se burlan de todos nosotros, gozando todavía en lo que se dicen con los ojos; acaso ganan el pan con los restos de una pasión silenciosa y soñolienta...»

Pensando así crecía en Serrano el odio a las supercherías seudocientíficas, y subía hasta Swendenborg[60] en sus maldi-

---

[60] El científico, filósofo y reformador religioso sueco *Emmanuel Swendenborg* (1688-1772) se dedicó a partir de 1745, tras abandonar sus trabajos cientí-

ciones, y acaso no perdonaba a Goethe y a Pascal, sus ídolos, sus debilidades del orden milagroso o portentoso. Lo que más le inquietaba era la indudable superioridad de Foligno, el dominio de energía, y que en algún tiempo debía haber sido de seducción, que mostraba tener sobre su esposa. Cuando al fin ella se quedó o fingió quedarse dormida, *o lo que fuese*, Nicolás creyó sentir que salía de aquellos labios delgados y algo pálidos la brisa de un suspiro que llevaba discretamente en sus alas invisibles un beso del deleite agradecido hacia los labios del *otro*.

Había un profundo silencio en la sala. Algunos jóvenes, de la Academia de Ingenieros unos, y otros paisanos, miraban con envidia al magnetizador. Pensando, a su modo, algo análogo a lo que cavilaba Serrano, vieron, en lo que acababan de presenciar, algo que les humillaba a ellos y debía de ser sabroso para el señor doctor italiano. El alcalde, que esperaba su vez, se relamía saboreando ya su próximo contacto magnético con la hermosa rubia dormida.

VIII

Comenzaron los prodigios. El doctor paseó por delante del concurso femenino, y, mientras sondeaba rápidamente la capacidad mental de aquellas buenas señoras, leyéndoles en ojos y gestos los grados de necedad probable, fingióse absorto en las advertencias que de camino exponía; y por fin se detuvo ante una dama muy gruesa, que escogió muy deliberadamente, aunque cualquiera hubiera creído pura casualidad el haberse detenido ante ella el italiano. Era una rica americana que, en compañía de su marido y varias hijas casaderas, vivía hacía algunos años en Guadalajara por acompañar a su

---

ficos, a exponer el significado místico de las Escrituras y del cristianismo. Destaca su doctrina llamada de la nueva Jerusalén (para la nueva Iglesia que el Señor debe fundar en la actualidad porque la antigua ha llegado a su fin), que enseña que todo tiene un sentido espiritual, pero que sólo Dios puede descubrirlo. Sus teorías místico-religiosas fueron objeto de la ironía de Kant en *Sueños de un visionario*.

hijo único que estudiaba en la Academia. Su voz era meliflua, y luchaba, para producirse, con la inercia de la grasa. Era un alma de Dios y de guayaba; un terrón de bondad azucarada que se disolvía en sudores, pero oliendo a perfumes.

—Esta señora —dijo el doctor en voz baja—, me hará el obsequio de pensar... en cualquier objeto... en un animal, en una fiera... un león, tigre, lobo, pantera... lo que más le agrade.

La señora americana, muy sofocada, encendida y hecha un acueducto que se rezuma, consultó, entre sonrisas, la mirada de su esposo, el cual le dio licencia a su mujer para pensar algo, con un gesto imperceptible para los extraños. Se movió la cándida paloma de Matanzas[61] en su sillón, que se quejó de la carga; y al fin se puso a pensar, con grandísimo esfuerzo de atención y de imaginación, no sin asesorarse antes del doctor.

—¿Dise uté... que en un animal?

—Sí, señora: en una fiera, en un león, un tigre... cualquier cosa...

—¡Sí, sí; etá bien, etá bien!

—¿Está ya?

—Pué sí, señó; ya etá.

Foligno preguntó, de lejos, a la sonámbula, en qué pensaba aquella señora.

—En un animal —respondió una voz perezosa, suave y dolorida.

Aquel «en un animal» le sonó a Serrano a canto elegíaco de una esclava que llora su servidumbre vergonzosa.

Lo que *aún* no le habían dicho aquellos ojos que habían vuelto a cerrarse sin reparar en él, se lo decía aquella voz, que recogió como si fuera para él solo, como si fuera una caricia honda, voluptuosa, franca; algo semejante a la sensación de apoyar ella su cuerpo, y *hasta el alma,* en él, sobre su pecho.

—¿En qué animal, en qué clase de animal piensa esta señora?

—En una fiera.

---

[61] *Matanzas:* ciudad de Cuba, capital de la provincia homónima. Durante el siglo XIX se convirtió en un importante centro económico, siendo una de las regiones más ricas del país.

La señora, que efectivamente pensaba en una fiera —a tanto se había atrevido—, abría los ojos mucho y apretaba la boca, temerosa de que por allí se le escapara el secreto de su meditación. Cada vez se ponía más encendida; temía vagamente que aquello de ir adivinándole el pensamiento, lo cual ya le parecía inevitable, fuese algo que atentara a su pudor, algo como el que «se la viera alguna cosa» que no se debiera ver. Instintivamente sujetando contra sí la falda del vestido, escondió los pies y se compuso el escote.

—Pero ¿no se podrá determinar más? ¿Qué fiera es ésa?...

La sonámbula manifestaba con gestos y débiles quejidos la dificultad de la empresa.

Foligno, apretando el cerco a la adivinación, insistió en su pregunta.

Por fin Caterina dijo:

—Un león.

Así era, en efecto. La americana, como si la hubieran arrancado una muela sin dolor, respiró satisfecha, libre ya de su secreto, y tuvo una grandísima satisfacción en certificar, con su insustituible testimonio, que la señora dormida había dado en el clavo: en un león, aunque no podía decir cuál, estaba ella pensando efectivamente. Toda la familia ultramarina hizo suyo el alegrón y el honor de que le hubiesen adivinado el pensamiento a la buena señora; y el público, en su inmensa mayoría, participó del asombro y de la satisfacción, inclinándose a un optimismo que Foligno cogió al vuelo, prometiéndose sacar partido de él prudentemente.

La mujer dormida también debió oler algo en la atmósfera, que la envalentonó. Cada vez las adivinaciones fueron más complicadas, exactas y atrevidas. Lo de menos fue que dijese cuál era la carta de la baraja en que pensaba una señorita, que era efectivamente el as de oros; y en qué tenía puesto el pensamiento la señora del Gobernador militar, que lo tenía puesto en sus hijos, que habían quedado en casa durmiendo. También el sexo fuerte tuvo que rendir parias[62], como decía un coronel, a la evidencia de lo maravilloso; a él también se le

---

[62] *rendir parias:* figuradamente, reconocerse súbdito o vasallo de un señor.

adivinaron ideas y voliciones. El jefe de ingenieros de montes era de los más tercos; quería explicárselo todo por los artículos de física y química que él leía en la *Revista rosa*, y no podía. En cambio, un marqués muy buen mozo y muy fino, declaró solemnemente y varias veces (y su voto era de calidad, porque muchos de los presentes le debían favores, dinero inclusive)... declaró que la Porena se había detenido, en un paseo que dio dormida, bajo la araña de cristal, ni más ni menos en el sitio en que él había *querido* que se parase; declaró, otrosí, que las iniciales de su tarjetero eran las que ella había dicho, y tenían, en efecto, por adorno un pensamiento de plata y otro de oro esmaltado. ¿Se quería más? Foligno, triunfante, huía, en sus idas y venidas, de tropezar con el cuerpo o con las miradas de Serrano. Pero Antoñito, el primo, a quien la sonámbula había adivinado también una porción de cosas, probando con ello verdaderas maravillas de penetración; Antoñito, que había tomado cierta confianza con Foligno, a manera de testigo falso, le dijo:

—A ver si usted hace alguna experiencia con este caballero, que es mi primo y debe de ser incrédulo... y sabe mucho de filosofías.

Foligno se turbó un poco, tardó en contestar; pero, repuesto en cuanto pudo, se volvió a Serrano con mirada valiente, de desafío, si bien acompañada de gestos de perfecta cortesía.

—¡Oh, sí! Con mucho gusto. Pero este caballero sabrá que en los refractarios estas pruebas se hacen con dificultad. Sin embargo, ensayaremos.

Se ensayó un paseo como el del marqués complaciente.

Catalina, con paso lento, pronta a detenerse a cada segundo, pasó cerca de Serrano, muy cerca, rozando su cuerpo con el pobre vestido blanco, con las tristes cintas ajadas, iguales que las del traje de Tomasuccio, de quien el filósofo se acordó con cariño y tristeza.

—Piense usted en un sitio determinado en que ella ha de pararse —dijo el doctor colocándose junto al supuesto incrédulo.

A Serrano le costó trabajo fijar el pensamiento en tales nimiedades; sólo por un escrúpulo de sinceridad consiguió, con grande esfuerzo, tomar en serio aquello por un minuto, y pensar en un rosetón de la alfombra, algo distante, donde *quería* que la sonámbula se detuviera.

El doctor miraba a Serrano, Serrano al doctor, ambos inmóviles. Nicolás no hizo gesto alguno. Catalina no se detuvo donde era necesario, sino dos pasos más adelante.

—¿Era allí? —preguntó el doctor con voz algo insegura.

Sin darse cuenta de lo que hacía, olvidado de Tomasuccio, de aquella mujer que le parecía cosa de sus ensueños y que todavía no le había mirado, sintiéndose ridículamente cruel y Quijote de la verdad, tal vez impulsado por su odio a la farsa y al doctor y por el tono de desafío que creyó leer en la pregunta, Serrano dijo en voz muy baja, con tono irónico y de resolución:

—¿Qué quiere usted que diga?

El doctor fingió no oírle, y repitió la pregunta. Serrano, insistiendo en su crueldad, volvió a decir, ahora en italiano:

—¿Qué quiere usted que diga; que sí... o que...?

El doctor, como picado por un bicho, dio un paso atrás huyendo de aquellas confidencias, de todo secreto, rechazando toda connivencia y todo favor.

—¡Oh, caballero! Diga usted la verdad; nada más que la verdad.

—Pues la verdad es que esta señora no se ha detenido donde yo quería, sino mucho más lejos.

Estupefacción y disgusto generales.

El marqués complaciente sonreía cerca del filósofo, atusándose el bigote. Daba a entender que él era mucho más galante que aquel desconocido.

En aquel momento, Caterina Porena, con los ojos pardos abiertos, volvió a pasar junto a Serrano, pero sin mirarle *todavía*.

IX

Hubo un *entreacto*. A las señoras se les sirvió un *refresco* y los hombres salieron a los pasillos y gabinetes contiguos a fumar y discutir. Serrano, objeto de general curiosidad, sintiéndose en ridículo a sus propios ojos, por no estarlo también ante los demás, hizo prodigios de gracia y de ingenio. Sin pedantería, como dando poca importancia a la polémica, demostró a muchos de aquellos señores, capaces de entenderle, sus conocimientos psicológicos y fisiológicos, muy superiores, sin duda, a los de Foligno. Éste, en vez de rehuir un encuentro con el descreído, lo procuró, y, amable, risueño, también buscando gracia y descuido en sus maneras y palabras, defendió su causa como un cómico una comedia que está representando y que es discutida entre bastidores; comedia que él *hace* en las tablas, pero que al cabo no es obra suya. Los chistes, los incidentes de las conversaciones, los vaivenes de la multitud, estorbaron bien pronto a los contendientes; se perdió o se dejó perder el hilo de la argumentación; el público admiró los conocimientos de Serrano y los de Foligno; y éstos, al despedirse, porque se reanudaba el *espectáculo,* se apretaron la mano sonriendo y se declararon, con sendos ofrecimientos, buenos amigos.

Cuando los caballeros volvieron al salón, el alcalde, en mangas de camisa, sudaba como un mozo de cordel[63], cerca de la sonámbula; sudaba porque no era para menos el ejercicio de brazos y cintura a que se entregaba para fabricar el fluido que él creía indispensable para aquella grande experiencia. Como se pudiera quejar de una máquina oxidada, se lamentaba de las dificultades que la *falta de uso* oponía a su buen propósito de convertirse cuanto antes en un emporio de magnetismo.

La Porena, sentada en su silla, permanecía inmóvil, seria, triste, lo mismo que cuando su marido comenzaba a dormirla. Mijares daba vueltas alrededor de su *víctima* como si quisiera enterrarla bajo un Osa y un Pelión[64] de fluido magnético de primera clase.

Como allá, hacia una de las puertas del salón, donde se aglomeraba la multitud del sexo fuerte, sonaran algunas risas

---

[63] *mozo de cordel:* véase nota 57 de *Doña Berta.*
[64] *un Osa y un Pelión:* según la mitología griega, los gigantes, en su lucha contra los dioses, trataron de escalar el Olimpo colocando el monte Pelión (en Tesalia) sobre el monte Osa (al norte del Pelión). Ambos montes eran morada de los centauros y de los gigantes.

sofocadas, el médico alcalde se volvió indignado, y, suspendiendo los pases que le hacían sudar, mientras arremangaba más y mejor los puños de la camisa, pronunció una enérgica *filípica*, especie de bando oral, en que, invocando su triple autoridad de alcalde-presidente, amo de su casa y doctor en medicina, conminaba a los incrédulos irrespetuosos con la pena de poner de patitas en la calle al que se burlase del fluido más poderoso que había en toda la provincia, del fluido del alcalde-presidente del Ayuntamiento.

—Señores —concluía—, si me cuesta más tiempo y más trabajo que al doctor extranjero dormir a esta señora, es porque hace mucho tiempo que ya no me ejercito; pero ella dormirá; ¡vaya si dormirá!, ¡ya lo creo que dormirá!

Esto último lo decía con un tono tan enérgico, que no dejaba duda posible respecto a sus condiciones de mando y valor cívico.

El público, que si no creía en el fluido del alcalde, le tenía por muy capaz de hacer una alcaldada en su propia casa, guardó silencio más o menos religioso, pero absoluto. Los pollos esperaban que todo aquello acabaría en un poco de baile, y no quisieron aguar la fiesta. Nadie volvió a reír.

Foligno, muy grave, miraba con grande atención al magnetizador, que parecía trabajar en una cabria[65] invisible. Serrano estaba indignado. Aquel joven fino, simpático, listo, instruido; y, lo que era peor, aquella mujer interesante, hermosa, que a él le estaba *llegando* al alma, aun sin haberle mirado, se prestaban a aquella farsa ridícula por miedo, por adulación. *¡Luego* ellos eran también unos farsantes!... ¡Se jugaba allí con cosa tan seria como los misterios del hipnotismo!

Por fin Caterina cerró los ojos: estaba dormida. El alcalde, triunfante, se irguió; paseó la mirada en torno con aire de vanidad satisfecha, se limpió el sudor de la frente, y con ademán solemne entregó a la sonámbula al *brazo secular*[66] de su marido.

---

[65] *cabria:* máquina utilizada para levantar pesos, consistente en un trípode formado por tres vigas del que está suspendida una polea por la que pasa la cuerda o cable de un torno, con que se maniobra el peso.

[66] *brazo secular:* conjunto de los tribunales de justicia no eclesiásticos.

—Ahora usted haga los experimentos que quiera. Ella está bien dormida.

No hubo risas. Algunos ya empezaban a creer en la fuerza magnética de la autoridad.

Antoñito se había acercado a su primo y hablaba con él fingiéndose creyente fervoroso del alcalde magnético, como él decía.

Foligno se aproximó a ellos y les invitó a poner cada cual un dedo, el índice, sobre la cabeza de Catalina, la cual, por el contacto de las yemas, conocería siempre a la misma persona.

Con no poca vergüenza y grandísima emoción, y emoción voluptuosa y alambicada, Serrano se acercó, por detrás de la silla que ocupaba Caterina, a su cabeza, y suavemente apoyó en ella la yema del dedo. Lo mismo hizo Antonio. La Porena, a los pocos segundos, levantó el brazo derecho con graciosa languidez, y, sin vacilar, cogió con su mano tibia y dulcemente suave la mano del filósofo.

Ya sabía él, por sus lecturas y observaciones, que en el contacto hay misterios de afinidad y simpatía, revelaciones de la unidad cósmica, etc., etc.; pero nunca hubiera creído que una mano de mujer *desconocida*, agarrándose a la suya con fuerza, sin verse las caras ella y él, Catalina y Serrano, pudiera decir tantas cosas. Aquella mano *ciega* había ido a la suya como a un imán, sin vacilar, como a un asidero, llena de dulces reproches, llamándole ingrato, torpe, incrédulo, inundándole el cuerpo entero de un calor simpático, familiar, casi aromático, cargado de sentido voluptuoso sin dejar de ser espiritual, puro. ¡Qué sabía él! Aquel contacto era una revelación evangélica del amor en el misterio. Y además... ¡el amor propio!, ¡qué orgullo, qué dulcísimo orgullo! Lo que en otras circunstancias le hubiera parecido una pueril vanidad, ahora se le antojaba legítima satisfacción. «Afinidades electivas»[67], pensaba.

Foligno cambió la experiencia; separó suavemente con la mano al primo de Serrano, y en silencio invitó a otro joven a

[67] El sintagma hace referencia a la novela psicológica que Goethe publicara en 1809 con el título de *Las afinidades electivas* y a la teoría que en ella expone su autor, según la cual las afinidades humanas tendrían correspondencia con las químicas.

ocupar su puesto. Las manos se apoyaron en la cabeza de Catalina, cruzándose. Catalina volvió a coger, volvió a estrechar la mano del filósofo. Se repitió la experiencia otras cuatro veces, siempre apoyándose en la cabeza de la sonámbula el dedo de Serrano y siempre siendo de persona distinta el otro dedo. Catalina no se equivocó nunca: las seis veces apretó la mano del filósofo.

El público estaba impresionado, por completo vencido. Se opinaba que aquel joven madrileño, aquel Santo Tomás del hipnotismo, debía de estar persuadido ya, lleno de fe. En cuanto al alcalde, reventaba de satisfacción. ¡Era su fluido el que hacía aquellos milagros!

Foligno, sólo él, notó un movimiento en el rostro de su esposa, y de repente, como inspirado, se volvió hacia Nicolás, y, con sonrisa entre amable y cortésmente burlona, dijo en alta voz:

—Este caballero que no quería creer, resulta un excelente *medio* de experimentación. Caterina se siente capaz ahora de penetrar en el espíritu del incrédulo y leer allí de corrido. ¿No es verdad Catalina? ¿Dirás lo que piensa este caballero?

Con voz apagada y lentamente, la sonámbula fue diciendo:

—Sí... sé... lo... que pensó... Diré lo que pensó...

Serrano, que aún sentía en la piel, y más adentro, el calor, que parecía cariño, de la mano de la Porena, que se sentía como ligado a ella por hilos invisibles que nada tenían que ver con el magnetismo, padeció un escalofrío al oír hablar de aquella suerte a la mujer del farsante, que se dejaba dormir por el fluido del alcalde. La superchería le indignaba, pero le fascinaba la mujer.

«¿Qué irá a decir?», pensó.

El público no respiraba, todo atención y pasmo. Era aquello para él una especie de desafío entre el milagro y la incredulidad. Sin duda iba a vencer el milagro. La Porena prosiguió:

—Este caballero... incrédulo... no debiera serlo. Una noche... se le apareció Santa Teresa y él no lo quiso creer. La vio, y se lo negó a sí mismo.

X

Serrano dio un grito; un grito nervioso, de miedo. Se sintió muy mal, como antaño, antes de sus viajes; peor que nunca. Todo lo que presenciaba se le figuró que estaba en su cabeza; estaba delirando, tenía ante los ojos la alucinación... ¡Santa Teresa! Era verdad, la noche del tren... ¡y volvía! Aquello era el *ritornello*[68] de la locura... ¡La alucinación! ¡Qué horror! Se había dejado caer en una silla, temiendo un desmayo, con las piernas flojas y frías. El alcalde, el primo Antoñito y muchos más caballeros, le rodearon. En la confusión del susto se olvidó por un momento la causa de éste por atender al forastero, que estaba pasmado, pálido, tal vez próximo a un síncope; pero los que estaban más lejos, los demás que no habían podido llegar cerca de Serrano, se decían, todos en pie:

—Pero ¿es verdad? Pero ¿es verdad? ¿Ha acertado la Porena?

Nadie había advertido un movimiento de Catalina como para levantarse de la silla, ni el gesto imperioso y rapidísimo con que Foligno la contuvo, apoyando fuertemente una mano sobre la espalda de su mujer.

El alcalde médico tomaba el pulso a Serrano. Antoñito pedía tila, azahar. Otros proponían llevar a una cama al *enfermo*...

—¡Que respire, que respire! —gritaban los de más lejos—. ¡Darle aire!

Serrano, que seguía sintiéndose muy mal, aunque menos asustado, entre mareos y náuseas y temblores, procuraba separar de su lado, con las manos extendidas, la multitud que le rodeaba... quería ver... ver si... aquella mujer estaba allí... si alguien había dicho, en efecto... aquello...

Incorporándose y dejando libre algún espacio delante de sí, volvió a ver a la Porena que en aquel momento abría los ojos, los ojos que dulcemente, llenos de curiosidad y honda simpatía, se clavaban en los del filósofo.

---

[68] *ritornello:* voz italiana, 'estribillo'.

Pero entonces... pensó y dijo entre dientes Serrano, entonces... no es alucinación... esa mujer está ahí... realmente... ¡Oh, sí! Allí estaba. Aquellos ojos eran los de *Masuccio*, que quedaba en la fonda dormido; pero llenos de idealidad, de poesía, del fuego de pasión pura que no cabe que haya en los ojos de un niño. Aquellos ojos le volvían al mundo, le sacaban del abismo horroroso del pánico de la locura, aprensión tal vez no menos terrible que la demencia misma. Aquellos ojos eran el mundo del afecto, de la realidad tranquila, ordenada, buena, suave. Quedaba sin explicación, eso sí, el cómo aquella mujer sabía que él hubiera creído ver a Santa Teresa en una alucinación. Todo se explicaría, y si no, poco importaba. Él estaba en su juicio y aquellos ojos le acariciaban: esto era lo principal. Lo malo era, mal accidental, que la digestión estaba cortada y ya no tenía compostura. Sí, no cabía dudarlo: el susto, el miedo, la locura, le habían interrumpido la pacífica... digestión. ¡Claro! ¡Acababa de comer! Quiso sacar fuerzas de flaqueza, serenarse, estar tranquilo, tranquilizar al concurso, y, una vez que ya se había dado en espectáculo, no quiso retroceder: quiso llegar hasta el fin de la manera más airosa posible. Además, le punzaba el deseo de acercarse a Catalina, de hablar con ella, de averiguar cómo ella sabía su secreto, que a nadie había comunicado; el secreto de sus aprensiones de alucinado.

—Lo que esta señora ha descubierto es verdad —dijo dirigiéndose al alcalde y a Foligno—. Entendámonos; es verdad... que en cierta ocasión tuve ante mí una mujer que desapareció no sé cómo, y que se me ocurrió como una obsesión la disparatada idea de que fuese una alucinación que me representaba a Santa Teresa. Pero yo esto, lo confieso, no lo he dicho a nadie en el mundo. Esta señora, ciertamente, ha tenido que adivinarlo.

Nicolás no pudo continuar; tuvo otro mareo, más escalofríos, perdió la vista, y sintió hormigueos de la piel en el brazo izquierdo, que quedó insensible.

—Señores, me siento mal; una jaqueca.

—¿Acaba usted de comer? —preguntó el alcalde.

—Sí, señor —dijo Antonio—. Con la sorpresa, con la emoción...

—Sí, sí: un pasmo.

—Efectivamente, es pasmoso lo que acaba de suceder.

—Vean ustedes, y todo con mi fluido.

Foligno, triunfante, disimulaba su alegría, lamentándose de la mala suerte, del accidente, de la digestión interrumpida, etc.

Serrano tuvo que retirarse. En el coche del alcalde se lo llevaron a la fonda Antoñito y sus amigos. La reunión no se deshizo enseguida, porque faltaban los comentarios. Se olvidó pronto la indisposición del madrileño para no pensar más que en el milagro de la Porena. ¡Le había adivinado su secreto pensamiento de hacía tanto tiempo! ¡Y qué secreto! Las mujeres se inclinaban a creer en la autenticidad de la aparición de Santa Teresa al incrédulo, al nuevo Saulo[69] del magnetismo.

Catalina y su esposo se despidieron pronto, sin más experimentos. Foligno, después de tamaño triunfo, no quiso demostraciones menos importantes de su ciencia oculta.

Además, la Porena estaba fatigada, fatigada de verdad. En cuanto volvió el coche del alcalde hizo un segundo viaje a la fonda con el matrimonio. Se disolvió la tertulia. Todos se marchaban admirados. Sólo al ingeniero jefe de montes se le ocurrió decir, en el portal, a unos cuantos jóvenes:

—Señores, a mí no me la pegan; ese madrileñito y esos comediantes... estaban de acuerdo.

—¡Pero, hombre —le dijeron—, si él es primo de Antoñito, y hombre muy serio, y se puso enfermo de verdad!...

—Pamplinas, pamplinas; han querido burlarse de los pobres caracenses.

En uno de los libros de Nicolás Serrano, en uno de aquellos en que él apuntaba la historia de sus reflexiones, a saltos, sin repasarlos jamás, se leía este fragmento:

---

[69] *Saulo* de Tarso dirigió una feroz campaña contra los discípulos de Jesús, hasta que, camino de Damasco, tuvo una visión del Señor resucitado. Fue entonces cuando se convirtió al Cristianismo y comenzó a predicar su doctrina, con el nombre de Pablo (véase Hechos de los Apóstoles, 9).

«...Tomasuccio me puso en relación doméstica con sus padres. Me llevó de la mano hasta el cuarto de la fonda que ocupaban ellos, y me hizo entrar. El doctor me recibió con una amabilidad que me pareció falsa por lo excesiva. Catalina me sonrió, y su palidez, que siempre era mucha, se tiñó, al verme, de un color de rosa que duró poco en sus mejillas. El pretexto para llegar yo allí fue, aparte de la ocasión, el empeño de Tomasillo, el volver a Catalina el álbum que por la mañana me había enviado al saber que yo estaba en la misma fonda. En una tarjeta me pedía algunos pensamientos para llenar una página de aquella colección de elogios hiperbólicos, de versos y dibujos. Yo tuve el capricho de escribir varias máximas de autores alemanes, que recordaba de memoria, en alemán, y que sin traducir pasaron al álbum[70]. Más o menos directamente, todas ellas iban contra las supercherías de las adivinaciones, de los portentos del género que cultivaba aquella pareja italiana.

»Al entregar su álbum a la Porena, ésta buscó con ansiedad, que disimulaba mal, la página mía.

»—¡Ah! —dijo al verla—. Yo no entiendo esto. Debe de ser... alemán.

»Foligno tampoco podía traducirlo.

»—Pues yo no lo traduzco —exclamé yo, que no me atrevía a decir cara a cara a aquellas gentes que no creía en sus milagros, a pesar de la inexplicable revelación de la noche anterior.

»—No faltará quien lo traduzca —dijo la italiana. Y cerró el álbum de prisa, colocándolo después en su regazo y oprimiéndolo contra su cuerpo, como quien abraza estrechamente.

---

[70] El *álbum* es un libro en blanco, comúnmente apaisado y encuadernado con más o menos lujo, cuyas hojas se llenan con breves composiciones literarias, sentencias, máximas, piezas de música, firmas, retratos, etc. El fin de estos escritos es el elogio de la propietaria del álbum, quien solía enviarlo al artista elegido solicitándole que lo complementara con algún escrito; después de lo cual, era devuelto a su dueña tal y como refleja el texto. Se trata, pues, de un uso social particularmente femenino, conocido en España desde el siglo XIX.

»Hablamos de muchas cosas, unas relativas al sonambulismo y otras no; pero yo no quise aludir a los sucesos de la víspera, y ellos tampoco hablaron de tal escena.

»Sin saber por qué, prolongué mi estancia en Guadalajara por ocho días; no volví a Madrid hasta el día siguiente de salir los Folignos para Zaragoza. En aquella semana dieron varias funciones en el teatro. Asistí a ellas desde bastidores, porque se había divulgado el portento de que era yo principal actor, y no quise nuevas exhibiciones. A las cuarenta y ocho horas de conocerle ya quería yo a Tomasuccio como a un hermanillo, que venía a ser para mí como un hijo. Él se metía por mí y me obligaba a estrechar relaciones con sus padres. Siempre que en mi presencia daba Catalina un beso a su hijo, yo le daba otro. Aquella mujer era en el retiro de su *hogar*... de la fonda, diferente de la que se veía en el teatro representando su comedia de pitonisa moderna. Parecía más hermosa, pero aún más amable; había en ella menos misterio melancólico, pero mayor pureza de gestos, el atractivo de una poética virtud casera. Sí, sí; era una honrada madre de familia que ganaba el pan de los suyos con oficios de bruja. Mi presencia (a mí mismo puedo decírmelo) la turbaba, como la suya a mí. Foligno nos dejaba solos muchas veces. Hablábamos de mil cosas; nunca del placer, cada vez más íntimo, de estar juntos, de contarnos nuestra historia; nunca de la aventura de aquella adivinación. Pero la noche anterior a nuestra separación, probablemente eterna, pensábamos (ausente Foligno, que estaba arreglando cuentas en la administración del teatro; dormido Tomasuccio, al pie de cuyo lecho estábamos los dos), comprendimos que teníamos algo que decirnos antes de separarnos. De dos asuntos quería yo hablar. Cuando mis labios iban a romper el silencio para abordar la materia más importante y más difícil, la que era más para callada, Catalina me miró a los ojos, *me adivinó* otra vez, y tuvo miedo. Se puso de pie, pasó la mano por la frente de su hijo dormido, y, volviendo a sentarse, sonrió con dulcísima malicia, y dijo, antes de que hablara yo:

»—Usted, amigo mío, me oculta algo... calla usted algo... que quisiera decir.

»—Sí, Catalina; yo...

»—Sí; usted quisiera saber cómo yo pude adivinar, gracias al fluido magnético del señor alcalde...

»Comprendí su prudencia, su lección, su miedo. Me levanté, besé en la frente a Tomasuccio, y, oculto en la sombra del pabellón de aquella cuna de la inocencia, me atreví a hablar de todo... de todo menos de lo más importante.

»Catalina supo de mi curiosidad contenida; supo más; le confesé que era para mí causa de disgusto aquella sombra de superchería que quedaba en el misterio. Mi simpatía hacia aquella familia con que me habían unido de corazón lazos del azar, padecía con aquella sombra de superchería, de... comedia, llegué a decir. Estuve casi duro, demasiado franco. Pero ella entendió bien mi idea. Mi amor a la verdad, a la sinceridad, era muy cierto; mi amistad, también muy seria y muy cierta; la sospechada superchería se ponía en medio y me lastimaba. No dije nada de amor, no la separé a ella de su marido al hablar de mi afecto; iban los tres juntos: los cónyuges y el niño. Catalina me entendía y me agradecía aquella preterición[71] de lo que me estaba adivinando en la voz temblorosa.

»No recuerdo sus propias palabras de cuando me contestó. Recuerdo que tardó en hablar. Otra vez acarició la frente del niño, se paseó por el gabinete, y al volver a mi lado estaba cambiada: sus ojos brillaban; su tez, encendida, parecía despedir pasión eléctrica, no sé qué; todas sus facciones se acentuaron, adquirieron más expresión, más fuerza... estaba menos hermosa y mucho más interesante. Vino a decir, con voz algo ronca, que yo tenía derecho a que ella no guardase el secreto de su arte por lo que se refería a nuestra aventura. Me engañaba, según ella, si creía que era farsa aquella enfermedad que padecía y que le servía para dar de comer a su hijo. No me podía explicar muchas cosas que no eran su secreto exclusivo, sino el de su familia: esto sería una infidelidad. Pero... en lo que tocaba a nuestras relaciones, a mi aventura.... todo había sido puramente natural... aunque Dios sabía si en el fondo sería aquello no menos misterioso que lo pasado en

---

[71] *preterición:* figura retórica que consiste en aparentar que se quiere omitir o pasar por alto aquello mismo que se dice.

el mayor misterio. Yo venía, prosiguió diciendo, con palabras equivalentes a éstas, de Segovia a Madrid. En el coche que me llevaba a la estación en que había de tomar el tren, creo que la de Arévalo[72], viajaba también un sacerdote que iba a esperar a unas monjas, hermanitas de los pobres, las cuales, para cuidar un enfermo de no recuerdo qué pueblo, debían llegar a la estación anterior a la en que iba yo a tomar el tren. En Arévalo el sacerdote me acompañó al andén. Juntos buscamos a las monjas. Venía una sola... y ¡cómo venía! Como un revisor, en pie sobre el estribo y agarrada al picaporte de una portezuela. Un empleado de la estación la salió al paso antes que mi señor cura la reconociese; y reprendiéndola estaba por su modo de viajar, cuando intervinimos nosotros. La monja, casi llorando, explicaba su conducta. La hermana Santa Fe no había podido venir; se había puesto enferma horas antes de pasar el tren. El párroco de no sé dónde, de aquel pueblo, había visto la necesidad de enviar a la hermana Santa Águeda sola, y esto porque el caso no daba espera y él no podía acompañarla. Le había metido en un reservado de señoras. Ella había aceptado porque el viaje era corto, entre dos estaciones intermedias, y reconocía lo apurado del asunto. Pero en el reservado de señoras no iba más señora que un caballero, un joven, un joven dormido... que podía ser un libertino o un ladrón. A ella, a la Santa Águeda, le había entrado el pánico del pudor... y sin encomendarse a Dios había abierto la portezuela con gran sigilo; y muy agarrada a la barandilla y al picaporte había salido del coche... y había llegado a Arévalo, como habíamos visto. Los comentarios del suceso duraban todavía entre el sacerdote, mi compañero de viaje, la monja y el empleado, cuando la locomotora silbó y tuve que meterme a toda prisa en el tren. Vi un coche con una tabla colgando de la portezuela. "Éste será el reservado verdadero", pensé; aquí no irán hombres. Y allí entré. Caí en el mismo error que los que embarcaron a la monja. No era reservado; era el coche en que no se consentía fumar, según vi cuando salí de él. En

_____

[72] *Arévalo:* pueblo de la provincia de Ávila y estación de paso de la línea Madrid-Irún, por la que viaja Serrano.

efecto, allí había un joven solo, un joven dormido. Yo no tuve miedo; yo no escapé. Al llegar a este punto Catalina vaciló, calló un punto, y con más brasas en el rostro, dijo por fin:

»—Esto... es una especie de confesión. Yo no soy una santa; soy... mujer... curiosa... indiscreta. Además, mi obligación es, lo manda el arte, mi obligación... es enterarme de todo lo que la casualidad quiere hacerme aprender; siempre que la curiosidad me acerque a un objeto del cual deseo saber algo, que ofrece posibles consecuencias provechosas... mi obligación es oír la voz de la curiosidad. Así lo hice. El sueño de aquel joven era inquieto...; parecía soñar, murmuraba frases que yo no podía entender. A su lado, sobre el almohadón, había un libro de memorias abierto. Esto parece tan imposible como el adivinar, pero es *más natural*. Cogí el libro con el mismo sigilo que la monja había empleado para escaparse. No había miedo; el viajero dormía profundamente. La rapidez de mis movimientos era para mí guardia segura; antes que él tuviera tiempo de despertar por completo y darse cuenta de mi presencia, estaba yo segura de poder dejar el libro en su sitio, sin que su dueño notara mi curiosidad. Con grandes precauciones me puse a hojear el libro. Yo no entendía aquello; las letras eran muy raras y desiguales; no eran del alfabeto que yo conozco. Ya iba a dejar donde le había cogido el cuerpo del delito, defraudada mi mala intención, cuando llegué, al pasar hojas, a la última. Allí vi letra inteligible. Me puse a leer con avidez, y leí mil abominaciones contra el milagro y la superstición, y a vueltas de todo esto la declaración de su miedo de usted, de su miedo a las alucinaciones. Allí se decía bien claramente, en pocas palabras, que había creído usted ver a Santa Teresa en un rincón del coche. Lo demás lo comprendí yo atando cabos. Lo singular, lo excepcional, lo *milagroso*, lo inverosímil de la aventura, de la coincidencia, me impresionó sobremanera. ¡Cuántas veces he pensado en el viajero, en la monja y en la *visión!* El joven, usted, siguió dormido. Al llegar a la primera estación se movió un poco, suspiró, tal vez despertó, pero sin incorporarse, sin abrir los ojos. Se abrió la puerta del coche, entraron un viejo y una vieja, y yo salí para buscar el verdadero reservado de señoras.

»—Es verdad —interrumpí yo—. Recuerdo que llegué a Madrid acompañado de una pareja de sesentones que nada tenían de aparecidos.

»—Pero el verdadero milagro —prosiguió Catalina— está en habernos vuelto a encontrar. Es decir, en volver yo a encontrarle a usted. Ahora quien dormía no era usted; era yo.

»—Pero usted no me vio...

»—No le vi a usted hasta que volvió al salón cuando el alcalde me estaba magnetizando. Yo le veía a usted... con los ojos *casi* cerrados. Le reconocí enseguida; formé mi plan inmediatamente. ¡Si viera usted qué emoción! Un incrédulo que quería quitarme el pan de mi Tomasuccio, que no quería que yo pudiera vestir a mi niño... ni siquiera con tul viejo y cintas ajadas. Mi superchería fue mi arma. *Avisé* a Vincenzo, a mi marido, me entendió... y vino el segundo milagro... el segundo, porque el primero, el mejor, el *importante*, era el otro. Aquella *casualidad* de habernos vuelto a encontrar, venía a coronar la otra serie de casualidades.

»—Todo esto en un cuento parecería inverosímil.

»—Pero todo es verdad; luego fue *posible*.

»—Además, cosa por cosa, nada es extraordinario..., mucho menos lo que más lo parece, lo principal, el atreverme yo a leer su libro de memorias.

»—¿Y el escribir yo aquello, nada más que aquello, en letra ordinaria? (En efecto, después busqué en mis apuntes la narración y las reflexiones a que Catalina aludía, y en letra bastardilla estaban escritas; en letra *rapidísima,* pero clara.)

»—Eso se explica por la emoción con que usted escribiría; no le dio tiempo a recordar su costumbre de usar letras exóticas; escribía usted como escribiría lo que le importa más, todo lo que no sea para sus Memorias.

»—De modo que, según usted, no hay milagro.

»—¡Oh, sí! ¡Evidente! El milagro está en el conjunto; en la reunión de todo eso... ¡en tantas coincidencias!

»Los dos callamos, nos miramos fijamente, leímos, *confrontando las almas,* el respectivo pensamiento. Pero nadie leyó en voz alta. Se oía la respiración algo fatigada de Tomasuccio.

»Los dos atendimos al niño, ella le tapó mejor; yo arreglé los pliegues del pabellón de la cuna. Y como si hubiéramos cambiado de conversación, me atreví a decir:

»—Después de todo, ¿qué mayor coincidencia *inverosímil* que el encontrarse en el mundo dos almas, dos almas hechas la una para la otra?

»—¡Ah! Sí; es verdad. El amor es un misterio. El amor es un milagro.

»Llegó Foligno. Yo le estreché la mano sin miedo, sin miedo ni a él ni a mi conciencia. Después estreché la de Catalina, aquella mano *tan mía,* y la estreché tranquilo. Nos miramos ambos satisfechos como dos compañeros de naufragio que se saludan, sanos y salvos, en la orilla.

»Al día siguiente fui a despedirlos a la estación.

»No más unos momentos, muy pocos, estuve a solas con la Porena, mientras facturaba el equipaje el doctor.

»No hablábamos. Me miró sonriendo. Yo fui quien se atrevió a decir:

»—En la explicación de ayer, pensando en ella esta noche, vi dos puntos... oscuros.

»—¡Dos! ¿Cuáles son?

»—¿Cómo viajaba usted sola de Segovia a Madrid?

»—¡Bah! ¡Tantas veces he viajado sola! Foligno tenía que presentarse a Madrid a responder... de una deuda. Era una batalla con un usurero empresario de un teatro. Amenazaba con pleitos, con la cárcel... ¡qué sé yo! Somos extranjeros, tenemos miedo a todo. Foligno aquellos días cayó enfermo en Segovia, y fui yo sola a calmar al enemigo, a darle garantías de nuestra buena fe, a pedir prórroga. ¡Es usted demasiado curioso! Ya sabe usted más de lo que yo debía decir. No pregunte usted más cosas... así.

»—La otra pregunta... el otro punto oscuro...

»No hubo tiempo a más. Foligno llegó. Entraron en un coche de segunda. Un apretón de manos, un beso muy largo a Tomasuccio... y partió el tren.

»¿Hasta cuándo?

»Al día siguiente yo me volvía a Madrid.

253

»*Nota.* La segunda pregunta, que no hubo tiempo a formular, era ésta:

»—¿Por qué me conocía usted siempre por el contacto de la yema de un dedo?»

XI

Dos años después de haber escrito Nicolás Serrano en sus *Memorias* lo que va copiado, se paseaba por Recoletos una tarde de primavera. Una muchacha de quince abriles pregonaba violetas, ramitos de violetas. Algunos árboles del paseo olían a gloria. Las golondrinas, bulliciosas, jugaban al escondite de tejado a tejado, rayando con su vuelo el cielo azul, rozando con las puntas de las alas, a veces, la tierra. Las fieras del carro de la Cibeles, teñidas de la púrpura del crepúsculo esplendoroso, parecían contentas, soñando, como la diosa, al son de la cascada de la fuente. Serrano gozaba de aquellas emanaciones de la Maya inmortal[73], si no contento, tranquilo por lo pronto, en una tregua de la *angustia metafísica,* que era su enfermedad incurable. Un perro cursi, pero muy satisfecho de la existencia, canelo, insignificante, pasó por allí, al parecer lleno de ocupaciones. Iba de prisa, pero no le faltaba tiempo para entretenerse en los accidentes del camino. Quiso tragarse una golondrina que le pasó junto al hocico. Es claro que no pudo. No se inquietó; siguió adelante. Dio con un papel que debía de haber envuelto algo sustancioso. No era nada; era un pedazo de *Correspondencia* que había contenido queso. Adelante. Un chiquillo le salió al paso. Dos brincos, un gruñido, un simulacro de mordisco, y después nada; el más absoluto desprecio. Adelante. Ahora una perrita de lanas, esclava, melindrosa, remilgada. Algunos chicoleos, dos o tres asaltos amo-

---

[73] En la filosofía hindú, la voz sánscrita *maya* designa la apariencia ilusoria de este mundo. La *maya* representa lo irracional, una entidad sin principio, inexplicable como el mismo mundo, cuyo contenido es ilusorio; se la compara al espejismo del desierto. Schopenhauer enlaza esta doctrina hindú con su teoría sobre el mundo como representación, según la cual los individuos son meras apariencias, cuya realidad total es imposible de aprehender.

rosos, protestas de la perra y de sus dueños, un matrimonio viejo. Bueno, corriente. ¿Que no quieren? ¿Que hay escrúpulos? En paz. Adelante; lo que a él le sobraban eran perras. Y se perdió a lo lejos, torciendo a la derecha, camino de la Casa de la Moneda. A Serrano se le figuraba que aquel perro iba así... como *cantando*. «¡Oh! Es mucho mejor filósofo que yo», se dijo.

Y, al volver la cabeza, vio enfrente de sí a Caterina Porena vestida de negro.

Ella le reconoció antes. Se puso muy encarnada y pasó un mal rato dudando si él la saludaría, si se acordaría de ella. Si él pasaba adelante... ¡adiós! ¿Cómo atreverse a detenerle?

Pero Nicolás se detuvo, sintió el corazón en la garganta y alargó una mano, después de hacer un ruido extraño con la garganta donde tenía el corazón; acaso con el corazón mismo.

Se estrecharon las manos.

¿Su vida?

La de él... como siempre. No habían vuelto a adivinarle nada.

No le había pasado ninguna otra gran casualidad.

¿Y a ella? A ella se le había muerto Tomasuccio. Hacía más de un año. Pero aquel año no era como los dos meses de Ofelia; era como los dos días de Hamlet, era ayer siempre el día de la muerte.

A Serrano se le nubló la primavera. Sintió de pronto la tristeza del mundo en medio de los pregones de violetas, de la luz radiante, del cuchicheo de las golondrinas.

El rostro, los ojos sobre todo, anunciaban en Caterina un dolor incurable.

«¡Qué horriblemente desgraciada debe de ser!», pensó Serrano.

Callaron un momento, puesto el recuerdo, lleno de amor, en Tomasuccio.

Después, en un tono mate, frío sin querer, preguntó el filósofo:

—¿Y Foligno?

—Bueno, muy bueno.

«Sí —pensó Nicolás—; ése nos enterrará a todos.»

Se separaron. Ella estaba en Madrid de paso. No hablaron siquiera de volver a verse. ¿Para qué?

Ella era honrada, él también; vivía Foligno... y Tomasuccio había muerto. La Porena, siempre en el éxtasis de su pena, vivía como en un templo, sacerdotisa del dolor. Todo mal pensamiento era una profanación del altar en que se quemaba un corazón sacrificado al recuerdo de un hijo. No era el corazón sólo: todo se consumía. Catalina estaba muy delgada, muy pálida; se iba poco a poco con su *Masuccio*.

El amor, y el amor adúltero singularmente, no tenía ya sitio allí.

No cabía más que *recordarse* de lejos, sin buscarse. Queriéndose, o lo que fuese, hasta que el esfumino del tiempo se encargara de desvanecer la última aprensión sentimental.

Catalina siguió su camino hacia la Cibeles. Serrano, sin saber lo que hacía, torció a la derecha, hacia la Casa de la Moneda, como si quisiera seguir la pista del perro canelo, que tomaba los *fenómenos*[74] como lo que eran, como una... superchería.

---

[74] El *fenómeno* es toda apariencia o manifestación, así del orden material como del espiritual. Para Kant y Schopenhauer se trata de la única realidad que percibe el sujeto en su experiencia sensible.

Apéndice

La recepción de «Doña Berta.
Cuervo. Superchería» (1892)

C. José de Arpe,
«Bibliografía. Un libro de Clarín»
(Revista de España, 138,
enero-febrero, 1892)

No siempre ha de ser ortigas literarias lo que brote de la pluma del distinguido escritor D. Leopoldo Alas.

En el último libro suyo *Doña Berta, Cuervo, Superchería* editado como todos los del ilustre catedrático de Oviedo, por la casa de Fernando Fe, hay una joya literaria de inapreciable valor y de mérito indiscutible: *Doña Berta.*

Seguramente no encontrará el lector en *Doña Berta* personajes vulgares como algunos de los que figuran en otras novelas de *Clarín,* ni ampulosidades en lo escrito, ni el lenguaje acataplasmado (valga la inventada frase) de *Su único hijo.*

Doña Berta, Cuervo, Superchería son tres novelitas, en un volumen, que el lector ha de acoger con cariño y más que cariño con gusto.

Hay quien opina que el señor Alas como novelista es malo, quien que como crítico, a veces parcial y de cuando en cuando injusto; pero lo que no ofrece dudas a nadie es que *Clarín,* en cuanto a escritor, es genial, sobrio, correcto, valiente e intencionado.

Pocos, muy pocos escritores habrá en España que gocen de tanta popularidad como *Clarín* disfruta y que hayan sido más discutidos que el catedrático de Oviedo. Y es que el señor Alas con sus críticas y sus paliques —permítome diferenciar éstos de aquellos— ha promovido en la juventud y aun en la

259

ancianidad literarias, disturbios y alborotos que sólo saben producir aquellos que están dotados del talento y de la claridad de ingenio que todos reconocemos en *Clarín,* aparte de las obsesiones de que a veces es víctima el autor de *La Regenta.*

Si *Clarín* no se hubiera dedicado a la crítica chabacana tendría más amigos que hoy cuenta, aunque también es verdad que si se hubiese limitado únicamente a hacer novelas no contaría enemigos, pero tampoco admiradores... *admiradores* porque le temen.

Que el señor Alas ha sido injusto en algunas de sus críticas, consta en la última edición de *Solos de Clarín,* donde el autor hace declaraciones que le han favorecido tanto como le perjudicaron los apasionados juicios de entonces.

Pero observo que se me va el tiempo en digresiones y que me salgo del *fondo* de la cuestión, que diría cualquier diputado novel.

Quedábamos en que *Doña Berta* es una preciosa novelita, cuyo principal personaje es una simpática anciana llamada Berta, de la familia de los Rondaliegos, que vive en Posadorio acompañada de Sabelona, una criada que adora a su ama y de un gato, que ni es personaje... ni persona.

La anciana cometió allá en su juventud una grave falta... por amor, falta que no le perdonaron sus hermanos cuyo ídolo «era el honor limpio, la sangre noble, inmaculada».

A consecuencia de aquella falta la infeliz Berta cayó enferma de un mal que, como dice el autor, acabó en un bautizo misterioso y oculto.

El hijo le fue robado, y Berta, abandonada por los hermanos quedó sola en Posadorio con Sabelona y el gato.

Un día, en ocasión de hallarse Doña Berta paseando por sus dominios se encontró con un pintor el cual le contó una historia referente a un capitán que luego resulta ser el *hijo bastardo.*

El pintor alcanzó gran fama con un cuadro que representaba la gloriosa muerte del capitán, en el campo de batalla. De este cuadro regaló una copia a Doña Berta, y por ella adivinó la Rondaliego que el capitán era su hijo.

Adquirir el famoso cuadro fue desde entonces la idea fija de Doña Berta.

Con gran asombro por parte de Sabelona la anciana vendió sus propiedades y marchó a Madrid en compañía del gato.

En la corte supo que el pintor había muerto y que el cuadro fue vendido a un rico americano.

Aquí empieza el calvario de Doña Berta. Lloró y suplicó a fin de ablandar el corazón del poseedor del cuadro. Inutilmente: el americano no quería desprenderse de aquella joya cuyo valor primitivo, con la muerte del artista, se había triplicado.

Lo único que consiente el americano es que Doña Berta vaya diariamente a ver a *su capitán,* al que creía su hijo, por el que había venido a Madrid, a este Madrid que tanto le horrorizaba porque temía ser atropellada por los caballos y triturada por las ruedas de algunos de tantos carruajes, te tantos tranvías, de tantos carros como cruzaban la Puerta del Sol.

Un día ¡horrible día! supo Doña Berta que el americano se iba a la Habana, llevándose el cuadro. Nuevas súplicas y nuevas lágrimas por parte de Doña Berta.

Confesó *su secreto;* pero nada, el dueño de *su capitán* la tomó por una loca. Sin embargo no desconfió; esperaba vencer...

Al día siguiente se dirigió, como de costumbre, a casa de su verdugo.

¡Era la visita decisiva, la San Marcial de sus deseos!

Al cruzar la calle de Fuencarral, doña Berta, distraída por la idea de siempre, con el pensamiento fijo en la adquisición del cuadro, no sintió que el tranvía se acercaba hasta que se vio arrollada, triturada... A los pocos segundos no existía.

El gato, «el amigo de las mariposas y de las siestas dormidas a las sombras de árboles seculares» murió de hambre en un rincón de una trasera acaso «soñando con las mariposas que no podía cazar».

Es *Doña Berta* el mejor libro que ha salido de la pluma de *Clarín.*

Lo que sufre la vieja pensando en su engañador, los momentos de felicidad producidos por el recuerdo del hijo a quien no vio sino en el cuadro, la salida de Posadorio, la despedida a aquellos valles y a aquellos árboles seculares y a aquel *palacio* de los Rondaliegos, el miedo a los carruajes y a los tranvías de Madrid, la lucha por la adquisición del famoso cuadro, todo lo que sintió doña Berta, está trasladado al papel con notable precisión y maestría, todo es natural, todo lógico, todo sublime.

Las otras dos novelas, *Cuervo* y *Superchería*, merecen elogios también; pero a decir verdad, resultan pálidas y sin brillo al lado de *Doña Berta*.

Desde hoy *Clarín* puede figurar en el número de nuestros mejores novelistas.

José Ortega y Munilla,
«*Doña Berta* por Leopoldo Alas»
(*Los Lunes de El Imparcial*, 29-II-1892)

Aunque así se titula el volumen que acaba de publicar Leopoldo Alas, *Doña Berta* no es sino el primero de tres cuentos, y sólo como capricho de su autor puede aceptarse el bautizo: porque siendo *Doña Berta* un original y precioso estudio, lleno de melancolía y ternura, no es tan bueno como *Supchería*, nombre del trabajo contenido en las últimas páginas.

Voy a hablar únicamente de *Superchería,* porque es, en mi opinión, no ya lo mejor del tomo, sino lo mejor que ha escrito Alas. Es una novela abreviada, el pensamiento de un gran libro, la síntesis de un trabajo que no sé por qué ha querido el autor encerrar en tan pequeño espacio, a no ser por una coquetería de artista.

Las dudas y zozobras de Nicolás Serrano, protagonista de *Superchería;* las delicadas escenas, apenas indicadas, entre él y el niño Tomasuccio; el drama misterioso que palpita en la vida de Catalina Porena; el amor pasivo y sin demostraciones que une al filósofo y a la sonámbula: la silueta medrosa del hipnotizador Vicenzo Foligno, son elementos de que Alas hubiese podido sacar una novela nutrida de pensamiento, llena de sorpresas, no al modo de las que divertían a los candorosos lectores de Sue y Dumas, sino de las sorpresas que experimenta el lector reflexivo y verdaderamente culto cuando el novelista le pone de manifiesto un rinconcito aun inexplorado de la humanidad.

El alcalde de Guadalajara, con sus pretensiones de fuerza magnética y la velada a ratos cursi y a ratos conmovedora en que Catalina Porena adivina los pensamientos del filósofo Serrano, están retratado el primero y descrita la segunda con una maestría que se logra por pocos. El laconismo expresivo, la concisión elocuente, pintar con una pincelada, decir mucho con escasos vocablos, ese difícil triunfo, ha sido logrado por Leopoldo Alas en *Superchería.*

Hay en este cuentecillo dos rasgos admirables. Cuando Tomasuccio dice a Nicolás en guisa de saludo que *il babbo é morto,* el corazón del niño con su soledad y sus melancolías, con su ligereza de impresiones y su ignorancia de todo, queda expresado a maravilla. El perro canelo que, «satisfecho de la existencia», sin experimentar ninguna de las «angustias metafísicas» que atormentaban al filósofo enamorado, iba por la Castellana «así como... *cantando*», vale con toda la modestia de su posición zoológica y social más que muchos de los personajes de la novela convencional que hoy se cultiva bajo la falsa cubierta del realismo.

Claro está que escribo para aquellos que ya han leído el libro de Leopoldo Alas. Si no, tendría que explicar el argumento de *Superchería,* y eso de explicar el argumento es la más difícil e inútil cosa cuando se trata de un todo literario vivo. En cada uno de los miembros del ser que alienta está el fluido vital que le hace moverse y destacarse de los demás seres. Así en cada hoja de un libro como éste, no en cada hoja, en cada frase está algo esencial y constitutivo del libro todo. Contar lo que *pasa* en *Superchería* fuese una superchería. Hay que empezar por leer todo el cuento y luego pensar sobre lo que se ha leído.

Los enemigos de la moderna novela la acusan de aburrida. Bastaría para la clasificación de los espíritus de una sociedad darles a leer *Las ilusiones perdidas,* de Balzac; *L'Assommoir,* de Zola; *David Copperfield,* de Dickens, o *Recuerdos,* de Tolstoi. El que lea con admiración y al llegar a la última página se sienta dominado por esa fiebre del pensamiento que produce la obra de arte, ese formará en la legión escogida. El que sienta la nostalgia de las aventuras y de lo imprevisto, el que se aburra y se desespere hasta echar de menos los tiempos de la novela novelesca, ese será uno de tantos en el gran montón del vulgo, siquiera tenga más títulos académicos que el presidente del Consejo de ministros.

La novela de los tiempos pasados (de los que acaban de pasar hablo) era un intrincadísimo bosque hirviente de aventuras, con sus dúos de amor en el rayo de la luna y sus estocadas en lo oscuro y tenebroso. Los mil incidentes que desfilan por los innumerables volúmenes de Dumas y Sue son ajenos siempre al *ser interior,* al hombre moral y físico que va dentro de cada levita o de cada chaqueta. Ahora el drama, la aventura, el eterno *guet-apens* de la novela novelesca tienen menos interés que la sorpresa, la aventura, el misterio que se dan en nuestro organismo. El juez Ilich, tal como Tolstoi nos lo presenta, muriéndose de una enfermedad cualquiera, agonizando entre una esposa que no le comprende y un médico que no sabe qué tiene el enfermo, será siempre mucho más trágicamente conmovedor que todas las luchas de la virtud y el vicio *profesionales,* digámoslo así, de la anacrónica literatura inventada.

Superchería es obra de esta buena estirpe, llena de pensamiento, bien escrita y modelo del arte de componer.

Rafael Altamira,
«*Doña Berta, Cuervo, Superchería,*
de Leopoldo Alas»
(*La Justicia,* 13-III-1892)

«Correo literario»

Si no me equivoco, es D. Luis Vidart quien ha dicho que *Clarín* escribe mejor las novelas cortas que las *largas*. No me atreveré yo a tan absoluta afirmación; pero digo, sin titubear nada, que *Doña Berta* es la novela más perfecta de su autor. No es cosa fácil alcanzar este grado en el género: llegar a él supone verdaderas cualidades de artista y una suprema posesión, serena y consciente, de esas cualidades.

Los dos elementos que componen la obra literaria —el asunto, la idea, el *alma* y la composición—, suelen ir separados en los escritores. Aunque los jóvenes posean el primero (caso bien raro en la seca juventud de ahora), carecen, casi siempre, de la experiencia y educación propiamente artística que producen el segundo: tienen la *poesía,* pero no el *arte.* Los *maestros,* los que se llaman en el argot teatral *artistazos,* aun cuando merezcan este nombre, suelen quedarse en la fría posesión de la técnica. Tal ocurre, *v. gr.,* en muchos de los cuentos y *nouvelles* de Maupassant, no obstante sus grandes dotes de artista. Así es, que cuando ambas cosas vienen reunidas —como, en rigor, sucede en algunas obras del propio Maupassant—, bien puede hablarse de perfección.

Doña Berta interesa y emociona por el asunto: hay en sus páginas una elevada y dulce simpatía, un soplo humano, una cierta risa triste, que llegan al alma. Toda ella rebosa amor: al campo y a la tierra propia, en los primeros capítulos; luego, a la figura minúscula, pero dramática y misteriosa, de la pobre viejecita, que lo abandona todo arrastrada por la fe verdaderamente ciega de una maternidad que, más que esto, es resurrección de todo el lejano poema de una vida, empleada, en su mayor parte, en olvidar ese mismo poema o cantarlo por lo bajo, pudorosamente, pero siempre con ilusión, en el fondo del alma.

Ese amor del novelista se revela a cada paso, no sólo en el tono general del estilo (del cual pudiera decirse, si no le desvirtuaran algunas frases crudas, irrespetuosas en cierto sentido, que es el tono en que un artista hablaría de su madre... artísticamente), pero también en muchos pasajes concretos, como aquel en que se compara a Doña Berta con una estatua de la Historia, vertiendo lágrimas sobre el polvo anónimo, de los heroísmos oscuros, de los grandes dolores sin crónicas; donde está el verdadero sentido de la novela, relato de uno de esos dolores «que no se ven más que un instante», como dice Maupassant, pero que llevan en sí tanta amargura como la inmensa epopeya del niño *Jak,* de Daudet. Lo mismo se revela en aquel final del capítulo noveno, en que el cuadro de la anciana, desplomada en brazos del mozo compasivo, «parecía, a su manera, un *Descendimiento*».

A esta representación —no sé decir *ideal,* porque casi más se refiere al sentimiento— y en la cual reside la poesía de la novela, se une una composición magistral, bien equilibrada, con perfiles y minucias de ejecución, que va derecha a producir el efecto artístico deseado. Se ve bien que el autor domina su asunto y que la pluma no ha corrido suelta, sino encauzada por la intención reflexiva, serena y superior, del arte. El escritor dice lo que quiere... y cepilla con cuidado la frase: no con la sobonería material de algunos, sino en la mente, mientras se elabora en ella la expresión y antes de escribirla. He ahí por qué digo que *Doña Berta* es la obra más perfecta que ha escrito Leopoldo Alas.

* * *

Superchería es inferior. Tiene menos *unidad* de composición y menos cuidado de los pormenores, de la trama y hasta del estilo. Pero la nota ideal y simpática es en ella muy viva; no tanto en las filosofías de Nicolás Serrano, como en aquella evocación de la adolescencia del filósofo, y en aquel dulce, noble y melancólico final de la novela. La figura de Catalina —otra *faz* de la italiana de *Su único hijo*— es más agradable que ésta, aunque no esté tan desarrollada. En Tomasuccio (el *único* niño que ha pintado Alas) hay algo de la *piedad,* del encanto amoroso que resplandece en las poesías de niños de Hugo y Daudet. Hasta la misma vaguedad de *doctrina* que *ostenta* la novela, la hace más interesante, más ideal...

Y por esto, siendo *Cuervo* un precioso estudio, lleno de sátira fina y elevada (casi de *humour*), desdice de sus compañeros de volumen. Es un entreacto de valor *ipso jure*, pero demasiado frío al lado del calorcito amoroso, que le precede en *Doña Berta* y le sigue en *Superchería.* Y que este nuevo tono no es accidental en Leopoldo Alas lo prueba otra novela *(Cuesta abajo)* que actualmente publica una revista de Barcelona, y que vivamente deseo, para bien de los lectores, ver reunida en un tomo con otras gemelas. Entonces será ocasión de hablar del *por qué* psicológico de estas producciones: punto no menos interesante que los ya enunciados para llegar a la crítica total del autor.

Luis Paris,
«Doña Berta, Cuervo, Superchería. Novelas cortas, Madrid, 1892» *(La Correspondencia de España,* 12-IV-1892)

«NOTAS DE UN LECTOR»

Conocía yo desde hace algún tiempo, por haber sido publicadas en *La Ilustración Ibérica,* las novelas, o mejor dicho, los bocetos de novela, titulados *Cuervo* y *Superchería,* pero me era completamente desconocido *Doña Berta,* que figura a la cabeza de los tres cuentos o novelas cortas que componen el último volumen publicado por Leopoldo Alas.

Es decir que no era para mí una novela completa el libro de *Clarín* y, sin embargo, declaro con franqueza que me apresuré a leerlo entero y detenidamente para satisfacer el deseo de comprobar algo que en otro lugar, y no hace mucho tiempo he afirmado respecto del autor de *La Regenta.*

Decía yo: «Al estudiar a *Clarín* en cualquiera de sus 'manifestaciones literarias' no se puede prescindir de un distingo elemental entre sus anhelos y sus hechos: entre lo que pretende y lo que consigue. En ningún otro escritor español contemporáneo se manifiesta con mayor evidencia lo que los ingenieros llaman 'coeficiente de pérdidas en una fuerza' esto es, las diferencias entre el trabajo calculado y el trabajo conseguido en una máquina cualquiera.»

«Clarín —y lo que voy a decir se desprende lógicamente de sus estudios literarios— "siente" la novela moderna; aspira a

269

reproducir lo que ve y lo que experimenta, y cuando acomete la ardua tarea de vaciar dándoles relieve, los productos de su observación y de su experiencia lo hace con el firmísimo propósito de no desviarse un punto de las inspiraciones recibidas en el estudio de los grandes maestros de la novela contemporánea.»

«Ha estudiado a fondo a Balzac, a Flaubert y a Zola, esa enorme triumurti de la literatura experimental; se complace en demostrarnos a diario, con atinadas reflexiones, que se ha compenetrado perfectamente de su estilo y de su procedimiento, y lleno de entusiasmos, con el cerebro ahíto de ideas y la voluntad firme y decidida, se sienta ante su mesa de trabajo, y escribe... Pero entonces, cuando es llegado el tremendo instante de la gestación mental, cuando arriba el momento en que las ideas madres se desenvuelven en germinación misteriosa para dar *lugar* y origen a nuevas ideas y a conceptos nuevos, *Clarín* se retuerce y lucha desesperado contra las tiranías de su propio temperamento que agobian su voluntad y tuercen sus deseos perturbando su producción y encaminándola por derroteros bien distintos de los soñados pocas horas antes, cuando la idea aun no exteriorizada, bullía en las profundidades del cerebro...»

Pues bien, aunque yo ignoro *cómo escribe Clarín*, es decir, la manera que tiene de ordenar el *trabajo puramente mecánico de escribir*... ansiaba ampliar este mi modo de entender a *Clarín*-novelista, leyendo algo de lo que publicase —más elemental en cuanto al procedimiento—, algo (y no sé si acertaré a explicarme) que estuviese lo más cerca posible del aludido «tremendo instante de la gestación mental».

He hablado de ideas-madres, y esta fase va a servirme para ampliar mi proyecto y acaso, acaso para aclararlo completándole. Yo no sé, repito, cómo *compone* Alas, pero supongo que en su *obra*, como en todas, la *idea* precede a la *forma;* el *leit-motive* (idea madre) al *reemplisage* (forma prosódica)... *Doña Berta, Cuervo* y *Superchería*, son a mi juicio, *ideas madres*, bocetos, apuntes, para otros estudios, que no se han desarrollado más, merced al *reemplisage* novelesco (¡valga la palabra!) por voluntad expresa de su autor que los ha lanzado a la pública curiosidad, casi como vinieron al mundo, en *cueros,* y por tales circunstancias para ver si me había equivocado suponiendo en *Clarín* tan palpable y evidente «el coeficiente de pérdidas» entre lo imaginado y lo realizado.

A mi entender *Doña Berta, Cuervo* y *Superchería,* pueden considerarse como borradores, como notas en donde se va escribiendo, conforme se va pensando sin atender a razones *retóricas* ni *críticas,* es decir, en donde la *idea madre* destaca brillante y poderosa sin estar velada u oscurecida por una *instrumentación* más o menos hábil, pero que casi siempre se *hace* a posteriori.

Yo bien sé que *Clarín* habrá corregido y pulido algo y aun algos en esos tres apuntes antes de darlos a la imprenta, pero eso no significa nada para mi argumento ni altera en lo más mínimo el resultado del experimento hecho antes con la lectura de *Pipá* y otras novelas cortas y repetido ahora con *Doña Berta.*

Leí pues, el repetido volumen y de su lectura he deducido una nueva y categórica ratificación de mis asertos.

* * *

... *Cuervo,* es el estudio de una figura, pero un estudio abocetado; nada más que eso. Apunte recogido tal vez del natural, vigorosamente ejecutado y a que a la par evoca la remembranza de una de las más hermosas afirmaciones de Emilio Zola: ¡La alegría de vivir!... *Cuervo* será un miserable o un elegido; un pedazo de carne viva o un símbolo, pero ante todo es un *satisfecho,* que proclama a gritos, con toda la fuerza de sus pulmones, su felicidad y su dicha, la dicha de sentirse *vivo* y de contemplar cómo también *vive* con él la naturaleza entera... *Cuervo* es un puñetazo descargado sobre esa negación espiritualista que se llama La Muerte.

* * *

Superchería resulta algo incondensado aún. Parece haber sido publicado antes de tiempo. Es un *caso* que reclama la atención del perito antes de calificarlo como aborto o como parto prematuro. Nótase en él, a mi entender, la espontaneidad de lo imaginado en un instante de *rêverie,* amalgamado con la incoherencia del recuerdo vago. Al pronto parece también un símbolo con intentos satíricos, construido con alardes de psicólogo, y luego desvanecido este primer efecto, recogida allá en lejanos tiempos de bohemia científica y evocada ahora en los amargos días de la soledad... Resulta muy raro. Gerardo de Nerval hubiera enriquecido ese cuento con más pintorescos matices... pero lo hubiese firmado con gusto.

* * *

En cuanto a *Doña Berta,* es lo mejor del libro. Aquel amor purísimo de la pobre viejecita, que llena su vida entera, perpetuado en una sola imagen, en un solo recuerdo, confundiendo los rubores de la virgen y las abnegaciones de la madre, en un solo culto, mudo, fervoroso y supremo, está descrito y sentido con admirable sencillez. Parece que cuando se va leyendo se verifica una ascensión hacia la región serena en donde el ambiente es más luminoso. Una «inmensa piedad» lo llena todo.

Además todo «suena» en ese cuento. La armonía imitativa es perfecta y admirable. Diríase que Alas pensaba en una sinfonía cuando la escribió.

... ¿Y el gato que muere solo, «olvidado por el mundo entero», dejándose caer en un rincón «con la resignación última de la debilidad suprema...» hambriento, yerto y desamparado por la trágica muerte de su ama...?

Todo eso es muy hermoso.

Alas, al dedicar este libro a su amigo Tomás Tuero, dice «que es el que más quiere de todos los suyos, sin saber por qué».

Voy a decírselo: porque es el mejor.

Febrero, 1892.

Colección Letras Hispánicas